VIEILLES, ET APRÈS !

Femmes, vieillissement et société

sous la direction de
Michèle Charpentier et Anne Quéniart

VIEILLES, ET APRÈS !

Femmes, vieillissement et société

les éditions du remue-ménage

Couverture : Tutti Frutti
Infographie : Claude Bergeron
En couverture : photographies extraites de la Galerie de photos du site web de Santé Canada, http://www.hc-sc.gc.ca/francais/media/photos/index.html. © Reproduit avec la permission du Ministre des Travaux publics et Services gouvernementaux Canada, 2009.

Catalogage avant publication de Bibliothèque et Archives nationales du Québec et Bibliothèque et Archives Canada

Vedette principale au titre :
Vieilles, et après! : femmes, vieillissement et société
Comprend des réf. bibliogr.
ISBN 978-2-89091-279-3
1. Femmes âgées. 2. Vieillissement. 3. Femmes âgées – Conditions sociales. I. Charpentier, Michèle, 1960- . II. Quéniart, Anne.

HQ1061.A92 2009 305.26'2 C2009-940789-2

Dépôt légal : troisième trimestre 2009
Bibliothèque et Archives Canada
Bibliothèque et Archives nationales du Québec

Les Éditions du remue-ménage
110, rue Sainte-Thérèse, bureau 501
Montréal (Québec) H2Y 1E6
Tél. : 514 876-0097/Téléc. : 514 876-7951
info@editions-remuemenage.qc.ca
www.editions-remuemenage.qc.ca

Les Éditions du remue-ménage bénéficient du soutien de la Société de développement des entreprises culturelles du Québec (SODEC) pour leur programme d'édition. Nous remercions le Conseil des Arts du Canada de l'aide accordée à notre programme de publication. Nous reconnaissons l'aide financière du gouvernement du Canada par l'entremise du Programme d'aide au développement de l'industrie de l'édition (PADIÉ) pour nos activités d'édition.

Table des matières

Vieillir en beauté

Lise Payette

Je vais avoir 78 ans. Je vais manquer de temps. La vie a passé si vite. Et il me reste tant de choses à faire que c'est évident que je vais manquer de temps. J'ai pourtant l'impression de ne pas avoir gaspillé un seul moment de toutes ces années qui m'ont été données.

Il est vrai que vieillir ne m'a jamais fait peur. J'ai appris de Marie-Louise, ma grand-mère, que la vieillesse, comme la mort, fait partie de la vie comme une autre étape du voyage et qu'on doit les regarder bien en face pour ne pas les craindre. Je fais heureusement partie des personnes qui préfèrent voir le verre à moitié plein qu'à moitié vide et cette disposition de mon caractère me fait accepter, sans trop de difficulté, les changements inévitables que la vieillesse impose. J'ai accepté de ne plus courir, de ne plus foncer contre le vent, mais j'ai gardé intact mon désir d'apprendre, de connaître, de découvrir. Je suis en vie et je le serai jusqu'à mon dernier souffle, curieuse de l'évolution de la société qui m'entoure et dont je partage la vie de tous les jours.

Je sais exactement à quel moment la vieillesse m'a frappée. Ça n'a rien à voir avec l'âge ou les années. Ça a à voir avec les événements qui jalonnent la vie, ceux contre lesquels on ne peut rien, car quoi qu'on fasse, on ne peut rien y changer. Je vivais sans âge et confiante, inconsciente que le temps passait, jusqu'à la mort de l'homme que j'aimais, emporté en 90 jours par un cancer vicieux et imprévisible. La vie à deux avait été, jusque-là, comme une armure qui nous protégeait tous les deux de la vieillesse. Son départ a détruit l'armure.

La souffrance et la solitude ont occupé tout l'espace laissé vide par la mort de mon compagnon. Dans ma détresse, à la recherche d'une véritable bouée de sauvetage, j'ai été forcée de faire l'inventaire de ce qui m'appartenait en propre dans notre couple et qui devait me servir à continuer ma vie. Dans cette démarche, je suis allée de surprise en surprise, car j'ai d'abord réalisé à 70 ans que je n'avais jamais vécu seule de toute ma vie. J'ai compris que cet apprentissage serait difficile.

J'avais quitté la maison de mes parents pour me marier à 20 ans, j'avais eu trois enfants qui avaient partagé ma vie jusqu'à ce qu'ils soient des adultes, puis j'avais accueilli Laurent qui était dans ma vie depuis 32 ans. Jamais un seul moment de solitude. Jamais une chambre à moi, jamais de repas en solitaire. Tout à apprendre. J'ai pleuré souvent, mais j'ai réussi, grâce au temps surtout, à dompter ma peur et mon angoisse.

J'ai aussi appris à demander de l'aide, ce que je ne savais pas faire. À mes enfants d'abord, puis à mes amis et même aux étrangers quand c'est nécessaire. Il m'est arrivé de demander à un beau jeune homme de me prêter son bras pour franchir un banc de neige en sécurité. Il n'y aurait certainement pas pensé par lui-même, mais il a bien réagi à ma demande. Moi, l'orgueilleuse par excellence, je reconnaissais enfin que j'avais des limites. Je les accepte maintenant et je les assume.

Ce qui me rassure aussi, c'est quand je me regarde dans un miroir. Je sais que beaucoup de femmes paniquent quand elles se voient vieillir. Moi, c'est le contraire parce que l'image que mon miroir me renvoie, je la reconnais. C'est moi. Aussi étonnant que ça puisse paraître, mon visage qui se ride doucement me permet de retrouver la petite fille que j'ai été. Je la retrouve toute surprise d'être là mais bien présente. Cette Lise-là m'est familière, ce n'est pas une étrangère fabriquée sur une table d'opération par une main, habile ou pas, qui efface sur les visages les traces de la vie vécue. Cette décision, je l'ai prise quand j'ai eu 40 ans. Pas de bistouri. Un vieillissement accueilli avec respect parce que bien mérité et gagné à la force du poignet. Une définition de la beauté qui n'est pas celle des magazines ou des vendeurs de crèmes en tous genres ni celle des stars qui ne peuvent plus sourire tellement ça fait mal. Un choix réfléchi qui est le mien.

J'espère que les femmes qui vieillissent vont continuer leur lutte pour l'émancipation et l'égalité. Les femmes vivent encore plus longtemps que les hommes et elles doivent penser qu'elles auront quelques années de solitude en bout de piste. Le pire qui puisse leur arriver, bien pire que les rides, c'est de se retrouver pauvres. Il leur est donc essentiel de planifier longtemps à l'avance ces années afin qu'elles ne se retrouvent pas aux prises avec de sérieux problèmes financiers.

Les femmes qui auront occupé des postes sur le marché du travail auront sans doute des pensions. Il est essentiel de connaître les lois afin de faire en sorte de ne pas se retrouver dans la rue. Espérer dépendre de ses enfants paraît une option bien fragile. La société a changé et même ma grand-mère, il y a longtemps déjà, disait que nous devons tout à nos enfants mais que nos enfants ne nous doivent rien. Une leçon de vie qui peut éviter beaucoup de discorde.

Je crois sincèrement que la vieillesse est moins dure pour les hommes. On dit d'un homme qu'il est comme le vin, qu'il s'améliore en vieillissant, et ses cheveux blancs, paraît-il, ajoutent à son charme. L'image qu'on impose aux femmes n'est pas la même. Elle est injuste certes et il faudra une incroyable volonté de la part des femmes pour faire tomber les exigences qu'on a envers elles. Je sais cependant qu'elles y arriveront. Elles sont tenaces et il suffit de mesurer le chemin parcouru par les femmes au cours des 40 dernières années pour savoir qu'elles arriveront à l'égalité dans le domaine de l'apparence comme dans tout le reste.

Les personnes qui vieillissent renoncent beaucoup trop tôt à revendiquer l'amélioration de leur situation dans notre société. Les vieux et les vieilles se taisent. Ils ont peut-être l'impression que quoi qu'ils disent, ils ne seront pas entendus, mais ce silence est douloureux. Pire encore, tout un groupe tombe parfois sous la coupe d'un directeur de centre d'accueil ou d'un bénéficiaire du genre « grande gueule » qui affirme parler au nom de tous, occupe toute la place et ne parle finalement qu'en son nom personnel en imposant le silence à tous les autres. Les vieux et les vieilles auraient des choses à dire comme citoyens. Leur expérience est si précieuse. Les écouter n'est jamais du temps perdu.

Si on traitait les personnes âgées avec le respect qu'on leur doit, toute notre société serait enrichie. Il y a des pays où les personnes âgées sont des trésors nationaux, traités comme tels. Ce sont des pays hautement civilisés. Nous n'en sommes pas encore là. Ici, on en est encore à tutoyer les personnes âgées, pensant établir des liens plus étroits mais manifestant ainsi un manque de respect qui nous afflige.

Vous tous qui lisez ces lignes, quel que soit votre âge, vous allez vieillir. Vous ne pourrez pas échapper à cette réalité. La seule façon d'éviter le vieillissement c'est de mourir, une alternative pas très réjouissante. Il vaut bien mieux vieillir doucement pour arriver à la fin de sa vie en se disant que le voyage a été intéressant et qu'on a profité de chaque moment qui nous a été donné. La douceur, en vieillissant, de se tourner vers l'avenir en découvrant nos petits-enfants, les aimer et découvrir notre propre éternité à travers eux, ça console de bien des rides. Vive la vie !

Montréal, février 2009

Quelle place pour les femmes âgées ? Regard sur les dynamiques d'exclusion et d'inclusion sociale

Michèle Charpentier et Anne Quéniart

Introduction

On l'entend partout, la population vieillit, mais paradoxalement, rarement parle-t-on de la majorité des citoyens âgés, les femmes âgées. Pourtant, la vieillesse est et sera un monde de femmes, particulièrement au grand âge où l'on dénombre 2 femmes pour 1 homme chez les plus de 80 ans, 5 pour 1 chez les centenaires (Statistique Canada, 2007 ; Conseil des aînés, 2007). Ainsi, « les p'tites madames », comme on se complaît encore à les désigner, s'avèrent plus résistantes face à la vie, mais aussi, comme nous le verrons, plus touchées par les inégalités dans les conditions de vie, les revenus et l'accès aux services et soins de santé. Compte tenu de cette supériorité numérique et des enjeux sociaux particuliers qui l'accompagnent, comment expliquer dès lors le peu d'attention accordée aux femmes âgées et à leurs réalités, sur la scène sociale et dans les recherches scientifiques ?

L'idée de cet ouvrage collectif sur les femmes âgées part du constat d'un manque d'écrits s'intéressant à elles, tant dans le domaine de la recherche en sciences sociales qu'au sein des études féministes. Cette quasi-invisibilité des femmes âgées était d'ailleurs le postulat de départ d'un premier livre publié en 1995, *Condition féminine et vieillissement*, lequel fut réimprimé à deux reprises. Dans l'avant-propos traitant de cette « majorité silencieuse », on dénonçait le fait que *« la recherche, l'intervention et la formation en gérontologie sont restées peu loquaces en ce qui concerne l'expérience féminine du vieillissement, surtout dans les écrits en français »* et que *« même les groupes de femmes ont donné peu écho à la voix des plus âgées »* (Charpentier, 1995 : 14). Les choses ont-elles évolué ? Un peu. Ainsi, nous sommes plus nombreuses à signer cet ouvrage et à mener des travaux de recherche sur les femmes et le vieillissement, notamment en France et au Québec. De plus, la Fédération des femmes du Québec vient de mettre sur pied son premier comité femmes aînées, lequel fait suite à plusieurs années de revendication de quelques membres et militantes grisonnantes.

Ces avancées, bien qu'encourageantes, nous apparaissent timides et c'est pourquoi il nous a semblé à la fois pertinent et essentiel d'inviter plusieurs auteures et chercheures à partager leurs travaux et leurs réflexions sur les femmes aînées. Qui sont ces femmes ayant de nombreuses années de vie – septuagénaires, octogénaires et même centenaires ? Comment vivent-elles cet avancement en âge, dans leur intimité – leur rapport au corps, à la santé, à elles-mêmes – et dans leurs rapports aux autres – à la société, aux institutions sociales ? Ce sont là les questions à l'origine de ce projet de publication réunissant 14 de nos collègues du Québec, de la France et du Brésil, auxquelles Lise Payette a généreusement accepté de joindre sa voix en signant la préface.

Plus qu'un livre sur les femmes et le vieillissement, cet ouvrage parle des femmes aînées. Cette nuance reflète notre intention d'aller au-delà des questions de l'âge, car en limitant notre analyse à celles-ci, il y a risque de taire d'autres facteurs importants dans les expériences des femmes aînées ou, à l'opposé, d'en accentuer les effets et de sombrer dans une lecture très négative. Ainsi, d'une part, reconnaissant la féminisation de la vieillesse et le fait que le genre influence l'expérience du vieillissement, notre réflexion s'inscrit dans les tentatives récentes de rapprochements théoriques et pratiques entre les études féministes et la gérontologie (Krekula, 2007 ; Membrado, 2002 ; Kérisit, 2000 ; Ray, 1999 ; Quadagno, 1999 ; Gibson, 1996 ; Charpentier, 1995).

À cet égard, force est de constater que les inégalités de genre dans notre société patriarcale marquent la trajectoire de vie des femmes et entraînent des conséquences réelles sur leur vieillissement, et ce, non seulement sur le plan de leurs revenus (Rose) mais aussi, sur le plan de leur santé (Pérodeau, Dufort), de leur rapport au corps et à soi (Vannienwenhove, Navarro Swain), de leur rapport aux autres (Pennec, Attias-Donfut) et à la société. D'autre part, s'il nous semble essentiel de considérer la question du genre dans l'étude du vieillissement, il importe aussi de montrer comment d'autres facteurs sociaux et personnels, dont les inégalités socio-économiques, le fait d'être engagée et active dans sa communauté, etc., jouent un rôle majeur dans les parcours et les conditions de vie et de vieillissement des femmes. Il importe de ne pas camoufler les réalités et les inégalités vécues par certaines catégories de citoyennes âgées, pensons ici aux aînées lesbiennes (Chamberland), aux immigrantes ou réfugiées, aux militantes (Quéniart et Charpentier) ou à celles qui souffrent d'un problème de santé mentale. Pour ces dernières, l'âge n'est probablement pas le principal marqueur de leurs réalités, de leurs identités et de leurs expériences.

Dans ce sens, l'approche intersectorielle a démontré qu'il faut comprendre l'expérience singulière des femmes à travers leurs multiples identités : sexuelles, culturelles, générationnelles, socio-économiques, etc. (Corbeil et Marchand, 2006 ; Yuval-Davis, 2006). Ainsi, nous sommes soucieuses de ne pas perdre de vue la diversité et la singularité des expériences féminines, car les visages des femmes âgées sont multiples : mariées, divorcées, célibataires, mères, grands-mères ou sans descendance, bénévoles, artistes peintres, handicapées visuelles, militantes, retraitées de l'enseignement ou de la restauration, etc. Les aînées d'aujourd'hui appartiennent à une génération de femmes qui ont ouvert de multiples portes et investi de nouveaux rôles et de nouveaux lieux, et conséquemment inventent de nombreux modèles de vieillissement (Charpentier et Quéniart, 2007).

Cette reconnaissance de la pluralité et de la diversité des femmes nous incite aussi à éviter les raccourcis faciles à leur égard. L'autre limite qui guette les écrits centrant leur analyse sur les effets croisés de l'âge et du genre est en effet, à l'opposé, d'accentuer les problèmes que vivent les aînées et ainsi sombrer dans une vision misérabiliste. Nous faisons référence ici aux stéréotypes de la « p'tite vieille » fragile et dépendante ou de la vieille dame « placée », seule, abandonnée et sans voix, que réfutent Grenier, Soulières et Charpentier.

Les postulats et mises en garde étant posés, nous entendons, dans ce texte introductif, présenter d'abord quelques données sur le phénomène de la féminisation de la population âgée, pour ensuite mettre en lumière comment le fait de vieillir inscrit les femmes dans une dynamique complexe où s'opèrent des exclusions sociales (exclusion symbolique, identitaire, institutionnelle, etc.), mais aussi, et de plus en plus, des résistances, des inclusions et des solidarités, tant dans la sphère privée que dans l'espace public.

Les femmes aînées : des citoyennes nombreuses, plurielles mais effacées

Le vieillissement de la population est un des sujets de l'heure, trop souvent présenté comme un problème. Il s'agit pourtant d'une importante avancée et d'une belle occasion, à la fois individuelle et sociale, de réaliser de nouveaux projets. En effet, avec la « *désinstitutionnalisation des parcours de vie* » (Guillemard, 2008) et la possibilité de vivre plus longtemps et en meilleure santé, s'accroît le temps disponible pour s'adonner à des activités significatives, qu'elles soient personnelles, professionnelles, familiales, récréatives, artistiques, sociales, bénévoles ou politiques. Car cette longévité accrue, qui s'accompagne d'une augmentation de l'espérance de vie en bonne santé, reporte à plus tard le déclin inéluctable des dernières années de vie et peut devenir propice à de nouveaux et beaux moments pour soi et pour les autres. C'est au Québec d'ailleurs qu'on observe un des taux de vieillissement les plus élevés et les plus rapides au monde. Selon le Recensement de 2006[1], la proportion des personnes âgées de 65 ans et plus au Canada a atteint un niveau de 13,7 %, alors qu'au Québec, elle était de 14,3 %, un pourcentage qui, selon les projections, doublera d'ici 30 ans.

Ce vieillissement de la population s'accompagne d'un autre phénomène important, quoique moins nommé : sa féminisation. En effet, la majorité des Québécois âgés de 65 ans et plus sont des femmes (58 % par rapport à 42 % d'hommes), selon un ratio qui s'accentue avec l'âge, à raison de 2 femmes pour 1 homme chez les 80 ans et plus, et de 5 pour 1 chez les centenaires (Conseil des aînés, 2007). Les femmes bénéficient d'une espérance de vie accrue de cinq ans, soit 82,5 ans en 2004, comparativement à 77,7 ans pour les hommes, laquelle s'explique principalement par la présence de deux chromosomes X pour les femmes, plutôt que d'un (pour les hommes) (Meslé, 2004 ; Vallin, 2002 et 2000). Cet avantage biologique n'est pas le seul facteur à considérer puisque les conditions économiques et sociales peuvent annuler l'effet des chromosomes. En effet, les femmes qui vivent dans des conditions socio-économiques difficiles ou dans des pays dits en émergence ont une moindre espérance de vie (Charpentier et Billette, 2009). Enfin, deux autres facteurs qui contribuent à la longévité des femmes, mais dans une proportion plus minime, semblent être leur attitude et leurs comportements plus favorables à la santé, d'une part, et leur capacité d'adaptation aux stress et aux épreuves de la vie, d'autre part.

Or, dans une perspective sociale et démocratique, sachant que la vieillesse est un monde de femmes, se pose d'emblée la question de leur place

1. Faits saillants au http://www12.statcan.ca/francais/census06/analysis/agesex/highlights.cfm

et de leur participation citoyenne dans les diverses sphères de la vie privée et publique. Il est d'ailleurs étonnant, voire inquiétant, de constater le peu de cas dont font l'objet les femmes aînées, et ce, tant de la part de la gérontologie (dont la perspective est traditionnellement très masculine et centrée sur les questions de « retraite » et de « dépendance »), que du mouvement des femmes, qui a en quelque sorte exclu les aînées de ses préoccupations et de ses revendications. Cette omission des femmes aînées est l'une des multiples formes d'exclusion, souvent insidieuses, qui contribuent à entretenir des préjugés à leur égard et faire obstacle à l'exercice de leur citoyenneté pleine et entière. Ces exclusions constituent un ensemble de pratiques de mises à l'écart ou au rancart qui méritent d'être nommées, dénoncées, pour ensuite mieux les contrer.

Les diverses formes d'exclusion sociale vécues par les femmes vieillissantes

C'est au début des années 1990 que le concept d'exclusion sociale s'est imposé. L'étude des populations autrefois qualifiées de « pauvres » ou « marginalisées » réclamait une nouvelle terminologie moins étroite (Tsakloglou et Papadopoulos, 2002). Le concept d'exclusion sociale, d'abord réservé à l'exclusion du travail rémunéré, s'est alors étendu à divers domaines de la participation sociale et citoyenne (Bickel et Cavalli, 2002). Malgré les critiques à son endroit, nous croyons que ce concept reste un puissant révélateur (Soulet, 2004, cité par Billette, 2008) des inégalités et des mécanismes de discrimination présents dans notre société. D'ailleurs, il sert de cadre théorique de référence à notre équipe de recherche en gérontologie sociale[2]. Nous inspirant des travaux de Jan Vranken (2002), nous voyons l'exclusion sociale comme un processus de mise à l'écart de certains groupes de la population, ici les femmes âgées. Cette exclusion résulte des rapports de force et tensions entre différents groupes aux visions et intérêts divergents, pensons aux rapports de sexe, de classe, entre les générations, qui se manifestent tant sur le plan des ressources ou conditions matérielles et symboliques, que sur le plan des liens sociaux (Billette, 2008 ; Lavoie et Guberman, 2004).

2. L'équipe VIES (Vieillissements, exclusions sociales et solidarités) est une équipe de recherche en partenariat, subventionnée par le Fonds québécois de la recherche sur la société et la culture. Elle compte 14 chercheurs universitaires et d'établissements, et 15 praticiens chercheurs, réunis au Centre de recherche et d'expertise en gérontologie sociale du CSSS Cavendish-CAU.

Cette définition a la qualité de mettre l'accent sur les dimensions collectives de l'exclusion sociale, sur les facteurs sociaux, politiques et économiques qui la favorisent. Elle reconnaît aussi qu'il s'agit non pas d'un état, mais bien d'un processus complexe et dynamique, lequel donne lieu à de multiples situations d'inclusion/exclusion. Enfin, cette posture théorique implique une perception des femmes âgées comme étant des actrices engagées dans les rapports sociaux et non pas cantonnées dans un rôle passif d'êtres de besoins. Elle reconnaît la possibilité d'être à la fois « dedans » et « dehors », de vivre des situations où l'on se retrouve « exclus de l'intérieur » (Castel, 2007 ; Bourdieu, 1993). En effet, être femme et âgée, dans nos sociétés obsédées par la jeunesse et la productivité, c'est être confrontée à de multiples préjugés âgistes et sexistes. Ces stigmates n'agissent pas de la même façon sur toutes les femmes, sur leur estime d'elles-mêmes et leur expérience du vieillissement. Cette réflexion nous amène à une conception multidimensionnelle de l'exclusion. Ainsi, nous avons identifié sept dimensions ou domaines d'exclusion qui peuvent se manifester dans autant de dimensions de la vie sociale (Billette, 2008 ; Lavoie et Guberman, 2004).

De l'exclusion symbolique à l'exclusion identitaire

L'exclusion symbolique se caractérise par les images et représentations négatives accolées au groupe d'appartenance ou encore par la négation de la place qu'occupe ce groupe au sein de la société et par son invisibilité. Pour ce qui est des femmes âgées, qu'on connaît peu malgré leur supériorité numérique, l'exclusion symbolique se traduit notamment par l'accent qui est mis sur les problèmes associés au fait d'être une femme et d'être âgée : veuvage, habitat en solo, précarité financière, taux d'institutionnalisation (Statistique Canada, 2007). Les images véhiculées à leur égard sont surtout négatives (Perrig-Chiello, 2001) et entretiennent l'idée qu'elles sont passives, un peu dépassées et sans pouvoir dans la société. Certaines recherches ont mis en évidence que les problèmes vécus par les femmes vieillissantes, bien que réels, en viennent à occulter les aspects de leur vie qui sont positifs et constituent des forces (Krekula, 2007 ; Chambers, 2004 ; Gibson, 1996).

Ces représentations négatives persistantes ont prise sur les femmes qui se voient vieillir, elles affectent et diminuent leur estime d'elles-mêmes. Il faut être bien forte pour y résister. L'exclusion symbolique des aînées dans notre société contribue à ce que les femmes entretiennent une relation pour le moins difficile et tendue avec le vieillissement. Il s'agit d'un sujet qu'on n'ose pas trop aborder avec elles. Il s'avère souvent délicat de demander son âge à une dame, même à une collègue ou à une connaissance. Et lorsqu'une femme le dévoile d'emblée, sa « révélation » est presque toujours suivie de remarques conditionnées socialement et perçues comme flatteuses : elle « ne fait pas son âge » ou elle « paraît si jeune pour son âge ». Le malaise est aussi grand lorsque la personne renvoie la question : quel âge me donnez-vous ? La stratégie adoptée est soit la fuite (« oh, vous savez, je n'arrive jamais à deviner ») ou le mensonge poli, lequel consiste à la rajeunir délibérément.

Pourquoi cet inconfort, voire ce tabou autour de l'âge des femmes, surtout celles de 50 ans et plus ? Pourquoi les femmes taisent-elles ou hésitent-elles à dire leur âge ? Pourtant, la société fait montre davantage d'ouverture à la diversité et à la singularité des trajectoires personnelles ; les individus affichent d'ailleurs beaucoup plus librement leur orientation sexuelle, leur origine ou appartenance ethnique, leur mode de vie ou arrangements matrimoniaux. Les symboles et les stigmates associés à « l'âge d'or » seraient-ils à ce point pénalisants pour les femmes qu'il vaille mieux pour elles s'en distancier, ne pas y être associées ? Les signes apparents du vieillissement sur le corps des femmes seraient-ils perçus comme une menace, comme un risque d'exclusion sociale ? L'impact de leur image corporelle est tel que la valeur sociale des femmes est bien souvent intimement reliée, même soudée, à leur apparence physique (Hurd Clarke et Griffin, 2007). Pour elles, le vieillissement devient un problème à traiter. Le cas de la ménopause et du recours à l'hormonothérapie illustre particulièrement bien cette tangente, le monde médical associant les transformations physiologiques normales des femmes à des symptômes à traiter, visant ainsi à « reconstruire » le corps des femmes en « perte de féminité » et d'identité, comme le démontrent Dufour et Navarro Swain.

À cet égard, les symboles et les stigmates associés à l'âge sont si forts pour les femmes aînées que l'âge lui-même devient un facteur d'exclusion, ce que certains nomment exclusion identitaire. L'exclusion est dite identitaire lorsque l'identité de la personne est réduite à un seul groupe d'appartenance, soit ici celui d'être une vieille femme ; les multiples caractéristiques identitaires sont alors niées. Les femmes âgées en viennent à être appréhendées à travers le seul prisme de leur âge, reléguant au second plan ou même camouflant leurs identités multiples : amoureuse, bénévole, militante, artiste, enseignante, mère, etc.

De l'exclusion territoriale et institutionnelle à l'exclusion sociopolitique

L'exclusion territoriale des personnes âgées se caractérise par une moindre liberté. Or, en vieillissant, les femmes sont plus nombreuses à vivre seule et pauvrement, et à être reléguées à des espaces isolés de la vie sociale quotidienne et/ou à être isolées par la perte de contrôle sur leur milieu de vie. C'est surtout au grand âge, alors que leurs capacités diminuent et que leur réseau social et familial s'effrite, qu'elles devront vendre ou quitter leur domicile pour aller vivre en centre d'hébergement ou en résidence avec services pour personnes âgées. L'institutionnalisation des personnes âgées est un phénomène plus typiquement féminin : les trois quarts des résidents en milieu d'hébergement sont des femmes (Soulières et Charpentier). Cette mise à l'écart ou exclusion territoriale des femmes âgées se traduit par l'absence ou la perte de réseaux de sociabilité significatifs et peut aller jusqu'au rejet de la part de ces réseaux.

L'exclusion institutionnelle, quant à elle, a trait à l'accès limité aux mesures de protection prévues par les institutions sociales et politiques. Ces barrières institutionnelles conduisent à une diminution et parfois même à une absence de ressources et de services, qui affectent durement les conditions de vie et de santé (Aronson et Neysmith, 2001). Les causes de ce manque d'accès sont multiples. Elles sont liées entre autres à la méconnaissance des services et des politiques chez les femmes aînées, mais aussi et surtout à une culture institutionnelle qui ne tient pas compte de leurs réalités, de leurs expériences et de leurs besoins. Plusieurs textes (Pérodeau, Dufour, Soulières et Charpentier, Grenier) illustrent ici comment les rapports entretenus dans le réseau de la santé et des services sociaux, tant au niveau de la consultation médicale individuelle que des pratiques hospitalières ou de soutien à domicile, se réduisent à des évaluations de perte d'autonomie et d'incapacités, et favorisent la dépendance des aînées.

L'exclusion institutionnelle puise aussi sa source dans la conception même des politiques et des conditions d'accès, qui s'avère d'emblée discriminatoire envers les femmes âgées. Nous pensons ici aux régimes de pension et de rentes de retraite qui privent de nombreuses femmes aînées, surtout celles qui vivent seules et n'ont pas occupé d'emploi rémunéré, des ressources nécessaires pour subvenir à leurs besoins de base (Charpentier, 1995), comme le montre Ruth Rose dans son texte. Cette exclusion institutionnelle et économique, qui a trop peu été dénoncée publiquement (FFQ, 2007), place nos mères et grands-mères au deuxième rang des personnes les plus pauvres au pays, juste après les femmes cheffes de famille monoparentale, et affecte leur droit de vivre et de vieillir en toute dignité.

Cette constatation nous amène à dénoncer l'exclusion sociopolitique dont sont victimes les femmes âgées, laquelle se caractérise par de multiples barrières à leur participation civique et politique, par un difficile accès aux espaces de participation citoyenne et d'influence auprès des instances décisionnelles. On peut parler ici d'une exclusion historique des femmes de cette génération à l'exercice du pouvoir collectif. Il est évident que les femmes de 65 ans et plus, malgré leur nombre, n'ont pas de poids politique.

Toutes ces formes d'exclusion sociale n'agissent pas de la même manière sur l'ensemble des femmes âgées, mais elles n'en demeurent pas moins présentes, interreliées et interdépendantes. Leurs effets peuvent se cumuler, ce qui, surtout pour celles d'entre elles plus durement touchées par la pauvreté, la maladie, l'isolement social et la marginalité, demandera des énergies et des ressources de résistance toujours plus grandes (Billette, 2008). Car il importe aussi de le reconnaître, les femmes aînées, malgré les dynamiques d'exclusion à l'œuvre et qui – nous insistons – appellent une dénonciation et des mesures collectives, ont développé de grandes capacités de résilience. Ainsi, l'analyse fondée sur le seul concept d'exclusion sociale, si elle est essentielle, ne suffit pas selon nous à rendre compte de l'ensemble de la vie et des expériences des femmes aînées. Il faut aussi, à notre avis, explorer les dynamiques d'inclusion sociale et de solidarité, notamment celles créées par les femmes âgées elles-mêmes.

Les dynamiques d'inclusion sociale et de solidarité créées par les femmes âgées

Il faut le reconnaître, les retraitées d'aujourd'hui possèdent plus de ressources que celles qui les ont précédées : elles sont plus instruites et, pour la majorité, ont été actives sur le marché du travail, et ont même été des pionnières dans plusieurs domaines. Plusieurs enquêtes, et ce, à travers le monde (Magarian, 2003), montrent que les personnes âgées, et surtout les femmes, sont aujourd'hui actives dans de multiples secteurs de la vie sociale[3], en plus de jouer un rôle déterminant dans les soins familiaux et le bénévolat (Warburton et McLaughlin, 2006). Par la diversité de leurs expériences de vie, par leur rapport différent au temps (plus libre, plus lent, plus essentiel), les aînées apportent beaucoup à leurs proches ainsi qu'à la société (Charpentier et Quéniart, 2007 ; Pennec 2004). Mais à part ces quelques données, on sait peu de choses sur ces dynamiques de solidarité et d'inclusion. C'est un champ de recherche et de questionnements en émergence, auquel nous voulons contribuer avec ce livre.

Les solidarités familiales

Lorsqu'on aborde la question des femmes âgées et de la famille, surtout sous l'angle des solidarités familiales, c'est d'abord à la grand-mère, la mamie, que l'on pense. Il y a lieu de mentionner que cette figure grand-parentale a pris beaucoup d'importance en raison des changements récents sur les plans démographiques et sociaux, de même que sur le plan des configurations familiales (Attias-Donfut). En outre, la plus longue durée de vie, la diminution du nombre d'enfants par famille, l'accentuation de l'autonomie individuelle font en sorte que les relations entre un plus grand nombre de générations sont plus longues, plus intimes, et aussi plus égalitaires (Gauthier, 2002 ; Attias-Donfut et coll., 2002 ; Rosenthal et Gladstone, 2000). La relation avec leur grand-mère, généralement associée à de très bons souvenirs, est souvent citée comme étant à l'origine de la décision de nombreuses personnes d'étudier et de travailler en gérontologie.

Toutefois, dans les publications sur le sujet, on note une forte tendance à assimiler sous le vocable « grand-parent » le rôle et les responsabilités du grand-père et de la grand-mère, et à dissimuler ainsi les différences de genre dans la fréquence, la nature et la fonction de ces relations (Kostelecky et Bass, 2004 ; Langevin, 2002). Par contre, les stéréotypes de la « bonne grand-mère » qui tricote et fait des petits plats pour les autres, et celui plus récent de la supermamie dynamique, sexy et active, n'ont pas d'équivalent au masculin. Ces images illustrent encore une fois comment le genre conditionne l'expérience de la vieillesse et aussi celle

3. À titre d'exemple, l'*Enquête canadienne sur le don, le bénévolat et la participation*, réalisée en 2004, révèle que 59 % des 65 ans et plus sont membres d'une association et qu'ils sont les plus nombreux, après les 15-24 ans, à participer plus d'une fois par semaine à des activités de leur association.

de la grand-parentalité. Elles renvoient en effet à l'injonction de rester jeune et de bien vieillir, tout en restant disponible pour les autres, laquelle selon Gestin (2002: 30) risque encore d'enfermer « *les femmes dans un cumul traditionnel de rôles* » qu'elles ont toujours joués au sein de la famille. L'incursion encore relativement récente des femmes dans le travail rémunéré expliquerait en partie le passage du modèle de la grand-maman traditionnelle, centré sur le soin des petits, à celui de la mamie moderne, active socialement et engagée (Charpentier, 1995; Langevin, 2002).

D'ailleurs, certaines femmes âgées occupent encore un emploi ou en recherchent un, alors que d'autres sont retraitées ou n'ont jamais travaillé. On assiste ainsi à une pluralité de parcours et de transitions entre travail et retraite : retraite précoce, préretraite (Quéniart, 2005, 2006 et 2007), maintien en emploi, réinsertion tardive ou post-carrière (Lesemann, 2007; Guillemard, 2007). Cette diversité module les trajectoires de vie des femmes aînées et leurs rôles sociaux, les écartant du cadre stéréotypé « *d'un lien intergénérationnel uniquement familial et centré sur les savoir-faire domestiques et les soins d'hygiène corporelle coutumiers* » (Langevin, 2002: 15). Il y a donc lieu ici d'innover et de s'intéresser à ce que les femmes aînées transmettent non seulement à leur descendance (Attias-Donfut), mais aussi à leurs collègues, au sein de leur milieu de travail et des associations dans lesquelles elles s'impliquent.

Les solidarités amicales, sociales et communautaires

Si, traditionnellement, les femmes ont été confinées à la sphère domestique et privée, et exclues de la sphère publique et surtout politique, les aînées ont investi et investissent encore d'autres lieux et espaces de participation sociale (Charles, Quéniart et Charpentier, Pennec). La contribution des femmes âgées au tissu social et communautaire est considérable et est elle aussi trop souvent invisible et méconnue. Nos résultats de recherche sur les femmes aînées et l'engagement social et politique illustrent à quel point cette implication prend diverses formes et occupe beaucoup de place dans la vie des femmes, et cela s'exprime par la fréquence et l'intensité de leur participation. De plus, dans leur engagement social et leur action citoyenne, les femmes nouent des liens et développent de nouvelles amitiés. Ces relations créent un réseau social de solidarité qui vient compléter la famille immédiate, parfois très réduite ou éloignée, ou s'y substituer. L'amitié entre femmes n'a pas d'âge, et est un facteur de protection sociale et qui contribue au plaisir de vieillir. Avec leur espérance de vie accrue, la diminution du nombre d'enfants et la probabilité de vivre veuve durant plusieurs années, les femmes ont intérêt à investir dans leurs relations amicales. À cet égard, comparativement à leurs homologues masculins, elles possèdent un net avantage relationnel.

Quelle place pour les femmes aînées ?

Nous avons tenté dans ce texte d'introduction de dénoncer les mises à l'écart et les exclusions sociales vécues par les femmes âgées, mais aussi de reconnaître les stratégies inclusives, solidaires et de résistance qu'elles déploient pour les contrer et, ainsi, obtenir et conserver leur place. Cette dualité nous apparaît conforme à la réalité des femmes aînées, tout en sachant qu'elle se décline différemment et de façon singulière dans les parcours individuels de vie et de vieillissement. Toutes doivent faire face et composer avec des dynamiques d'inclusion et d'exclusion qui agissent sur elles et les affectent au niveau symbolique, identitaire, territorial, économique, institutionnel, politique et dans leurs liens sociaux de proximité. Le paradoxe est frappant. D'une part, les femmes âgées, « les vieilles », constituent un groupe social négligé, sous-estimé, méconnu, victime d'inégalités, voire exclu socialement. D'autre part, elles (nos mères, grands-mères, belles-mères, collègues retraitées et préretraitées, copines dans des associations) sont des femmes belles, généreuses, complexes, engagées, et ont une place importante dans nos vies.

Comment dès lors passer de la reconnaissance individuelle et personnelle à la reconnaissance publique et politique ? Par la connaissance, la réflexion, la recherche, la prise de conscience, et l'action collective. Cet ouvrage est notre façon d'agir.

Bibliographie

Aronson, J. et S. M. Neysmith (2001). « Manufacturing Social Exclusion in the Home Care Market », *Canadian Public Policy – Analyse de politiques*, vol. 27, n° 2, p. 151-165.

Attias-Donfut, C., N. Lapierre et M. Segalen (2002). *Le nouvel esprit de famille*, Paris, Odile Jacob.

Bickel, J.-F. et S. Cavalli (2002). « De l'exclusion dans les dernières étapes du parcours de vie. Un survol », *Gérontologie et société*, n° 102, p. 25-40.

Billette, V. (sous la dir. de J.-P. Lavoie et N. Guberman) (2008). *D'une société exclusive à une société inclusive et plurielle. Nouvelles perspectives de solidarités en gérontologie sociale*, cadre théorique de l'équipe VIES – Vieillissements, exclusions sociales et solidarités, Montréal.

Bourdieu, P. (dir.) (1993). *La misère du monde*, Paris, Seuil, coll. Libre examen.

Castel, R. (2007). *La discrimination négative. Citoyens ou indigènes ?*, Paris, Seuil, coll. La république des idées.

Chambers, P. (2004). « The Case for Critical Social Gerontology in Social Work Education and Older Women », *Social Work Education*, vol. 23, nº 6, p. 745-758.

Charpentier, M. (1995). *Condition féminine et vieillissement*, Montréal, Remue-ménage.

Charpentier, M. et V. Billette (2009). « Conjuguer vieillir au féminin pluriel », dans N. Guberman et M. Charpentier (dir.), *Aspects sociaux du vieillissement* (titre provisoire), Québec, Presses de l'Université du Québec (à paraître).

Charpentier, M. et A. Quéniart (2007). « Au-delà de la vieillesse. Pratiques et sens de l'engagement de femmes aînées au Québec », *Gérontologie et société*, nº 120, p. 187-202.

Charpentier, M., A. Quéniart et J. Jacques (2008). « Activism among Older Women. Changing the World after 65 », *Journal of Women and Aging*, vol. 20, nº 3-4, *La citoyenneté*, p. 343-360.

Conseil des aînés (2007). *La réalité des aînés québécois*, Québec, Gouvernement du Québec. En ligne : http://www.conseil-des-aines.qc.ca/publications/etudes.asp (consulté le 29 mars 2008).

Corbeil, C. et I. Marchand (2006). « L'intervention féministe et la perspective intersectionnelle : un nouveau paradigme d'intervention auprès des femmes victimes de violence conjugale », *Nouvelles pratiques sociales*, vol. 18, nº 1.

Fédération des femmes du Québec (FFQ) (2007). *Sortir les aînées de la pauvreté, de la violence et de la discrimination : un choix de société*, mémoire présenté à la ministre responsable des Aînés dans le cadre de la Consultation publique sur les conditions de vie des aînés, septembre, Montréal, Fédération des femmes du Québec.

Gauthier, A. (2002). « The Role of Grandparents », *Current Sociology*, vol. 50, nº 2, p. 295–307.

Gestin, A. (2002). « "Supermamie" : émergence et ambivalence d'une nouvelle figure de grand-mère », *DIALOGUE – Recherches cliniques et sociologiques sur le couple et la famille*, nº 158, p. 22-30.

Gibson, D. (1996). « Broken Down by Age and Gender : "The Problem of Old Women" Redefined », *Gender and Society*, vol. 10, nº 4, p. 433-448.

Grenier, A. et S. Brotman (2009). « Les multiples vieillissements et leurs représentations », dans N. Guberman et M. Charpentier (dir.), *Aspects sociaux du vieillissement* (titre provisoire), Québec, Presses de l'Université du Québec (à paraître).

Guillemard, A.-M. (2007). « Politiques publiques et cultures de l'âge. Une perspective internationale », dans M. Charpentier et A. Quéniart (dir.), *Pas de retraite pour l'engagement citoyen*, Québec, Presses de l'Université du Québec, p. 1-21.

Hurd Clarke, L. et M. Griffin (2007). « Becoming and Being Gendered Through the Body : Older Women, Their Mothers and Body Image », *Ageing & Society*, vol. 27, p. 701-718.

Kérisit, M. (2000). « Les figures du vieillissement des femmes », dans S. Frigon et M. Kérisit (dir.), *Du corps des femmes : contrôles, surveillances et résistance*, Ottawa, Presses de l'Université d'Ottawa, p. 195-228..

Kostelecky, K. L. et B. L. Bass (2004). « Grandmothers and Their Granddaughters : Connected Relationships », *Journal of Intergenerational Relationships*, vol. 2, n° 1, p. 47-61.

Krekula, C. (2007). « The Intersection of Age and Gender. Reworking Gender Theory and Social Gerontology », *Current Sociology*, vol. 55, n° 2, p. 155–171.

Langevin, A. (2002). « Salariat féminin et construction de l'identité de grand-mère », *Dialogue – Recherches cliniques et sociologiques sur le couple et la famille*, n° 158, p. 11-21.

Lavoie, J.-P. et N. Guberman (2004). *Cadre théorique sur les exclusions et les solidarités*, demande de subvention soumise au Fonds québécois de recherche sur la société et la culture (FQRSC), Gouvernement du Québec.

Lesemann, F. (2007). « La fin de la retraite telle qu'on la connaît ? », dans M. Charpentier et A. Quéniart (dir.), *Pas de retraite pour l'engagement citoyen*, Québec, Presses de l'Université du Québec, p. 25-39.

Magarian, A. (2003). « Les mouvements associatifs », *Gérontologie et société*, n° 106, p. 249-261.

Membrado, M. (2002). « L'aide à la vieillesse à l'épreuve des rapports sociaux de sexe », dans N. Lefeuvre (dir.), *Le genre : de la catégorisation du sexe*, Paris, L'Harmattan, p. 151-172.

Meslé, F. (2004). « Espérance de vie : un avantage féminin menacé ? », *Bulletin mensuel d'information de l'Institut national d'études démographiques (INED)*, n° 402, p. 1-4.

Pennec, S. (2004). « Les tensions entre engagements privés et engagements collectifs, des variations au cours du temps selon le genre et les groupes sociaux », *Lien social et Politiques – RIAC*, vol. 51, printemps, p. 97-107.

Perrig-Chiello, P. (2001). « Images sexuées de la vieillesse : entre stéréotypes sociaux et autodéfinition », *Retraite et société*, vol. 3, n° 34, p. 70-87.

Quadagno, J. (1999). *Aging and the Life Course : An Introduction to Social Gerontology*, Boston, McGraw-Hill College.

Quéniart, A. (2005). « Du souci de soi à l'implication sociale : portrait d'une nouvelle génération de femmes retraitées », *Labrys – Études féministes*, vol. 8. Disponible sur : www.unb.br/ih/his/gefem.

Quéniart, A. (2006). *Retraitées avant 65 ans : regards d'une nouvelle génération*, rapport de recherche, Montréal, Ville de Montréal/Service aux collectivités de l'UQAM.

Quéniart, A. (2007). « Prendre sa retraite avant 65 ans : pourquoi et pour quoi faire ? », dans M. Charpentier et A. Quéniart (dir.), *Vieillissement, retraite et engagement citoyen*, Québec, Presses de l'Université du Québec, p. 41-55.

Ray, R. (1999). « Researching to Transgress : The Need for Critical Feminism in Gerontology », *Journal of Women and Aging*, vol. 11, n° 2-3, p. 171-184.

Rosenthal, C. J. et J. Gladstone (2000). *Être grand-parent au Canada*, Ottawa, Institut Vanier de la famille. En ligne : www.vifamily.ca/library/cft/grandparenthood_fr.html (consulté le 22 octobre 2008).

Russell, C. (1987). « Ageing as a Feminist Issue », *Women's Studies International Forum*, vol. 10, n° 2, p. 125-132.

Sontag, S. (1972). « The Double Standard of Aging », *Saturday Review*, vol. 23, p. 29-38.

Statistique Canada (2007). *Un portrait des aînés au Canada – 2006*, n° 89-519-XIF au catalogue, Ottawa, Gouvernement du Canada. Disponible sur http://www.statcan.ca/ francais/freepub/89-519-XIF/89-519-XIF2006001.pdf (consulté le 3 octobre 2008).

Tsakloglou, P. et F. Papadopoulos (2002). « Aggregate Level and Determining Factors of Social Exclusion in Twelve European Countries », *Journal of European Social Policy*, vol. 12, p. 211-225.

Vallin, J. (2000). « Pourquoi les femmes vivent plus longtemps », *JeuneAfrique.com*, 5 septembre. En ligne : http://www.jeuneafrique.com/jeune_afrique/article_jeune_ afrique.asp?art_cle=LIN05093pourqspmetg0 (consulté le 2 octobre 2008).

Vallin, J. (2002). « Mortalité, sexe et genre », dans G. Caselli, G. Wunsch et J. Vallin (dir.), *Démographie : analyse et synthèse*, t. III. *Les déterminants de la mortalité*, Paris, INED – Institut national d'études démographiques, p. 319-350.

Vranken, J. (2002). « No Social Cohesion Without Social Exclusion ? », en ligne sur le site de l'Università di Urbino, Italie : www.shakti.uniurb.it/eurex/syllabus/lecture4/Eurex4_Vranken.pdf (consulté le 25 février 2008).

Warburton, J. et D. McLaughlin (2006). « Doing It from Your Heart : The Role of Older Women as Informal Volunteers », *Journal of Women & Aging*, vol. 18, n° 2, p. 55-72.

Yuval-Davis, N. (2006). « Intersectionality and Feminist Politics », *European Journal of Women's Studies*, vol. 13, n° 3, p. 193-209.

PREMIÈRE PARTIE

LE RAPPORT À SOI (CORPS, SANTÉ, INTIMITÉ)

Les représentations de la ménopause et de l'hormonothérapie ou l'importance du pouvoir collectif quand il est question de libre choix pour les femmes

Francine Dufort et Laurence Fortin-Pellerin

Plusieurs auteurs soutiennent que les femmes au mitan de la vie et les femmes plus âgées, que l'on regroupe parfois sous l'expression « femmes vieillissantes », sont peu représentées dans l'espace public (Sefcovic, 1996). De nombreuses femmes parlent même de l'invisibilité de leur groupe social (Hurd-Clarke et Griffin, 2008). Quand les médias réfèrent à ces femmes, c'est fréquemment pour les décrire de manière résolument négative (comme des femmes acariâtres, passives ou en perte d'autonomie, un fardeau pour la société) ou faussement positive (des femmes sans rides et hyperperformantes) (Kjaersgaard, 2005). Il faut préciser que les femmes que l'on dit vieillissantes ont peu d'occasions de s'exprimer publiquement et qu'il leur est, de ce fait, difficile de défaire les images stéréotypées qui circulent à leur sujet. Néanmoins, nous montrerons dans ce texte que le mouvement des femmes a su créer des espaces pour qu'elles puissent discuter de leurs préoccupations communes et réfléchir et agir, ensemble, sur leur place dans la société.

Au cours des XXe et XXIe siècles, l'une de leurs préoccupations a été sans contredit la ménopause. Des réseaux et groupes de femmes se sont particulièrement attardés aux significations données à ce phénomène et aux façons d'y réagir. Le présent texte vise également à mettre en lumière quelques-unes des actions collectives menées par les femmes en rapport avec la ménopause et avec un traitement médicamenteux en particulier, soit l'hormonothérapie substitutive (HTS) prescrite à la ménopause. Nous verrons que ces actions prennent différentes formes et touchent de nombreux acteurs sociaux. Nous montrerons que ce ne sont pas uniquement les femmes qui s'approprient, tant bien que mal, le savoir dit scientifique ou qui sont influencées par les représentations que les communautés scientifique ou médicale et l'industrie pharmaceutique leur proposent de la ménopause et de l'HTS. Les chercheurs, les pharmaceutiques, les médecins s'inspirent aussi du savoir des femmes pour élargir leur champ d'investigation, pour modifier leurs messages ou leurs rapports aux femmes et aux médias, pour adapter les processus de recherche, de mise en marché, de consultation médicale, etc. Il faut rappeler que les femmes au mitan de la vie ou plus âgées constituent un imposant bassin d'utilisatrices potentielles de l'hormonothérapie. Nous tenterons de montrer que l'autonomie et le libre choix en matière de médication et de santé des femmes qui devient actuellement un credo pour plusieurs ne relève pas uniquement d'actions individuelles, mais également d'actions collectives.

Les représentations de la ménopause et des femmes que l'on dit vieillissantes

La ménopause[1] est souvent associée au début de la vieillesse, quoique certaines remettent en question cette association. De fait, diverses représentations de la ménopause plus ou moins reliées au vieillissement circulent dans les sociétés occidentales. La ménopause peut être présentée comme un état stable et relativement bien circonscrit, comme le fait, par exemple, l'Organisation mondiale de la santé (OMS, 1996) en la définissant comme « *la cessation permanente des menstruations résultant d'une perte d'activité du follicule ovarien* », ou comme un phénomène complexe aux dimensions culturelles, physiologiques, politiques, psychologiques et sociales, comme le fait le Réseau québécois d'action pour la santé des femmes (RQASF, 1997). Kwok Wei Leng (1996) retrace deux principales représentations de la ménopause, l'une qu'elle qualifie de biomédicale et l'autre de féministe. La conception biomédicale limiterait la ménopause à une diminution des taux d'œstrogènes alors que la conception féministe dominante y verrait plus globalement un processus naturel du développement de l'organisme humain. Leng soutient qu'il paraît de moins en

1. L'âge moyen de la ménopause (établi à 51 ans) est demeuré remarquablement constant au fil des décennies malgré la modification des habitudes de vie et, plus particulièrement, de la diète alimentaire. Par contre, la liste des manifestations physiologiques et psychologiques attribuées à la ménopause s'est modifiée.

moins pertinent de polariser ces positions en mettant l'accent sur les aspects carentiels ou, au contraire, sur le caractère normal du phénomène.

Il est vrai que les débats au sujet de la ménopause se sont souvent résumés à cette opposition, mais en réalité, les féministes en ont proposé plus d'une vision. Elles en ont notamment étayé la conception socioculturelle en montrant que les symptômes associés à la ménopause sont en partie déterminés par la culture[2]. Manon Niquette (2005), dans la foulée des travaux de Justine Coupland, Angie Williams et Linda Gannon, réfère pour sa part à une conception discursive, qu'elle qualifie de version radicale de la conception socioculturelle. Au moins trois types de discours auraient contribué à la construction sociale de la ménopause : le discours pharmaceutique associant la ménopause à la pathologie et au traitement hormonal ; le discours encourageant les femmes à prendre leur santé en main, à utiliser des produits naturels et à modifier certaines habitudes de vie ; le discours émancipateur suivant lequel la ménopause est un rituel de passage auquel des connotations positives sont associées. Les rapports de pouvoir détermineraient la prédominance d'un discours ou l'autre et influenceraient à la fois les représentations que les femmes se font de la ménopause et leur expérience du vieillissement. En ce sens, la ménopause serait une construction sociale qui marquerait la vie de toutes les femmes.

Linda Gannon (1998) estime que la profession médicale aurait largement contribué à véhiculer le discours pharmaceutique pour asseoir son pouvoir : en « pathologisant » le cours normal de la vie des femmes ; en mettant l'accent sur la reproduction plutôt que sur la santé des femmes ; en attribuant à des fluctuations hormonales des réactions en partie

2. Margaret Lock (2004) montre que la façon de se représenter la ménopause et l'expérience de la ménopause varie de manière significative à l'intérieur d'une même société et d'une société à l'autre. Par exemple, grâce à une étude comparative, Lock fait ressortir que les Japonaises déclarent beaucoup moins de symptômes que les Nord-Américaines et qu'elles mettent l'accent sur des manifestations somatiques différentes. De plus, au Japon, la ménopause n'est perçue ni par les femmes ni par le corps médical comme un événement très signifiant et reste peu médicalisée. La ménopause, *knenk,* décrit avant tout une transition vers un autre âge, qui s'inscrit dans un processus de vieillissement jugé normal, où les cycles de vie sont vécus subjectivement en termes de relations aux autres. Ainsi, pour les Japonaises, ce ne sont pas les préoccupations à l'égard du vieillissement physiologique qui dominent au mitan de la vie mais plutôt leurs responsabilités croissantes à l'égard des aînés.

imputables à des conditions sociales ou autres[3]. Gannon ne met toutefois pas en lumière comment les discours s'influencent, se font écho et font également écho à ce que les femmes vivent. Il est en effet de plus en plus admis que plusieurs acteurs sociaux, le corps médical, le mouvement des femmes, l'industrie pharmaceutique, les médias, pour ne nommer que ceux-là, contribuent à construire (et à déconstruire) de même qu'à véhiculer ces représentations (Lock, 2004).

Enfin, Manon Niquette évoque la conception discursive du corps hormonal, qu'elle qualifie d'encore plus radicale, et qui remet en question l'idée d'une physiologie nettement féminine ou masculine très présente dans le discours médical et dans le discours de certaines féministes qui font une distinction entre les concepts de « sexe », qui référerait à de « réelles » différences anatomiques, et de « genre », qui serait l'inscription culturelle de l'appartenance à une catégorie sexuelle. Jennifer Harding (1996) jette un regard critique sur cette conception et montre le caractère culturel et politique de la gynécologie moderne largement fondée sur un corps hormonal. Elle donne pour exemple le terme « œstrogène », lequel renforce l'idée stéréotypée d'une hormone féminine alors que cette hormone, de même que la testostérone, est présente dans les corps de la femme et de l'homme[4].

À l'appui de cette position, rappelons, à l'instar de Lock (2004), que le terme « ménopause » est proposé en 1821 par Gardanne, un médecin français. Auparavant, le phénomène était décrit dans les cercles médicaux sous le vocable de « climatère », qui s'appliquait aussi bien aux femmes qu'aux hommes. En créant le concept de ménopause et en l'associant étroitement aux menstruations, Gardanne consacrait le mitan de la vie des femmes comme objet de la médecine, à une époque où, justement, les professions d'obstétricien et de gynécologue se consolidaient. Lock (2004)

3. Paula et Jeremy Caplan (2009) recensent de nombreuses études menées auprès d'importants échantillons de femmes montrant que le bien-être des femmes au mitan de la vie n'est pas tant affecté par des changements endocriniens ménopausiques, mais davantage par des facteurs tels que le chômage, le manque d'exercice physique, le tabagisme, les attitudes à l'égard de la sexualité et, de manière marquée, par le fait que les femmes croient que la ménopause entraîne des difficultés.

4. Caplan et Caplan (2009) soutiennent que lorsqu'il est question d'hormones, les différences entre les femmes et les hommes sont la plupart du temps défavorables aux femmes. Les difficultés attribuées aux fluctuations hormonales chez les femmes sont plus susceptibles d'être définies comme pathologiques, d'être médicalisées. En ce qui a trait aux hormones dites sexuelles (œstrogène, progestérone, testostérone), ils parlent même d'une fausse dichotomie.

signale également qu'avant la fin du XXe siècle les points de vue des femmes sur la ménopause sont restés largement ignorés.

Les communautés médicale et scientifique, du moins américaine et européenne, ont progressivement associé la ménopause à une déficience hormonale pouvant être traitée à l'aide d'œstrogènes. Comme le soulignent des féministes nord-américaines, il y aurait eu des façons plus positives d'interpréter les changements physiologiques de la ménopause. On aurait pu postuler, comme le suggéraient certains[5], que la baisse des taux d'œstrogènes constitue un mécanisme physiologique de protection contre le cancer ou d'autres problèmes associés au vieillissement, mais cette thèse n'a pas été retenue. Des groupes de femmes s'appliquent donc à déconstruire l'image de la femme ménopausée présentée par les médias de masse au grand public et par la presse médicale aux professionnels et professionnelles de la santé. Dès 1971, par exemple, le Boston Women's Health Collective dénonce le stéréotype négatif de la femme ménopausée dépeinte comme épuisée, irritable, difficile à vivre, irrationnelle, déprimée, sans charme.

Au fil des décennies, nous assistons également à une déconstruction de la représentation dominante de la ménopause comme relevant d'une carence hormonale qu'il faut traiter. Des femmes présentent la ménopause comme un processus naturel, d'autres la qualifient de phénomène psychosocial, l'associant, par exemple, au syndrome du nid vide, d'autres encore rejettent l'idée voulant que la ménopause soit une période nécessairement pénible. Des femmes la décrivent comme une période de libération face aux contraintes de la contraception, par exemple, alors que d'autres la dépeignent comme une difficile période de remise en question. La plupart déplorent la tendance à comparer les femmes ménopausées aux plus jeunes, qui servent à définir la « norme », le « standard » de la femme en santé. Ces témoignages mettent en relief l'importance de l'échange et la diversité des réalités féminines.

Au cours de la dernière décennie du XXe siècle, des chercheuses commencent à s'intéresser systématiquement aux représentations que les femmes se font de la ménopause. Patricia Kaufert et Margaret Lock, des chercheuses canadiennes, collaborent à des enquêtes nord-américaines au cours desquelles des femmes de tout âge sont interviewées au sujet de

---

5. Dans leur livre publié en 1975, *Novak's Textbook of Gynecology,* Georgeana S. Novak et Howard W. Jones soutiennent que « *la ménopause doit être vue comme un phénomène physiologique protégeant le corps vieillissant* ».

la ménopause. De nombreuses femmes en ont une vision plutôt négative, toutefois, elles la décrivent aussi comme un long processus débordant très largement l'arrêt des menstruations. Selon Kaufert et coll. (1998), l'hypothèse voulant que les malaises climatériques contribuent au sentiment d'être malade n'est pas appuyée par les données. Au contraire, les femmes ménopausées ont généralement une perception positive de leur santé. Les femmes ménopausées ou en voie de l'être sont soit neutres (42 %), soit positives (36 %) à l'égard de la ménopause, qui marque, pour la moitié des répondantes, le début d'une période de vie satisfaisante. Les études épidémiologiques québécoises vont dans le même sens. Lors de l'Enquête sociale et de santé réalisée en 1998, moins de 20 % des femmes âgées de 45 à 64 ans rapportaient *« des troubles de la menstruation ou de la ménopause »*. Mais lorsque ces données sont comparées à celles de l'Enquête Santé Québec réalisée en 1987, on note une hausse importante du pourcentage de femmes de cette même tranche d'âge rapportant ce type de « troubles » (4,4 % en 1987 comparé à 19,5 % en 1998).

Au cours des années 1990, l'industrie pharmaceutique s'approprie les critiques formulées par le mouvement des femmes et modifie l'image de la femme ménopausée dans ses messages s'adressant aux professionnels et professionnelles de la santé. L'industrie présente moins la ménopause comme une « pathologie », et promeut plutôt la santé, la qualité de vie et la prévention de problèmes dont la ménopause serait l'une des « causes » (ex. l'ostéoporose). La ménopause se voit ainsi davantage conjuguée à l'image de la maturité épanouie (Lock, 1998 ; Niquette, 2005). Au cours de cette décennie, le discours et les pratiques de la Société des obstétriciens gynécologues du Canada (SOGC) subissent également une certaine transformation. À partir de 1996, la SOGC organise les premiers forums d'information publics au cours desquels la ménopause est définie *« comme un événement biologique normal de la vie des femmes, mais également comme une phase de développement »*. Comme le souligne le Réseau québécois d'action pour la santé des femmes (RQASF, 1997), les problèmes liés à la défaillance ovarienne et à la carence œstrogénique continuent toutefois de retenir l'attention, faisant désormais de la ménopause un problème de santé publique. En outre, en 1996, le Conseil consultatif de pharmacologie publie un rapport intitulé *Hormonothérapie de remplacement et ménopause* dans lequel les auteurs soutiennent que les données des enquêtes réalisées auprès des Québécoises ébranlent le mythe voulant que la ménopause soit une période difficile de la vie des femmes. Ils invitent les médecins à ne pas prescrire de traitement hormonal sans donner une information claire sur la ménopause et sur les autres mesures à envisager à cette période de la vie.

Ce courant favorise aussi l'émergence d'ouvrages grand public. Antonia Lyons et Christine Griffin (2003) ont analysé le contenu de quatre livres sur la ménopause s'adressant aux femmes et ont pu en dégager les thèmes récurrents : la ménopause est une maladie (représentation dominante) ; la ménopause est un processus naturel (accompagne souvent la représentation dominante) ; la ménopause est un processus complexe et confus, tout comme le serait le corps de la femme ; la ménopause doit être « gérée » plutôt que « traitée » ou « guérie ». Des quatre titres sélectionnés, celui de Robert C. D. Wilson, un Canadien dont le livre, paru en 1996, a été commandé et financé par une association de consommateurs, présente la ménopause comme pouvant être « gérée » par l'hormonothérapie substitutive. Le terme *management* est omniprésent dans ce livre et offre une nouvelle image de la femme à la ménopause, celle de la femme vieillissante « gestionnaire » de sa santé.

Les pharmaceutiques construisent alors à leur guise, en partie à partir des critiques du mouvement des femmes, une nouvelle image de la femme ménopausée et vieillissante susceptible d'encourager les ventes de traitements hormonaux auprès d'un plus large éventail de femmes. Les femmes suivant un traitement hormonal, qu'elles soient préménopausées, tout juste ménopausées ou postménopausées, deviennent alors des femmes souriantes, performantes et sans rides (Lock, 1998).

En résumé, on voit que divers acteurs contribuent à la représentation sociale de la ménopause et de la femme vieillissante. Certains véhiculent une représentation biomédicale qui leur permet de renforcer leur pouvoir et d'amener les femmes à croire que la jeunesse est synonyme de santé et qu'il ne faut pas qu'elles vieillissent, ou, à tout le moins qu'elles le laissent paraître. L'hégémonie de cette vision biomédicale influence non seulement la représentation que les femmes se font de la ménopause et d'elles-mêmes, mais également la façon dont elles l'expérimentent. Néanmoins, le mouvement des femmes contribue à déconstruire cette représentation et, du même coup, l'image stéréotypée, alimentée par l'âgisme et le sexisme, de la femme ménopausée épuisée, irritable ou irrationnelle. Des représentations socioculturelles plus dynamiques sont mises en lumière. Les groupes de femmes forment des espaces où les femmes peuvent échanger et témoigner des points communs aussi bien que des réalités diverses associés à la ménopause et au vieillissement. Elles comprennent que l'autonomisation passe par les revendications et les actions collectives. Faisant écho à ces revendications et aux résultats de recherches de nature psychosociale, des organisations professionnelles modifient leurs pratiques dans le but de mieux rejoindre les femmes.

L'industrie pharmaceutique, pour sa part, récupère une partie des critiques et tend à présenter la femme ménopausée et vieillissante sous un jour plus positif, c'est-à-dire susceptible de rester jeune et performante dans la mesure, bien sûr, où elle utilise l'hormonothérapie ! La regrettée Susan Sontag, qui écrivait au sujet du traitement asymétrique des sexes cette phrase devenue célèbre : « *Les femmes vieillissent, mais les hommes acquièrent de la maturité* » (notre traduction), devrait ajouter aujourd'hui « *à moins qu'elles n'aient recours à l'hormonothérapie substitutive* ».

L'hormonothérapie substitutive présentée comme une solution à de multiples maux

Dès le début du XXe siècle, apparaissent les premiers signes de ce qui constituera la solution quasi unique proposée aux femmes pour faire face aux difficultés attribuées à la ménopause, soit l'hormonothérapie substitutive (HTS)[6]. Nous verrons dans les lignes qui suivent comment les usages de l'HTS se sont modifiés au fil des décennies et comment les femmes ont réagi à ces traitements et à ses représentations diverses. L'HTS est d'abord présentée comme un traitement coûteux et dangereux qui ne devrait être prescrit qu'à quelques femmes très souffrantes. Elle est ensuite offerte à l'ensemble des femmes ménopausées comme une façon de conserver leur féminité, leur jeunesse (jeunesse de l'esprit, des os, de la peau, etc.). Plus tard, elle est offerte comme un moyen de prévention, et l'offre s'élargit aux femmes préménopausées, ménopausées et postménopausées[7]. Maintenant, l'HTS est proposée accompagnée d'outils d'aide à la décision susceptibles de favoriser l'autonomisation de la femme !

6. L'hormonothérapie substitutive réfère à divers traitements hormonaux dont les principaux sont dits conjugués et combinés. Le traitement hormonal conjugué comporte un extrait d'œstrogène provenant de l'urine de juments gravides et d'autres catégories d'œstrogènes. Le traitement combiné contient de l'œstrogène et des progestatifs.
7. Au fil des ans, le concept de périménopause est apparu pour désigner (« pathologiser », écrivent certains auteurs) la période s'étendant des premières manifestations de l'irrégularité du cycle menstruel jusqu'à plusieurs années, voire des décennies après la cessation des menstruations (Caplan et Caplan, 2009).

L'hormonothérapie, un traitement coûteux et dangereux s'adressant à peu de femmes

Houck (2002) rapporte qu'au début du XXe siècle divers remèdes sont offerts « sous le manteau » aux femmes pour soulager les malaises associés à la ménopause. Les médecins ont peu à leur proposer sinon une oreille attentive et des conseils sur l'adoption de saines habitudes de vie. De 1910 à 1929, l'organothérapie (ingestion d'ovaires d'animaux de la ferme) est utilisée, mais, semble-t-il, de manière peu répandue pour traiter celles qui souffrent de symptômes vasomoteurs graves. Par la suite, l'œstrogène est isolé et l'organothérapie se transforme en hormonothérapie jugée plus efficace. Le coût de ce traitement et sa rareté découragent son usage étendu, aussi est-il réservé aux femmes aux prises avec des symptômes importants. Selon Sandra Coney (1994), cela aurait incité les chercheurs à trouver une façon moins coûteuse de produire de l'œstrogène. En 1943, James Goodall développe un extrait d'œstrogène à partir de l'urine de juments gravides et d'autres catégories d'œstrogènes, d'où son appellation de « traitement hormonal conjugué ».

C'est à cette époque que la compagnie pharmaceutique Ayerst met sur le marché le traitement hormonal *Premarin*^{MD} *(PREgnant MAre uRIN)* qui est peu cher (Coney, 1994) et contient une dose d'œstrogènes correspondant au double de celle généralement prescrite jusqu'alors (Ettinger, 1998). Jusqu'au début des années 1960, plusieurs médecins auraient été peu enclins à utiliser ce produit, estimant que seulement 5 à 10 % des femmes satisfaisaient aux critères de prescription (Houck, 2002). Ceux qui le prescrivaient auraient de plus préconisé un traitement à durée limitée, car il aurait retardé l'adaptation de l'organisme à la diminution de la production d'œstrogène. Il semble que la peur du cancer alimentait leur prudence.

Coney (1994) soutient qu'avant les années 1960 les difficultés ménopausiques sont souvent vues par les médecins comme un problème de l'esprit (C'est dans ta tête !). Ils proposent aux femmes ménopausées qui leur rapportent des malaises de s'engager socialement (faire du bénévolat ou participer à des bonnes œuvres) pour secouer leur ennui ou leur désœuvrement. Ils leur suggèrent aussi de modifier leurs habitudes de vie, d'être plus actives physiquement. Avant les années 1960, il est difficile de percevoir un mouvement social organisé en matière de santé des femmes. Quant au groupe particulier des femmes ménopausées et des femmes âgées, il est peu présent dans l'espace public, du moins pour traiter de la ménopause et de l'HTS. Les échanges au sujet de la ménopause se font de manière informelle entre les femmes, et entre une femme et son médecin lorsqu'elle aborde le sujet avec ce dernier, ce qui s'avère plutôt rare.

L'hormonothérapie, entre fontaine de jouvence et produit de marketing à usage étendu

Plusieurs, dont Coney (1994) et Houck (2002), attribuent au docteur Robert A. Wilson[8] un virage important dans la façon de concevoir la ménopause et l'hormonothérapie. Wilson aurait contribué à présenter le « problème » de la ménopause comme appartenant au corps de la femme, à sa physiologie vieillissante, et non seulement à son esprit ; ainsi, la ménopause serait un problème physique dont toutes les femmes seraient un jour ou l'autre affligées. En 1966, Robert A. Wilson publie *Feminine Forever*, livre qui avait été précédé en 1963 par la publication d'un article, dont son épouse Thelma était la coauteure. L'article des Wilson commençait ainsi : « *Nous devons faire face à une désagréable réalité : toutes les femmes postménopausées sont des femmes castrées* » (notre traduction).

Judith Houck (2002) parle d'une véritable campagne de la part de Wilson et de sa femme en faveur de l'HTS. Le couple soutient alors que de ne pas « traiter » la ménopause dérobe aux femmes leur féminité et les condamne à vivre le reste de leur vie comme des vestiges d'elles-mêmes. Les Wilson insistent sur le fait que la ménopause, en plus d'entraîner fréquemment de graves perturbations émotionnelles, favoriserait l'hypertension, un taux élevé de cholestérol, l'ostéoporose et l'arthrite. Ils proposent le traitement à l'œstrogène, qui, selon eux, peut guérir et prévenir pour le reste de la vie (« *from puberty to grave* ») les maladies résultant d'une carence en œstrogène. Le Dr Wilson serait d'ailleurs à l'origine du recours à l'expression « traitement hormonal substitutif » (*Estrogen Replacement Therapy*). La fondation de Wilson (consacrée, selon ses termes, à l'élimination de la carence en œstrogène) aurait été financée par Ayerst (Coney, 1994 ; Houck, 2002).

Les médias publicisent rapidement le point de vue des Wilson. Des revues grand public font l'éloge du traitement à l'œstrogène, le présentant comme une « cure » de la ménopause. Les magazines féminins suivent la tendance. Sous la pression des médias et des femmes, les médecins auraient alors davantage prescrit le traitement à l'œstrogène, mais à con-

8. À ne pas confondre avec Robert C. D. Wilson, l'auteur de *Understanding HRT and the Menopause* paru en 1996.

trecœur, soutient Houck (2002), qui, notons-le, elle-même médecin, offre une image plutôt positive de ses collègues. Malgré ces doutes, les ventes d'œstrogènes auraient quadruplé de 1962 à 1975 (Greenwald et coll., 1977).

Houck (2002) soutient que la parution du livre de Wilson coïncide avec le moment où le mouvement de libération amène les femmes à réfléchir à leur rôle dans la société et à vouloir parler avec d'autres femmes des difficultés auxquelles elles sont confrontées. Elles désirent que les médecins les traitent avec sérieux et respect. Certaines écrivent dans des magazines que la ménopause n'est pas une maladie et, bien qu'elles ne s'opposent pas au traitement hormonal, elles maintiennent que ce n'est pas une fontaine de jouvence, une panacée contre le vieillissement. Quelques-unes rappellent aux lectrices que si les compagnies pharmaceutiques sont emballées par l'idée de l'*Estrogen Forever*, ses supposés bénéfices pour toutes les femmes ménopausées et postménopausées ne sont pas prouvés, alors que les risques, eux, sont plus clairs.

En 1969, un congrès sur la santé des femmes mène à la création du Boston Women's Health Collective, qui jouera un rôle clé aux États-Unis et, indirectement, au Québec[9] et au Canada. La position du collectif est formulée explicitement dans l'édition 1973 de *Our Bodies, Our Selves*. Les auteures du collectif demandent de l'information pertinente sur la ménopause afin d'en démythifier l'expérience. Elles mettent l'accent sur les droits des femmes à recevoir des soins et des conseils médicaux adéquats. Elles dénoncent le fait qu'il n'y ait pas suffisamment de recherche sur la santé des femmes. Dans sa troisième édition, en 1976, le Boston Women's Health Book Collective présente le traitement à l'œstrogène comme un moyen valable d'alléger les symptômes de la ménopause (par exemple, les bouffées de chaleur, la sécheresse vaginale). Toutefois, le collectif évoque également les bénéfices d'une diète équilibrée, du repos, de l'exercice physique.

Au Québec, des femmes se regroupent pour revendiquer des services correspondant mieux à leurs besoins et à leurs conditions de vie. Leur mobilisation a, entre autres, pour but de dénoncer la médicalisation de la reproduction et les pratiques médicales qui contribuent à « désapproprier » les femmes de leur savoir sur leur corps, leur santé et leur sexualité. L'insatisfaction à l'égard des services offerts mène à la mise sur pied des centres de santé des femmes qui visent à « déprofessionnaliser » et à démédicaliser la santé des femmes (Comité consultatif en santé des

9. L'ouvrage publié par la suite par ce collectif a été adapté et traduit en français en 1977 sous le titre *Notre corps, nous-mêmes*.

femmes, 2004). Des ateliers, portant notamment sur la ménopause, où les femmes peuvent parler de sujets souvent tabous tels que la sexualité, la souffrance psychique, les diverses formes d'injustice ou de violence dont elles peuvent être l'objet, sont organisés. Des femmes redéfinissent la relation qu'elles souhaitent avoir avec leur médecin et la qualité des services de santé auxquels elles aspirent. Les groupes les plus radicaux dénoncent la misogynie de ce qu'ils appellent l'*establishment* médical. Des femmes témoignent de la misogynie de certains médecins dans des ateliers, ou dans diverses productions (livres, tableaux, pièces de théâtre, etc.). Elles apprennent à négocier un nouveau type de relation avec le médecin. Ce courant doit néanmoins faire face à de nombreux médecins qui insistent pour que les décisions thérapeutiques reposent sur le jugement médical plutôt que sur les demandes des « patientes ».

En 1975, alors que le traitement à l'œstrogène est au sommet de sa popularité, deux articles publiés dans le *New England Journal of Medicine*, rédigés par des équipes de recherche américaines indépendantes, mettent en évidence le lien entre ce traitement et le cancer de l'endomètre. Les médecins nord-américains n'abandonnent pas pour autant l'HTS, mais réduisent les dosages prescrits, écourtent la durée de traitement ou optent pour des combinaisons d'œstrogènes et de progestatifs. Selon Houck (2002), après la publication de ces résultats, les féministes se seraient divisées en deux factions, l'une pour et l'autre contre l'HTS. Des militantes sont nombreuses à rejeter le recours à long terme de ce traitement. En 1979, Rosetta Reitz, dans son livre *Menopause : A Positive Approach*, réfute l'idée que la ménopause est une maladie. Elle affirme que la moitié des femmes n'éprouvent pas de malaises importants à la ménopause et que celles qui ont des bouffées de chaleur doivent les accepter et vivre avec. Elle estime que le traitement à l'œstrogène est dangereux, qu'il peut augmenter les risques de cancer et entraîner des maladies vasculaires.

Si des féministes endossent et font connaître la position de Reitz, d'autres veulent que l'on reconnaisse que certaines femmes souffrent énormément à la ménopause et insistent pour que celles-ci aient accès à une intervention médicale appropriée. Elles s'insurgent contre l'idée voulant que l'adoption de saines habitudes de vie suffise à faire traverser facilement la ménopause pour toutes les femmes. Dans l'édition de 1979 de *Our Bodies, Our Selves*, le Boston Women's Health Collective présente quant à lui l'HTS comme un traitement dangereux associé au cancer de l'endomètre. Seules des femmes ayant des symptômes graves devraient l'envisager. Le collectif incite les femmes à être circonspectes et signale que le manque de connaissances contribue à alimenter l'anxiété, qu'il faut donc plus d'information. Le collectif soutient enfin que l'HTS n'est pas une fontaine de jouvence et ne résout pas toutes les crises que les femmes peuvent traverser au cours de cette période de leur vie, en lien avec le vieillissement.

Après 1975, le traitement combinant l'œstrogène et la progestérone (appelé traitement hormonal combiné) devient, selon Houck, le traitement standard pour les femmes ménopausées. On maintient à l'époque qu'en ajoutant de la progestérone à l'œstrogène, le risque de cancer de l'endomètre est éliminé, sinon amoindri. Les pharmaceutiques publicisent les effets préventifs de ce traitement, notamment contre l'ostéoporose. Christine Thoër-Fabre (2005) rapporte que même si seulement 30 % des femmes vieillissantes sont à risque de fractures dues à l'ostéoporose, toutes les femmes ménopausées et postménopausées sont visées par l'industrie pharmaceutique[10]. La féministe québécoise Abby Lippman (2003) relate pour sa part que des groupes inquiets de la médicalisation croissante visant les femmes vieillissantes et de la tendance des médecins à promouvoir les traitements hormonaux à des fins préventives sans être sûrs de leur innocuité se sont progressivement organisés en réseaux toujours actifs au Canada, aux États-Unis et au Québec[11].

L'hormonothérapie comme moyen de prévention périménopausique

Durant les décennies 1980 et 1990, de nombreuses études portent sur les avantages préventifs et les risques des traitements hormonaux (Rivera-Woll et Davis, 2004). Certaines études indiquent que la prise d'œstrogène peut prévenir les fractures liées à l'ostéoporose. En ce qui a trait à la prévention des problèmes cardiaques, certains résultats sont positifs, d'autres non concluants. Des études indiquent également une réduction du risque du cancer colorectal chez les utilisatrices d'HTS, mais il est impossible de

10. Au Québec, les données épidémiologiques recueillies auprès d'un échantillon représentatif de la population indiquent que le recours à des hormones *« pour prévenir ou traiter les malaises liés à la ménopause »* chez les femmes âgées de 45 à 64 ans a augmenté depuis l'Enquête Santé Québec réalisée en 1987 et l'Enquête sociale et de santé effectuée en 1992-1993 et reprise en 1998. La prévalence d'utilisation est ainsi passée de 22 % en 1987, à 29 % en 1993 et à 35,5 % en 1998. Il faut préciser que les femmes plus âgées peuvent également se voir prescrire l'HTS.
11. Il s'agit du Réseau canadien pour la santé des femmes, créé en 1973, du U.S. National Women's Health Network, fondé en 1975, et du Réseau québécois d'action pour la santé des femmes, issu du Regroupement des centres de santé des femmes du Québec (1985).

tirer des conclusions tranchées à ce sujet. Le portrait semble plus clair, mais moins réjouissant, en ce qui a trait au cancer du sein. Des méta-analyses montrent en effet que les traitements hormonaux, à base d'œstrogène seul ou combiné, utilisés sur une longue période, sont associés à un risque accru de cancer du sein, le risque augmentant avec la durée du traitement.

La confusion entourant les traitements hormonaux offerts avant, pendant et après la ménopause génère des inquiétudes chez les femmes. Des enquêtes révèlent ainsi que ces traitements ne sont pas adoptés d'emblée par toutes les femmes qui éprouvent des malaises. Certaines interrompent l'HTS au cours des neuf premiers mois du traitement, principalement à cause de la peur du cancer, tandis que d'autres y ont recours de façon sporadique ou ne remplissent jamais l'ordonnance (Ravinkar, 1987). Cette confusion déclenche également des pressions collectives menant à la réalisation d'un vaste programme de recherche en Amérique du Nord : la Women's Health Initiative (WHI). Selon Abby Lippman (2003), les groupes de femmes *« peuvent s'attribuer le mérite d'avoir lancé le programme d'Initiative pour la santé des femmes »*. En effet, le National Women's Health Network (NWHN) a exercé des pressions sur le gouvernement américain afin qu'il finance une recherche d'envergure. Le NWHN et d'autres groupes préoccupés par la médicalisation toujours croissante de la vie des femmes s'inquiètent de la tendance à prescrire, à des fins préventives et à un éventail toujours plus large de femmes, des traitements hormonaux encore mal évalués.

La WHI porte sur la prévention et le contrôle des causes de morbidité et de mortalité les plus fréquentes chez les femmes postménopausées âgées de 50 à 79 ans[12] (Women's Health Initiative Study Group, 1998). L'initiative, débutée en 1992, devait se terminer en 2007. Toutefois, l'équipe de la WHI qui analyse l'effet du traitement hormonal combiné a arrêté l'étude en mai 2002, soit bien avant l'échéance prévue, parce que le seuil statistique que les chercheuses et chercheurs s'étaient fixé en ce qui a trait au risque de cancer du sein avait été atteint (Writing Group of the WHI Investigators, 2002). Les femmes utilisant le traitement hormonal combiné pendant cinq ans ou plus avaient un risque 1,26 plus élevé de cancer du sein que les femmes recevant un placebo. Les résultats de la WHI confirment certains bienfaits du traitement hormonal combiné (diminution du taux de fractures et de cancer colorectal), mais montrent aussi que le traitement est associé à un risque accru d'infarctus du myocarde et

12. Il s'agit principalement des cancers, des maladies cardiovasculaires et des fractures liées à l'ostéoporose.

d'accident vasculaire cérébral. Enfin, le résultat le plus inquiétant, selon Rivera-Woll et Davis (2004), consiste en l'augmentation, du double ou du triple, des thrombo-embolies. Les résultats de la WHI soulèvent donc la question de l'utilisation à long terme de l'HTS à des fins préventives.

Une baisse substantielle des ordonnances de traitements hormonaux est enregistrée au cours des années qui suivent l'arrêt de la WHI[13]. D'ailleurs, à la suite de la WHI, le Réseau canadien pour la santé des femmes (RCSF) recommande aux instances gouvernementales concernées, entre autres par l'entremise des journaux (O'Grady et Bourrier-LaCroix, 2002), une révision en profondeur des recommandations médicales et pharmaceutiques concernant les traitements hormonaux. Au Québec, les groupes de femmes se manifestent à travers les réactions d'Abby Lippman publiées dans Sisyphe. En outre, le Réseau québécois d'action pour la santé de femmes du Québec se voit renforcé dans son projet d'élaboration d'un outil d'information et d'animation d'ateliers. Publié sous le titre *La soupe aux cailloux* (RQASF, 2005), il s'agit d'un bel exemple d'outil de formation d'animatrices d'ateliers visant non seulement à mieux informer les femmes, mais à renforcer les liens entre les femmes et les groupes de femmes. Par ailleurs, après un assez long silence, l'industrie pharmaceutique réagit en mettant sur le marché des doses plus faibles d'HTS. Cependant, Michelle Warren (2004) souligne que l'innocuité de ces plus faibles doses n'a pas été démontrée.

Les résultats de la WHI font l'objet d'une importante couverture médiatique, ébranlant la communauté médicale et suscitant une vive controverse parmi les scientifiques. Depuis la publication en 2002 de ces résultats, les associations professionnelles de même que les organismes pour la santé des femmes ont dû réviser quelque peu leurs positions à l'égard de l'HTS. En effet, jusqu'à récemment, des chercheurs et praticiens (Légaré et coll., 2003b) ainsi que la Société des obstétriciens et gynécologues du Canada (SOGC) (2001) soutenaient que les traitements hormonaux représentaient un moyen efficace de soulager les principaux malaises et de prévenir les problèmes associés à la ménopause, même s'ils occasionnaient des effets indésirables chez certaines femmes. Cependant, ces dernières années, les résultats de la WHI ont ébranlé le fragile

13. Au Canada, les ordonnances du traitement combiné pris par voie orale et transdermique ont chuté respectivement de 425 000 et 204 000 en 2002 à 337 000 et 157 000 en 2003 (IMS, 2005). http://www.imshealthcanada.com/htmfr/1_0_13.htm. Site consulté le 11 août 2005.

consensus qui semblait exister. Au Québec, le président de l'Association des obstétriciens et gynécologues (AOGQ) soutient que, désormais :

> *l'hormonothérapie n'est plus automatiquement un traitement à long terme. Les nouvelles consignes (faites aux gynécologues) : individualiser le traitement de substitution. La majorité des patientes ménopausées tireront des bénéfices de l'hormonothérapie durant les cinq premières années. Ensuite, les inconvénients pourraient devenir importants.* (Fortin, 2002 : 14).

L'AOGQ, la SOGC, de même que les réseaux canadien (RCSF) et québécois (RQASF) de promotion de la santé des femmes invitent les femmes et les professionnels de la santé à faire le point sur l'état des connaissances avant de prendre une décision au sujet du recours à l'HTS. Tous reconnaissent également que c'est avant tout à la femme de prendre cette décision dans la mesure où elle est bien informée, notamment par le médecin qu'elle consulte. Néanmoins, des facteurs autres que les risques et les avantages du traitement influencent le processus de consultation médicale. En matière de prescription d'HTS, la SOGC (2001) rappelle que les pratiques varient notamment en fonction du sexe du médecin et d'autres facteurs. En outre, la SOGC reconnaît que « *les facteurs de risque que présente la femme pourraient jouer un rôle moins important que les opinions personnelles du médecin sur les avantages de l'hormonothérapie en général* ». Au Québec, une étude menée avant la WHI par Raymond Massé et coll. (2001) avait en effet montré que la majorité des médecins observés lors d'une consultation médicale tentaient de rallier prudemment les femmes à leur position, soit celle du recours à l'hormonothérapie substitutive.

L'hormonothérapie comme une occasion d'autonomisation pour la femme...

Depuis quelques années, la question de la participation des femmes au processus de prise de décision relatif à l'HTS occupe une place significative dans les débats scientifiques (Dodin et Légaré, 2001 ; Légaré et coll., 2003a). Divers outils pour aider les femmes à prendre une décision lors de la consultation médicale sont comparés et leur efficacité est évaluée. Madeleine Murtagh et Julie Hepworth (2003) soutiennent que cette participation des femmes au processus de décision demeure encore de l'ordre de la rhétorique et soulève un questionnement éthique. Même si l'on voit peu à peu se transformer l'image du médecin paternaliste en celle d'un médecin techniciste neutre et performant qui, grâce à des tests de laboratoire et à des données probantes, est en mesure de fournir de l'information afin que la femme puisse prendre une décision libre et éclairée, la nature des interactions au cours de la consultation médicale ne semble pas beaucoup changer. Lorsque la femme entre dans le cabinet du médecin, la ménopause est déjà définie de manière biomédicale, comme une déficience hormonale à laquelle divers maux sont associés. Murtagh et Hepworth font une analyse critique du construit de « prise de décision éclairée » ; elles montrent, données à l'appui, que la promotion d'une éthique d'autonomie et d'offre de choix telles que définies par la culture biomédicale, loin d'encourager l'émancipation des femmes, sert à intensifier les relations de pouvoir, en les rendant invisibles plutôt qu'explicites. L'autonomie de la femme serait un leurre, car la relation entre la femme et le médecin demeurerait asymétrique. La femme se trouverait encore devant un choix dichotomique, avoir recours ou non à la médication. En outre, selon l'éthique biomédicale, un choix libre et éclairé consisterait essentiellement à ne pas « arracher » le consentement. Enfin, la femme pourrait maintenant être tenue responsable des conséquences de son choix et serait donc plus susceptible d'être blâmée si elle ne parvenait pas à prévenir les maladies attribuées à la ménopause ou faisant partie intégrante du vieillissement.

Malheureusement, l'idée d'autonomie telle qu'elle est entendue par l'éthique médicale fait en sorte que chaque femme se retrouve isolée, placée dans un contexte de « gestion individuelle » du risque où l'on propose le médicament comme principal outil de gestion du dit risque. Pourtant, l'histoire nous apprend que la force du nombre fait la différence lorsqu'il faut composer avec les consignes de l'institution médicale et l'insistance de l'industrie pharmaceutique teintées d'âgisme et de sexisme. Abby Lippman (2006) rappelle qu'il est devenu plus difficile d'opposer une résistance à une industrie dont le discours s'inspire des revendications formulées par le mouvement des femmes. Qui peut être contre l'émancipation des femmes? Qui peut remettre en question l'idée d'autonomie ou celle de consentement libre et éclairé ? Mais de quelle liberté parle-t-on, de quel éclairage est-il question ?

En résumé, l'hormonothérapie a été offerte par l'industrie pharmaceutique et par le corps médical à des fins diverses (soulagement des symptômes, régénération, cure, prévention) et à un bassin de plus en plus imposant de femmes, et cela, sans que la recherche n'ait appuyé certains de ces usages. Le mouvement des femmes a exigé davantage d'information, des soins plus appropriés et des recherches rigoureuses. Malgré que ce mouvement ait enregistré des succès, les femmes, et surtout les femmes âgées dont le nombre grandissant est intéressant dans une logique de marketing, restent dans la mire des pharmaceutiques qui ajustent facilement leur tir. Ne suffit-il pas de réduire les dosages, de réviser la durée du traitement, de proposer d'autres combinaisons hormonales ou d'autres usages pour répondre aux critiques ?

En guise de conclusion

Au-delà de leurs différents points de vue sur la ménopause et, plus particulièrement, sur l'hormonothérapie, les femmes ont formulé des revendications communes qu'elles ont mises de l'avant collectivement. Ces revendications et actions collectives traduisent leur souhait de décrire elles-mêmes leurs réalités, leur préoccupation pour la santé de toutes les femmes, leur volonté d'établir des relations égalitaires avec les médecins, exemptes de sexisme et d'âgisme. Collectivement, elles ont obligé les autres acteurs sociaux à prendre en considération leurs positions et leurs réalités. Néanmoins, la vigilance demeure de mise, car certains acteurs ont tendance à agir dans leurs propres intérêts, parfois antagonistes à ceux des femmes. C'est ensemble que les femmes peuvent acquérir un réel pouvoir sur leur santé, sur leur qualité de vie. Cependant, cela représente un défi particulier pour les femmes âgées, plus susceptibles d'être isolées, d'être soumises à des normes empreintes d'âgisme.

Action pour la protection de la santé des femmes, une coalition de groupes communautaires, de chercheuses, de journalistes et de militantes préoccupées par la sécurité des médicaments et des produits pharmaceutiques, suit de près les changements aux lois fédérales sur la protection de la santé et en analyse les conséquences possibles sur la santé des femmes. Cette coalition revendique que des représentantes d'associations pour la promotion de la santé des femmes siègent à différentes instances gouvernementales et paragouvernementales où sont prises des décisions susceptibles d'avoir une influence marquée sur la vie et la santé des femmes. Elle réclame l'inclusion de participantes de tous âges non seulement lors des essais cliniques, mais aussi pour orienter les axes de recherche, les critères de financement et le choix des priorités. La coalition demande que le gouvernement fasse appel à des militantes enracinées dans le secteur associatif, donc près des femmes, et non à des porte-parole que l'industrie pharmaceutique choisirait et « informerait » à sa façon. Elle soutient en effet que :

> *Si des militantes pour la santé des femmes siégeaient aux comités qui définissent les orientations en matière de recherche, on accorderait peut-être une plus grande importance aux déterminants structurels de la santé, car elles poseraient des questions fort différentes que celles qui sont habituellement soulevées, telles que: « Quelles améliorations peut-on apporter aux installations locales pour prolonger les heures consacrées à l'activité physique? Quels programmes peut-on mettre en place pour concilier les exigences du travail à la maison et à l'extérieur?* » (Lippman, 2006: 23).

Et, enfin, comment peut-on améliorer le système de soins pour que le savoir des femmes sur leur corps, leur santé, leur qualité de vie, leur vieillissement soit pris en compte?

Bibliographie

Association des obstétriciens et gynécologues du Québec (2002). *Santé de la femme. Hormones et ménopause* (http:www.gynecoquebec.com/francais/02/02_02_p.htm).

Boston Women's Health Book Collective (1971). *Our Bodies, Our Selves. A Book by Women and for Women*, New York, Simon and Schuster.

Caplan, Paula J. et Jeremy B. Caplan (2009). *Thinking Critically about Research on Sex and Gender*, 3e éd., Boston, Pearson Education.

Comité consultatif en santé des femmes (2004). *Plan d'action régional en santé des femmes 2004-2007*, Québec, Agence de développement de réseaux locaux de services de santé de la Capitale nationale.

Coney, Sandra (1994). *The Menopause Industry. How the Medical Establishment Exploits Women*, Alameda, Hunter House.

Conseil consultatif de pharmacologie (1996). *L'hormonothérapie de remplacement à la ménopause: guide pratique*, Québec, Gouvernement du Québec.

Dodin, Sylvie et France Légaré (2001). « Prise de décision en matière d'hormonothérapie de remplacement », *Le médecin de famille canadien*, nº 47, p. 1586-1593.

Ettinger, Bruce (1998). « Overview of Estrogen Replacement Therapy: A Historical Perspective », *Periodical of the Society for Experimental Biology and Medicine*, nº 217, p. 2-5.

Fortin, Claude (2002). « Nouvelles études sur l'hormonothérapie substitutive. Qu'en est-il maintenant? », *Le médecin du Québec*, vol. 37, nº 8, p. 14-19.

Gannon, Linda (1998). « The Impact of Medical and Sexual Politics on Women's Health », *Feminism & Psychology*, vol. 8, nº 3, p. 285-302.

Greenwald, Peter, Thomas A. Caputo et Patricia E. Wolfang (1977). « Endometrical Cancer after Menopausal Use of Estrogens », *Journal of Obstetrics and Gynaecology*, vol. 50, p. 239.

Harding, Jennifer (1996). « Sex and Control : The Hormonal Body », *Body & Society*, vol. 2, nº 1, p. 99-111.

Houck, Judith A. (2002). « How to Treat a Menopausal Woman : A History, 1900 to 2000 », *Current Woman's Health Reports*, vol. 2, p. 349-355.

Hurd-Clarke, Laura et Meridith Griffin (2008). « Visible and Invisible Ageing : Beauty Work as a Response to Ageism », *Aging & Society*, vol. 28, p. 653-674.

IMS Health Canada (2005). *Traitement hormonal de substitution. Nombre estimatif d'ordonnances exécutées au Canada 1998-2003*, http://www.imshealthcanada.com/htmfr/1_0_13.htm. Site consulté le 11 août 2005.

Kaufert, Patricia A., Pamela P. Boggs, Bruce Ettinger et coll. (1998). « Women and Menopause : Beliefs, Attitudes, and Behaviors. The North American Society 1997 Menopause Survey », *Menopause*, vol. 5, nº 4, p. 197-202.

Kjaersgaard, Kim S. (2005) « Aging to Perfection or Perfectly Aged ? The Image of Women Growing Older on Television », dans Ellen Cole et Jessica Henderson Daniel (dir.), *Featuring Females ; Feminist Analyses of Media*, Washington, DC, American Psychological Association, p. 199-210.

Légaré, France, Gaston Godin, Sylvie Dodin et coll. (2003b). « Adherence to Hormone Replacement Therapy : A Longitudinal Study Using the Theory of Planned Behavior », *Psychology & Health*, vol. 18, nº 3, p. 351-371.

Légaré, France, Annette M. O'Connor et coll. (2003a). « The Effect of Decision Aids on the Agreement Between Women's and Physicians Decisional Conflict about Hormone Replacement Therapy », *Patient Education and Counseling*, vol. 50, nº 2, p. 211-221.

Leng, Kwok Wei (1996). « On Menopause and Cyborgs : Or Towards a Feminist Cyborg Politics of Menopause », *Body & Society*, vol. 2, nº 3, p. 33-52.

Lippmann, Abby (2003). *Hormonothérapie : Les femmes ont été trompées.* http://sisyphe.org/imprimer.php3?id_article=189.

Lippman, Abby (2006). *L'inclusion des femmes dans les essais cliniques : Se pose-t-on les bonnes questions ?* Action pour la protection de la santé des femmes. http://catalogue.cdeacf.ca/Record.htm?idlist=2&record=19291434124910196169.

Lock, Margaret (1998). « Anomalous Ageing : Mangling the Postmenopausal Body », *Body & Society*, vol. 4, nº 1, p. 35-61.

Lock, Margaret (2004). « Ménopause », dans D. Lecourt (dir.), *Dictionnaire de la pensée médicale*, Paris, Presses universitaires de France, p. 55-62.

Lyons, Antonia C. et Christine Griffin (2003). « Managing Menopause : A Qualitative Analysis of Self-Help Literature for Women at Midlife », *Social Science and Medicine*, nº 56, p. 1629-1642.

Massé, Raymond, France Légaré, Luc Côté et coll. (2001). « The Limitations of a Negotiation Model for Perimenopausal Women », *Sociology of Health and Illness*, vol. 23, nº 1, p. 44-64.

Murtagh, Madeleine J. et Julie Hepworth (2003). « Feminist Ethics and Menopause : Autonomy and Decision-Making in Primary Medical Care », *Social Science & Medicine*, nº 56, p. 1643-1652.

Niquette, Manon (2005). « Représentations sociales et relations aux médicaments : le cas de l'hormonothérapie de substitution », Montréal, *Les Cahiers du GEIRSO*, p. 61-77.

O'Grady, Kathleen et Barbara Bourrier-LaCroix (2002). « À qui la faute ? Les avertissements concernant les effets graves des traitements hormonaux sur la santé des femmes d'âge mûr ont été plus que nombreux », *La Presse*, 3 août, p. A-15.

Organisation mondiale de la santé (1996). *Recherche sur la ménopause : bilan de la décennie 90*, rapport d'un groupe scientifique de l'OMS, Genève.

Ravinkar, Veronica A. (1987). « Compliance with Hormone Therapy », *American Journal of Obstetrics and Gynecology*, nº 156, p. 1332-1342.

Reitz, Rosetta (1979). *Menopause : A Positive Approach*, New York, Penguin Books.

Réseau québécois d'action pour la santé des femmes (RQASF) (1997). « La ménopause, tout le monde en parle », *Sans préjugés*, nº 12, p. 1-4.

Réseau québécois d'action pour la santé des femmes (RQASF) (2005). *Notre soupe aux cailloux. Une œuvre collective pour la santé des femmes au mitan de la vie*, Montréal, Réseau québécois d'action pour la santé des femmes.

Rivera-Woll, Livia M. et Susan R. Davis (2004). « Postmonopausal Hormone Therapy : The Pros and Cons », *Internal Medicine Journal*, nº 34, p. 109-114.

Sefcovic, Enid M. (1996). « Stuck in the Middle : Representations of Middle-Aged Women in Three Popular Books about Menopause », *Women's Studies in Communication*, nº 19, p. 1-27.

Société des obstétriciens et gynécologues du Canada (2001). *Conférence canadienne de consensus sur la ménopause et l'ostéoporose 2000/2001 et révision des recommandations* (2002).

Thoër-Fabre, Christine (2005). *Ménopause et hormonothérapie, expériences et représentations de femmes baby-boomers*, Montréal, Université du Québec à Montréal.

Warren, Michelle P. (2004). « A Comparative Review of the Risks and Benefits of Hormone Replacement Therapy Regimens », *American Journal of Obstetrics and Gynecology*, nº 190, p. 1141-1167.

Wilson, Robert A. (1966). *Feminine Forever*, New York, M. Evans.

Wilson, Robert A. et Thelma Wilson (1963). « The Fate of the Nontreated Postmenopausal Women : A Plea for the Maintenance of Adequate Estrogen from Puberty to Grave », *Journal of the American Geriatric Society*, vol. 11, p. 352-356.

Wilson, Robert C. D. (1996). *Understanding HRT and the Menopause*, Londres, Which Books, Consumer's Association.

Women's Health Initiative Study Group (1998). « Design of the Women's Health Initiative Clinical Trial and Observational Study », *Control Clinical Trials*, nº 19, p. 61-109.

Writing Group for the Women's Health Initiative Investigators (2002). « Risks and Benefits of Estrogen Plus Progestin in Healthy Postmenopausal Women : Principal Results from the Women's Health Initiative Randomized Controlled Trial », *Journal of the American Medical Association*, nº 288, p. 321-333.

Regards sur la dépendance aux benzodiazépines

Guilhème Pérodeau, Catherine Gourd et Émilie Grenon

Introduction

« *Mourir la belle affaire, mais vieillir...* » chantait le regretté Jacques Brel. Ajoutons « *mais vieillir au féminin...* ». Devenir vieille est un passage obligé accompagné de représentations sociales diverses qui reflètent le discours social, médical et économique du moment (Carroll, 2007). La vieillesse serait ainsi synonyme de décrépitude annoncée et de maladies diverses, une commune descente aux enfers, ponctuée par une mort inévitable.

Ces représentations, avec leur lot d'autoperceptions sur le physique et le ressenti psychologique, contrastent avec les valeurs sociales prévalentes de jeunesse et de performance (Carroll, 2007 ; Twigg, 2004), lesquelles sont appuyées par une industrie anti-âge avec son armada de crèmes et d'opérations esthétiques diverses (Vincent, 2007). De fait, si le corps subit des changements tout au long de la vie, ceux associés à l'âge mûr sont toutefois dévalorisés. Pour la femme vieillissante, la situation est particulièrement ardue. Dès son plus jeune âge, la culture populaire lui serine qu'elle doit être belle et plaire ; tout ce qui, chez elle, ne correspond pas à ces normes devient des déficiences qu'il faut pallier par des crèmes, des interventions esthétiques ou remplacements hormonaux en tous genres (Carroll, 2007). Le vieillissement est donc un adversaire coriace de plus en plus difficile à juguler avec les années. La prise de poids, les cheveux gris ou le poil sur le visage sont autant de batailles perdues qui mettent en péril l'estime de soi de la femme, surtout si elle a misé sur l'apparence physique toute sa vie et ne remet pas en question l'âgisme et le sexisme ambiants (Winterich, 2007).

Le *double standard* du vieillissement au féminin

Twigg (2004) déplore que les auteures féministes, en dépit d'un intérêt marqué pour le corps, notamment en lien avec la reproduction, aient jusqu'à tout récemment négligé la situation de la femme âgée. Les féministes baby-boomers, entrant elles-mêmes prochainement dans cette tranche d'âge, mais se sentant encore jeunes, pourraient ne pas vouloir y être confrontées, même sur le plan théorique (Calasanti, Slevin et King, 2006 ; Twigg, 2004). La femme âgée est donc invisible, non seulement au regard masculin comme être sexué, mais également aux yeux des féministes comme sujet d'étude (Calasanti, Slevin et King, 2006). Pourtant, toujours selon ces derniers auteurs, l'âge est un des pôles organisateurs dans l'attribution du pouvoir et de l'accès aux ressources. Ils soulignent donc l'importance d'effectuer une analyse fine de la condition des femmes à cette étape de la vie.

L'anthropologue Margaret Lock (1996) évoque le sexisme qui soustend l'expérience du vieillissement. Les incapacités masculines (ralentissement de la spermatogénèse, impuissance) augmentent avec l'âge, mais ne sont pas vraiment soulignées, alors que, pour la femme, la ménopause, dont on fait grand cas, est présentée comme une déficience hormonale qu'il faut pallier par des hormones de remplacement, afin d'en contrer les symptômes et éviter diverses maladies connexes comme l'ostéoporose. Pourtant, au Japon la ménopause est quasiment passée sous silence ; les Japonaises qui présentent moins de symptômes que les Occidentales seraient plus valorisées dans leur rôle social arrivées à la cinquantaine. Lock (1996) déplore d'autant plus que l'Occidentale vieillissante soit doublement désavantagée : d'abord, face aux hommes d'âge comparable, dont le vieillissement est nettement moins stigmatisé que le sien et, ensuite, face à un groupe de femmes valorisées parce que plus jeunes, et donc encore en âge de se reproduire.

À ces premiers écueils se greffent de probables difficultés économiques puisqu'il existe toujours d'importantes disparités entre les sexes, tant sur le plan du revenu que de l'accès à des régimes de retraite privés (Ulysse et Lesemann, 1997). Traditionnellement, les femmes ne travaillaient pas à l'extérieur ou seulement de façon accessoire (pour arrondir les fins de mois), leur rôle étant de prendre soin de la famille. Cette génération de femmes se trouve pénalisée par un système de pension qui favorise les travailleurs rémunérés, et encore, seulement ceux qui ont accès à des régimes de pension privés avantageux. Par ailleurs, le maintien à domicile des aînés, prôné par les gouvernements, a entraîné les travailleuses plus jeunes à occuper des « emplois familiaux » peu rémunérés (Pennec, 2002). D'autres femmes, souvent âgées elles-mêmes, font ce travail bénévolement ou se mettent au service de leurs ascendants dépendants (parents, beaux-parents, etc.) avec tout ce que cela entraîne de rupture de carrière, de perte de qualifications et de fonds de pension réduit pour celles qui avaient un emploi (Pennec, 2002).

Les difficultés du vieillir au féminin se conjuguent donc au pluriel. Aux attentes envers la femme qui « prend soin » (mère, épouse, soignante, etc.) et à la précarité sociale, s'ajoute le contraste entre un idéal basé sur les valeurs culturelles dominantes de jeunesse et de performance et un corps perçu comme étant de plus en plus déficient. Cela risque d'affecter le moral et de créer un stress psychologique chez la femme (Corin, 1982; Winterich, 2007), faisant place, selon une perspective féministe, à une longue série d'ajustements (Guyon et Nadeau, 1990), dont une des conséquences serait d'endosser le rôle d'objet, de victime ou de malade (Simard, 1981, citée dans Guyon et Nadeau, 1990). Au stigmate du corps féminin vieillissant, s'ajoutent donc des contraintes de rôle pouvant mener à un mal de vivre exprimé par divers symptômes comme l'anxiété ou la dépression, étiquetés comme relevant essentiellement du médical et donc médicalisés (Wright et Owen, 2001).

Médicalisation du vieillir au féminin : le cas des benzodiazépines

La médicalisation, en soi un construit social (Fassin, 1998, cité dans Lamarre et coll., 2006) avec le médicament comme fer de lance (Collin et Suissa, 2007), est un processus selon lequel des problèmes, jusque-là non médicaux, sont définis et traités comme tels (Conrad, 1992). La médicalisation de la vie est devenue une vaste entreprise commerciale avec pour acteurs principaux les biotechnologies, les compagnies pharmaceutiques et leurs actionnaires (Conrad, 2005).

La médicamentation des symptômes féminins reliés à l'anxiété s'est déployée vers les années 1960 avec l'arrivée sur le marché des anxiolytiques, c'est-à-dire les médicaments utilisés dans le traitement de l'anxiété et les troubles du sommeil. Il s'agit essentiellement de benzodiazépines comme d'abord le Valium (Cohen, 1996), suivi par d'autres comme l'Ativan ou le Serax. Alors que les compagnies pharmaceutiques entreprennent de vastes campagnes publicitaires, les critiques fusent : ce médicament est pointé comme « l'opium des masses », un moyen de contrôle social, surtout en ce qui a trait à la population féminine (Cohen, 1996). De plus, la durée d'utilisation, particulièrement chez les femmes âgées, dépasse largement les normes recommandées (Bartlett et coll., 2004 ; Tamblyn et coll., 1994) et entraîne de nombreux effets secondaires.

La médicalisation du vieillir au féminin est donc l'aboutissement d'une tendance à médicaliser les différents stades de vie des femmes (la puberté, la maternité, la périnatalité, la contraception, la fécondité et la ménopause). En ce qui concerne l'étape de vie qui nous intéresse, Farmer (2003) s'interroge à savoir ce qui dans le rôle féminin favorise la prescription et la consommation de psychotropes. Dès les années 1970, les participantes d'une étude menée par Cooperstock et Lennard (1979) sur l'utilisation de psychotropes, surtout des benzodiazépines, disaient utiliser ces médicaments pour atténuer les malaises liés aux conflits entre leurs rôles d'épouse, de mère et de travailleuse. Les répondants masculins, quant à eux, rapportaient les consommer plutôt afin de maintenir un certain niveau de performance professionnelle ; cela a été confirmé par Gomberg (1982) et plus récemment par Ettorre et Riska (2001), ces dernières insistant du reste sur l'importance de différencier l'analyse selon le genre. Pourrait-il y avoir un biais dans le processus de prescription ?

Les médecins, les médias et les compagnies pharmaceutiques

Le médicament, selon Van der Geest et Whyte (2003), façonne la relation patient-médecin en permettant à ce dernier de prendre soin d'une personne en souffrance ou qui s'en plaint. De fait, Van der Geest et Whyte (2003) associent le terme « médicament-compassion » avec la prescription de psychotropes à des personnes âgées anxieuses face aux divers dérèglements occasionnés par la vieillesse. Face à un patient qui se présente sur un mode « déficitaire », le médecin, à son tour, se sentirait démuni et ferait donc preuve de « compassion » en prescrivant des psychotropes à des personnes âgées anxieuses et vulnérables dont il faut s'occuper. Donc plutôt que d'accompagner le patient dans la mise en place de comportements santé proactifs, le professionnel de la santé soulagera les symptômes de nervosité ou d'insomnie avec une pilule. Une certaine démission de la part des médecins omnipraticiens leur ferait privilégier la prescription de psychotropes au détriment de la psychothérapie (Collin, Damestoy et Lalonde, 1999) ou de l'exploration d'alternatives avec leurs patients, et surtout leurs patientes (Madhusoodanan et Bogunovic, 2004). Cette pratique reflète donc les valeurs empreintes non seulement d'âgisme mais également de sexisme, véhiculées dans la société (Brownlee et coll., 2003).

L'une des principales sources d'influence auprès des médecins est sans conteste les compagnies pharmaceutiques qui, depuis des décennies, publient des messages témoignant d'une vision traditionnelle du vieillissement dans les revues destinées aux professionnels de la santé. Par exemple, l'analyse des publicités dans des revues médicales irlandaises au début des années 2000 démontre que les femmes, autant à risque que les hommes de succomber à une maladie cardiaque, sont sous-représentées lorsqu'il s'agit de médicaments cardiaques tout en étant surreprésentées dans le cas des antidépresseurs (Curry et O'Brien, 2006) ; les résultats étaient similaires dans une étude faite aux États-Unis dix ans plus tôt (Leppard, Ogletree et Wallen, 1993). Ces deux études rapportent des représentations stéréotypées: par exemple, une femme dans la soixantaine, en tenue de jardinière, portant dans un panier des fleurs fraîchement coupées (pour les antidépresseurs) et un homme actif engagé dans des activités sportives (pour les médicaments cardiovasculaires) (Curry et O'Brien, 2006). Ces auteurs s'inquiètent d'ailleurs de l'impact sur le choix de traitement chez les femmes et les hommes âgés.

Plus récemment, les compagnies pharmaceutiques se sont tournées vers la télévision pour transmettre leurs messages. Chananie (2005) s'est intéressée à ce type de publicité, qui s'adresse directement au téléspectateur qui, devenu consommateur averti, fera pression sur son médecin pour se faire prescrire certains médicaments, souvent nouveaux sur le marché et plus onéreux. Les femmes seraient les principales cibles de cette publicité qui serait, encore une fois, fortement stéréotypée. Le message se veut tout à fait crédible : par exemple, un professionnel en blouse blanche présente le médicament comme un moyen de reprendre le contrôle sur la vie familiale et professionnelle. Un problème comme l'anxiété sera ainsi personnalisé plutôt que mis en perspective dans le contexte social. Chananie considère que ces messages maintiennent les femmes dans des rôles contraignants, tout en présentant une fausse image de libération et d'*empowerment*. Metzl (2003), dans un essai décapant sur la publicité pour les médicaments psychotropes entre les années 1964 et 2001, va plus loin en argumentant que l'anxiété de la patiente trouve écho dans l'anxiété du médecin, lui-même porteur des normes sociales et des valeurs traditionnelles concernant la famille. En d'autres termes, le médecin, en prescrivant ces médicaments, contribuerait à maintenir les femmes dans des rôles traditionnels.

Finalement, les pharmaciens, bien que souvent consultés, sont la plupart du temps perçus comme étant des acteurs secondaires, sans autorité propre, par rapport au médecin prescripteur (Voyer, 2001). Tout en étant fort appréciés comme source d'information (Pérodeau et coll., 2003), ils ne sont pas perçus comme des interlocuteurs valables dans la décision d'effectuer un sevrage, par exemple (Voyer, 2001).

Objectif de l'étude

L'objectif de notre recherche est d'étudier la consommation à long terme de benzodiazépines par les femmes âgées de 50 ans et plus. Nous nous intéressons à leur perception de l'amorce, du maintien et d'un éventuel sevrage de la consommation, en interaction avec les professionnels de la santé. Cette analyse se fait en tenant compte de la problématique du vieillir au féminin dans une société aux valeurs empreintes de sexisme et d'âgisme, lesquelles sont véhiculées, entre autres, par les médias.

Pour les fins de la présente étude, les participants consommateurs ont été recrutés au moyen d'affiches disposées dans des pharmacies, des cliniques médicales, des centres communautaires et autres lieux publics fréquentés par des personnes susceptibles de répondre à nos critères d'échantillonnage et grâce à des communiqués parus dans les médias de la région de l'Outaouais.

Les répondants devaient avoir 50 ans et plus, avoir consommé des médicaments depuis plus de quatre mois, c'est-à-dire une consommation considérée comme étant chronique, ne pas être bénéficiaire de soins à domicile, ne pas avoir été récemment hospitalisés, ne pas avoir eu de problèmes psychiatriques au cours des cinq dernières années et ne pas avoir subi de crise de vie majeure dans les trois derniers mois. Cela nous a permis de concentrer notre étude sur le vieillissement normal et la consommation chronique. Par ailleurs, le seuil de 50 ans a été privilégié afin d'inclure des personnes ayant commencé leur consommation avant 65 ans et de diversifier les trajectoires de consommation. Un total de 25 entrevues en profondeur furent menées, 14 avec des femmes et 9 avec des hommes. Pour les fins du présent ouvrage, seules les données provenant des entrevues avec les 14 consommatrices seront utilisées.

L'âge moyen des consommatrices est de 65 ans, variant de 55 à 79 ans. La durée de consommation moyenne est de 16 ans (variant de 4 à 36 ans). Enfin, environ la moitié d'entre elles sont retraitées. Les profils des participantes apparaissent dans le tableau 1, avec un prénom fictif pour les fins de la présentation.

Tableau 1
Profil des participantes consommatrices

Participantes	Âge	Durée de la consommation (années)	Occupation
Albertine	72	25	Retraitée
Anne	73	7	Retraitée
Françoise	73	16	Retraitée
Gabrielle	55	13	Enseignement, soins infirmiers
Geneviève	56	9	Secrétaire
Iseult	79	17	Retraitée
Janine	63	11	Docteur en acupuncture
Jeanne	63	30	Rédactrice-réviseure
Julie	54	4	Éducatrice spécialisée
Madeleine	55	15	Aide à domicile
Marie	75	20	Retraitée
Nathalie	56	20	*Inconnu*
Solange	71	7	Retraitée
Sylvie	65	36	Retraitée
Moyenne	**65** (*E.T.*= 8,77)	**15,97** (*E.T.*= 9,83)	

Le guide d'entrevue couvre les principaux thèmes à l'étude, soit : a) la trajectoire de consommation ; b) les attitudes par rapport à la dépendance et à un sevrage éventuel ; c) l'interaction avec les professionnels de la santé ; d) l'influence des médias et des valeurs sociales par rapport à la consommation et à son arrêt éventuel. L'ordre des questions n'était pas strict afin de suivre le flot naturel de la conversation et de permettre l'adaptation aux réactions de la répondante. La collecte de données était ajustée au fur et à mesure en fonction des premières analyses. À la fin des entrevues, un questionnaire visant à dresser leur profil sociodémographique et de consommation du médicament était administré aux consommatrices.

L'amorce et le maintien de la consommation

L'amorce

Plusieurs événements se trouvent en aval de la consommation. Parmi ceux-ci, mentionnons la perte d'emploi, la perte d'êtres chers ou des problèmes financiers. Notons que certains des événements déclencheurs sont intimement liés à la condition des femmes.

Par exemple, pour Françoise, la consommation a commencé lorsqu'elle s'occupait de sa mère mourante et de sa sœur, qui finit par mourir du cancer cinq mois après sa mère. Elle explique :

> *C'est un médecin à l'hôpital qui a commencé à me donner ça. Celui qui soignait ma mère, il en avait dans sa poche. Il a dit : « On met ça en dessous de la langue, les Ativan, puis ça fond. » Il disait : « Tiens, prenez ça, tant par jour, ça n'a plus de bon sens ce que vous vivez là. Puis quand ce sera fini, vous viendrez me voir à mon bureau. » Puis comme ç'a été très long, ma mère et ensuite ma sœur qui est décédée, cinq mois après ma mère, d'un cancer, quand je suis allée le voir, j'avais mon voyage. Là, il a commencé à me donner des Ativan.* (Françoise)

Jeanne commence à en consommer durant une de ses grossesses, lorsque sa mère fait un ACV. Sa gynécologue lui prescrit du Valium puisqu'elle ne dort plus. Durant cette période, Jeanne vit à l'étranger et se sent coupable de ne pas être auprès de sa mère. Ainsi, comme dans le cas de Françoise, c'est le rôle de soignante, souvent attribué aux femmes (et souvent aux femmes âgées), qui balise l'amorce de la consommation.

Chez Nathalie, qui a eu quatre enfants aux naissances très rapprochées, le rôle de mère contribue au déclenchement de la consommation, à cause de ses nuits très perturbées. Son mari dort trop profondément pour l'aider à s'occuper des enfants. Elle raconte :

> *Parce que mon mari, on était sur une ferme, il travaillait très fort, il dormait bien dur, tu sais. Quand je disais : « le bébé pleure », tu sais, j'avais le temps de me réveiller comme il faut avant qu'il bouge, fait que j'y allais. C'est, c'était pénible. Parce que quand tu en as quatre, quand ce n'est pas un, c'est l'autre, puis je me levais plusieurs fois dans la nuit.* (Nathalie)

Mentionnons également Iseult, qui en a consommé pour la première fois afin de gérer son rôle de mère. Comme elle le dit : « *Moi, ça me tourmentait les enfants quand ils étaient petits. Je suis venue à dépérir, c'est là que mon docteur m'en avait donné.* » (Iseult) Plus tard, lorsque son mari meurt et que ses enfants partent pour étudier, elle reprend sa consommation. La perte soudaine de sa valeur sociale en tant qu'épouse et mère est compensée par la prise de médicament. Elle explique :

> *Quand il y avait quelqu'un à la maison, tu as quelque chose dans l'avenir, tu sais qu'il faut que tu fasses un repas, qu'il faut que tu fasses ton lit, qu'il faut que tu fasses le lavage. Puis quand tu n'as pas personne, toute seule, je peux ben faire tout ce que je veux, mais j'ai rien qui me porte à vivre, tu sais, j'ai rien en avant.* (Iseult)

Enfin, Gabrielle et Julie disent avoir commencé à consommer des benzodiazépines afin de concilier travail et famille, et les nombreux rôles de leur vie de femme. Comme dit Julie :

> *Tout gérer ça, ce n'est pas évident avec toute la gestion du travail, la gestion à la maison... la gestion avec ton époux... la gestion avec tes amis... tout ça... alors je ne sais pas pourquoi ça a déclenché comme ça.* (Julie)

Il y a clairement un lien, pour certaines de nos répondantes, entre la prise de benzodiazépines et les aléas de la condition féminine. La question est maintenant de savoir comment cette consommation se poursuit à long terme et son rapport avec le vieillir au féminin.

Le maintien

Une des raisons pour lesquelles elles continuent leur consommation est que cela les rassure. Avec la pilule, on se sent capable de faire face au stress de l'existence et plus tranquille parce que l'on dormira bien. On poursuit donc la consommation pour gérer l'anxiété, le stress et l'insomnie.

Mais d'autres raisons plus spécifiques aux rôles sexués sont évoquées par nos répondantes. Julie affirme ainsi prendre ces médicaments afin de ne pas déranger les autres. Elle continue d'en consommer pour répondre à la pression familiale, afin de se contenir, comme elle le raconte :

> *Si je n'en prends pas, c'est de l'agressivité. Il y a quelque chose qui fait... Ce que ma famille... mes proches, mon mari, ma fille m'ont dit... quand je n'en prends pas et que je suis anxieuse, ils voient que je suis anxieuse, c'est que je parle fort. Ma voix est plus forte. Puis aussi quand je suis sur un système de défensive, oui je parle fort.* (Julie)

D'autres poursuivent leur consommation afin d'être fonctionnelles, de ne pas être trop fatiguées pour pouvoir bien remplir leurs rôles, malgré l'âge, comme Marie, qui dit prendre ses médicaments, car « *Je pourrais*

[...] faire mon lavage... Ma fille, elle vient souper avec sa fille, je vais être capable d'aider au souper, puis tout. Là, j'aurais toujours été fatiguée, fatiguée. Parce qu'une nuit sans dormir, c'est dur. » (Marie)

La consommation est aussi maintenue en prévision des coups durs. Comme l'affirme Iseult : « *des fois, on dirait que je me prépare, s'il fallait qu'il y en ait un qui ait un accident, il faut que je fasse une femme de moi, tu sais. C'est ça, ça prend ces pilules-là.* » (Iseult)

Par ailleurs, la pilule permet de gérer la solitude. Il est en effet difficile de reconstruire leur vie après la perte de ceux en qui elles se sont investies. Comme l'exprime encore Iseult : « *Puis quand ma vie a changé, quand j'avais plus d'amis, mon mari est mort, les enfants sont loin, là, j'en ai repris. J'en avais besoin. J'en ai besoin à tous les soirs.* » (Iseult)

En plus de gérer le quotidien, les benzodiazépines permettent de concilier le travail et la famille chez celles qui sont encore sur le marché du travail et, pour la majorité, de se rendre disponibles aux autres. Ainsi, les facteurs de maintien de la consommation de benzodiazépines prennent souvent racine dans les rôles assignés aux femmes. Mais comment les femmes perçoivent-elles cette dépendance, cette consommation à long terme ? Envisagent-elles d'y mettre fin éventuellement ?

La dépendance et le sevrage

Parmi les participantes, les opinions sont partagées quant à la consommation à long terme de benzodiazépines. Certaines ne semblent pas s'en inquiéter ; elles se disent qu'elles ne consomment pas trop et ne vivent pas trop d'effets secondaires néfastes. Certaines avouent même qu'elles continueront à consommer aussi longtemps qu'elles le pourront, car ce médicament les aide, telle Albertine :

> *Franchement, moi tout ce que je peux dire de cette pilule-là, c'est [...] ça m'a aidée. Ça ne m'a pas nui, ça m'a aidée. Tant que je vais pouvoir la prendre comme je la prends là, je vais continuer.* (Albertine)

Certaines reconnaissent que leur médicament est une béquille, mais ne semblent pas s'en soucier outre mesure : c'est un baume pour la vieillesse et, après tout, cela pourrait être pire. Une de celles-là l'exprime ainsi : « *C'est la seule séquelle qu'il me reste de tout ce que j'ai vécu, je trouve que c'est pas si pire que ça.* » (Iseult). Certaines le voient comme un outil qui leur permet de mieux survivre et ne veulent pas cesser leur consommation. Comme le formule Françoise : « *Bien, je vais vous dire que ça ne me fait plus rien, parce que je me dis si c'est ça qui peut m'aider à survivre puis à oublier mes malheurs, pourquoi j'arrêterais ça.* » (Françoise)

Certaines ont envisagé ou même tenté un sevrage, mais sans succès ni résultats concrets. Des conditions de vie moins difficiles, voire idylliques semblent requises pour qu'elles tentent d'arrêter, comme un soutien émotif, des vacances ou un arrêt de travail, moins de stress. Comme l'explique cette répondante :

> *Si je m'adonne à être en vacances, si je sais que je vais avoir des longues vacances, ça veut dire un an de vacances, vraiment pas travailler, vraiment à pas faire de publicité, à pas faire de contacts, là, vraiment être en vacances comme j'aime être en vacances... Puis pas avoir de problèmes financiers, pas avoir... Là, je pourrais m'essayer à un moment donné, je saurais quand essayer. Puis si j'étais sûre, sûre d'avoir assez de support émotif, compagnonnage et tout ça. Pour être sûre que ça réussisse et non pas... essayer au-delà de toute espérance...* (Janine)

Finalement, plusieurs s'inquiètent de leur consommation à long terme, mais s'y résignent. On avoue une dépendance au médicament, on craint la dépendance psychologique. Certaines s'en enquièrent auprès de leur médecin :

> *J'ai déjà demandé au médecin, puis il m'a dit « pas vraiment ». Mais c'est quand même une dépendance. Il me disait qu'il n'y a pas de dépendance avec Imovane. C'est peut-être vrai qu'il n'y a pas de dépendance, dans le sens que je peux en enlever une journée et je dors, mais moins. Mais moi, je sais qu'il y en a une, je suis plus capable de m'en passer, une dépendance psychologique.* (Gabrielle)

On déclare parfois ne plus ressentir les effets du médicament et le prendre par simple habitude, comme Solange :

> *Ça fait tellement longtemps, d'après moi, que de l'effet... il n'y en a plus.* [– Vous ne ressentez plus l'effet ?] *Ah non, ça fait des années que je ne ressens plus l'effet. C'est plus par habitude, je pense, que je prends ça.* (Solange)

Que la consommation soit perçue de façon positive ou non, la plupart s'y résignent. Le sevrage est rarement envisagé, sauf dans des conditions idéales. Et cette acceptation face à la consommation à long terme est généralement sous-tendue d'attitudes négatives face au vieillissement.

L'âgisme

La difficulté de vieillir au féminin est la trame de fond du discours de nos répondantes. Elles expliquent qu'avec l'âge, elles éprouvent plus de difficultés à dormir et moins de résistance au stress. Elles considèrent donc que vieillir est une épreuve additionnelle. Portant ainsi un regard négatif sur leur vieillissement, plusieurs se fient aux médicaments et estiment que c'est dans l'ordre des choses que la dépendance augmente avec l'âge.

Ainsi, la consommation à long terme de benzodiazépines est normalisée dans un contexte où le vieillissement devient synonyme de perte, de solitude et de décrépitude. Comme l'exprime Iseult: « *En étant plus jeune, je pouvais me divertir, sortir. Mais là, rendu à cet âge, on est... on se fie aux pilules. C'est ben de valeur, mais c'est fait de même.* » (Iseult) Plusieurs affirment que puisqu'elles vont dépérir de toutes façons, qu'il ne leur reste plus très longtemps à vivre et que la vieillesse est si pénible, le médicament est un moindre mal. Le vieillissement fait peur, et le médicament permet de gérer cette peur. Comme le dit Anne: « *J'aime autant finir le reste de ma vie à être de bonne humeur, être en forme, avec des médicaments, que le peu de temps qui me reste être toujours de mauvaise humeur, pas être bien. Si ça prend juste ça, je suis pas contre.* » (Anne) Fréquemment, une telle attitude teintée d'âgisme de la part de nos participantes leur sert à justifier leur dépendance.

Toutefois, certaines évoquent la possibilité que le médicament soit une mesure de contrôle social. Ainsi, Solange s'inquiète qu'on lui donne des médicaments à cause de son âge:

> *J'ai peur justement de vieillir, et puis que le monde me donne des calmants pour que je reste dans mon coin. J'ai peur de ça. De plus en plus, la vie est dure pour les vieux.* (Solange)

Non seulement les représentations sociales du vieillissement, mais également leur perception de leur propre vieillesse semblent avoir un impact sur la consommation des participantes. Ces perceptions influencent leurs rapports avec l'entourage, entre autres avec les professionnels de la santé qui fournissent ces médicaments (médecins et pharmaciens).

Les rapports avec le système de santé et ses professionnels

Plusieurs répondantes estiment que les personnes âgées consomment trop de médicaments, mais l'attribuent au fait que les médecins ont beaucoup de patients à voir, n'ont pas le temps de leur parler, et donc les prescrivent trop facilement. Elles s'en accommodent, puisque, selon elles, c'est un privilège d'avoir un médecin dans la conjoncture actuelle.

Certaines participantes ont toutefois une relation de confiance avec leur médecin prescripteur. Elles se fient sur lui pour le renouvellement des ordonnances. En effet, Geneviève, qui consomme pourtant ces médicaments depuis neuf ans, explique : « *Ah, ç'a bien été parce que ça faisait longtemps qu'elle me connaissait, puis elle savait que je ne suis pas le genre à... à prendre des choses... Quand ton médecin te connaît, ça aide.* » (Geneviève) Elle estime pouvoir discuter des médicaments avec son médecin prescripteur et lui fait confiance pour éviter la surmédicamentation. En ce sens, le médecin prescripteur devient une source d'aide considérable.

Cependant, d'autres participantes n'entretiennent pas le même lien de confiance avec leur médecin. Plusieurs le trouvent pressé et lui reprochent sa facilité à prescrire des médicaments. L'une d'elles juge que son médecin manque d'esprit critique face au médicament et le traite de *pusher* : « *Je vais la trouver ; entre nous autres, quand on a des médicaments à prendre, on appelle ça un drug pusher. J'ai un drug pusher.* » (Janine) En fait, certaines sont déçues si le médecin renouvelle l'ordonnance sans les interroger quant à l'effet du médicament. Une participante croit d'ailleurs que son médecin n'est pas conscient de la durée de sa consommation : « *Elle ne se souvient pas à chaque fois, elle, combien que ça fait d'années que je prends ça.* » (Gabrielle) Finalement, on reproche aussi à ces médecins de ne pas offrir d'alternatives au médicament et de ne pas avoir d'expertise en ce qui concerne la santé des femmes. Une participante trouve que les médecins mettent tout sur le compte de la dépression lorsqu'ils traitent des femmes. Mais qu'on lui fasse confiance ou non, le médecin est la personne à qui l'on se réfère pour la première ordonnance et pour son renouvellement. Aussi, il est intéressant d'observer comment se passe cette interaction.

Pour certaines, la première prescription leur a été suggérée par le médecin. Le médecin prescrit le médicament afin de soulager la patiente aux prises avec des événements difficiles ou avec une grande angoisse. D'autres ne le prescrivent pas aussi facilement, et le médicament devient alors un objet de négociation entre le médecin et la patiente qui sait ce qu'elle veut. Une participante a même éprouvé un sentiment de victoire lorsqu'elle a obtenu sa première ordonnance : « *Moi j'étais contente. j'avais gagné une bataille. Parce qu'elle ne voulait pas m'en donner.* » (Janine)

Le renouvellement de l'ordonnance varie aussi d'un médecin à l'autre. Une participante explique que son médecin la questionne quant à la nécessité de la renouveler, tandis que, pour plusieurs, le renouvellement ne suscite pas trop de questions.

Quant au sevrage, les participantes ne pensent pas toutes pouvoir obtenir de l'aide de leur médecin. Certains médecins ont mentionné le sevrage, mais sans insister. D'autres répondantes sont incertaines quant à l'opinion de leur médecin ou croient qu'il est indifférent. Enfin, d'autres indiquent que leur médecin se fait rassurant face au risque de dépendance ou est d'avis qu'il est préférable qu'elles prennent le médicament plutôt que de faire de l'insomnie ou de faire une dépression :

> *Le docteur pense que c'est mieux comme ça que de risquer de venir en dépression. Il dit qu'il y a beaucoup de monde à qui ça arrive, qui font des dépressions à la suite de trop penser à leurs malheurs.* (Françoise)

Ainsi, on peut voir comment la relation avec le médecin prescripteur se vit de différentes façons et les impacts que cela peut avoir sur la consommation. Qu'en est-il de la relation avec le pharmacien ?

Le pharmacien est une bonne source d'informations sur les médicaments. Cependant, une participante déclare que les pharmaciens « *sont là pour vendre des pilules, puis si moi je ne les veux pas, c'est à moi de ne pas faire remplir* [l'ordonnance] » (Anne). Ainsi, le pharmacien semble avoir moins d'autorité que le médecin prescripteur. Cette participante va même jusqu'à dire : « *Le pharmacien ne peut pas m'obliger, hein ? Il me dit que j'en ai d'autres, mais si vous ne voulez pas les prendre, ça c'est votre affaire.* » (Anne) Les pharmaciens sont une ressource sous-utilisée alors qu'ils ont toute la formation nécessaire pour devenir une source d'information fiable. Par contraste, les médias, autre source d'information, semblent être plus populaires auprès de la clientèle âgée.

Les médias

Certaines participantes évoquent des informations puisées dans les médias, mais se disent conscientes de devoir être prudentes vis-à-vis ce type d'information. Elles soupçonnent que l'industrie pharmaceutique, industrie très lucrative s'il en est, se sert des médias pour faire de la publicité : « *Je suis consciente aussi des grosses compagnies pharmaceutiques... Je ne me fie pas trop trop non plus à ce que je lis dans les magazines.* » (Geneviève)

Quelques-unes se renseignent, d'autres beaucoup moins ou pas du tout et se déclarent peu intéressées. Certaines utilisent cette information pour influencer leur médecin. Par exemple, une participante cherche sur Internet les informations nécessaires pour convaincre son médecin de lui prescrire un médicament pour le sommeil : « *J'étais allée voir sur Internet, j'avais questionné, il n'y avait vraiment pas... il n'y avait pas vraiment d'effets secondaires qui auraient dû m'inquiéter ou l'inquiéter tant que ça.* » (Janine)

Cette information peut cependant agir comme un frein ou comme un avertissement face à leur consommation. Plusieurs mentionnent avoir entendu parler dans les médias des problèmes liés à la dépendance et des effets néfastes des benzodiazépines (comme les troubles de la mémoire).

Finalement, dans certains cas, les médias renseignent aussi sur les valeurs sociales. Plusieurs participantes y ont appris que les personnes âgées sont surmédicamentées, surtout celles vivant dans les résidences. De plus, certaines disent avoir eu vent ainsi qu'elles doivent se méfier de leur médecin qui pourrait prescrire trop facilement des médicaments aux personnes âgées.

Conclusion

Notre objectif était d'approfondir les éléments entourant la prise de benzodiazépines à long terme par des consommatrices âgées. Nous voulions mettre en relation leur perception de la consommation et d'un sevrage éventuel avec leurs attentes relatives à leur médecin traitant, ainsi que leur opinion de l'industrie pharmaceutique. Cette analyse a été faite en tenant compte du vieillissement au féminin, avec ce que cela implique d'attitudes sexistes et âgistes. En d'autres termes, nous voulions mettre leur consommation en lien avec la condition féminine et les contraintes qu'elle peut engendrer, mais également avec les effets de l'âgisme ambiant et le *double standard* auxquels la consommatrice d'âge mûr se trouve souvent confrontée.

Plusieurs répondantes associent leur prise initiale de psychotropes avec le stress engendré par les obligations familiales. Elles évoquent le soin apporté aux enfants la nuit et l'insomnie, l'anxiété de mettre leur vie de côté pour jouer le rôle de soignante auprès de parents vieillissants, puis l'angoisse liée à la solitude et le vide une fois que les enfants ont quitté le nid et que le mari a disparu. Autant d'éléments en lien avec le rôle féminin traditionnel axé sur le soin des autres et le don de soi et dont, avec le temps, l'éventail des fonctions se rétrécit comme une peau de chagrin. La femme âgée, si elle a endossé cette trajectoire de vie calquée sur une perspective traditionnelle des rôles sexués, perd peu à peu ses repères et se sent tourner à vide. Cela confirme les thèses de Cooperstock (1979), qui, dans les années 1970, notait que pour des répondantes de tout âge, les tranquillisants anesthésient les émotions en lien avec des conflits de rôle. Vingt ans plus tard, Ettorre et Riska (2001) faisaient le même constat. Le malaise de la femme est ainsi mis sur le compte de problèmes nerveux en lien avec des contraintes familiales, des changements physiologiques et des changements de cycles hormonaux. Ainsi, les femmes expriment leur mal de vivre par divers symptômes comme l'anxiété ou l'insomnie, qui sont médicalisés (Wright et Owen, 2001). Les pressions sociales que vivent les femmes entraînent chez elles stress et anxiété, qui sont traités comme des maladies, avec des médicaments pour seule solution, plutôt que comme le symptôme d'un mal-être ou d'une incapacité à répondre aux exigences du rôle féminin.

Par la suite, la pilule permet de gérer un quotidien parsemé d'obstacles et de frustrations. Finalement, devenue une béquille, la pilule est perçue comme un moyen de faire face aux difficultés liées au vieillissement. Cooperstock et Lennard (1979) notent que les femmes à même d'effectuer des changements de fond dans leur vie arrêtent souvent de consommer. De fait, certaines répondantes indiquent que des circonstances différentes dans leur vie de tous les jours les amèneraient à envisager un sevrage. Généralement, leur consommation est devenue une habitude, une sorte de réflexe conditionné. Cela confirme nos enquêtes antérieures auprès de femmes âgées, en perte d'autonomie, et consommatrices à long terme (Pérodeau et coll., 2006), pour lesquelles la pilule est une habitude, un style de vie. Plusieurs consommatrices estiment que la pilule est un moindre mal et que, à leur âge, elles n'ont finalement pas grand-chose à perdre. Elles ont visiblement intériorisé le discours émaillé d'âgisme véhiculé dans nos sociétés.

Le rapport au médecin revêt plusieurs formes : tantôt dispensateur de médicaments qu'il faut convaincre de continuer de prescrire à tout prix, tantôt *drug pusher* de collusion avec les compagnies pharmaceutiques. Si le type d'interaction patiente-médecin varie selon les personnes en présence, l'âgisme et le *double standard* auxquels sont confrontées les femmes âgées influencent les professionnels de la santé. Collin, Damestoy et Lalonde (1999) ont évoqué la démission thérapeutique de certains médecins face à l'ampleur de la souffrance chez les femmes âgées. Démunis dans un tel contexte, formés à la résolution de problème, ils se rabattent sur la solution chimique, estimant eux aussi qu'après tout, il serait malséant de ne pas accéder aux demandes de la patiente âgée. C'est le médicament-compassion évoqué par Collin (2003). Le sevrage n'entre pas en ligne de compte, la consommation est justifiée de diverses façons. Incidemment, il serait important, à l'avenir, de mieux comprendre l'impact non seulement de la relation patient-médecin sur la consommation, mais aussi de la relation client-pharmacien.

Ces résultats d'enquête sur la consommation chronique de benzodiazépines par les femmes âgées démontrent qu'il s'agit non seulement d'un problème de santé publique, mais également d'un phénomène social. Vieillir au féminin est spécifique à chaque culture et évolue au fil des générations. Le médical et le social y sont étroitement entremêlés. Notre étude démontre donc l'importance de sensibiliser, outre les consommatrices, les médecins et autres professionnels de la santé, aux enjeux qui sous-tendent une médicalisation de la vieillesse au féminin. Les solutions ne se limitent toutefois pas à ces acteurs, mais impliquent également l'environnement socioculturel dans lequel ils baignent. Une société aux prises avec des attitudes empreintes d'âgisme et de sexisme ne peut offrir aux aînées qu'une fin de vie parsemée d'embûches. Il est donc nécessaire d'inclure ces paramètres, dont on parle assez peu dans le milieu de la santé, dans la recherche de solutions.

Bibliographie

Bartlett, Gillian et coll. (2004). « Longitudinal Patterns of New Benzodiazepine Use in the Elderly », *Pharmacoepidemiology and Drug Safety*, vol. 13, n° 10, p. 669-682.

Brownlee, Kevin et coll. (2003). « Are There Gender Differences in the Prescribing of Hypnotic Medications for Insomnia ? », *Human Psychopharmacology : Clinical and Experimental*, vol. 18, n° 1, p. 69-73.

Calasanti, Tony, Kathleen F. Slevin et Neal King (2006). « Ageism and Feminism : From "Et Cetera" to Center », *NWSA Journal*, vol. 18, n° 1, p. 13-30.

Carrol, Trish (2007). « Curious Conceptions : Learning to Be Old », *Studies in Continuing Education*, vol. 29, n° 1, p. 71-84.

Chananie, Ruth A. (2005). « Psychopharmaceutical Advertising Strategies : Empowerment in a Pill ? », *Sociological Spectrum*, vol. 25, n° 5, p. 487-518.

Cohen, David (1996). « Les "nouveaux" médicaments de l'esprit, marche avant vers le passé ? », *Sociologie et sociétés*, vol. 28, n° 2, p. 17-33.

Collin, Johanne (2003). « Médicament et vieillesse : trois cas de figure », *Anthropologie et société*, vol. 27, n° 2, p. 119-138.

Collin, Johanne, Nicole Damestoy et Raymond Lalande (1999). « La construction d'une rationalité : Les médecins face à la prescription de psychotropes aux personnes âgées », *Sciences sociales et santé*, vol. 17, n° 2, p. 31-52.

Collin, Johanne et Amnon Jacob Suissa (2007). « Les multiples facettes de la médicalisation du social », *Nouvelles pratiques sociales*, vol. 19, n° 2, p. 25-33.

Conrad, Peter (1992). « Medicalization and Social Control », *Annual Review of Sociology*, vol. 18, p. 209-232.

Conrad, Peter (2005). « The Shifting Engines of Medicalization », *Journal of Health and Social Behavior*, vol. 46, n° 1, p. 3-14.

Cooperstock, Ruth et Henry L. Lennard (1979). « Some Social Meanings of Tranquilizer Use », *Sociology of Health and Illness*, vol. 1, no 3, p. 331-347.

Corin, Ellen (1982). « Regards anthropologiques sur la vieillesse », *Anthropologie et société*, vol. 6, n° 3, p. 63-89.

Curry, Phillip et Marita O'Brien (2006). « The Male Heart and the Female Mind : A Study in the Gendering of Antidepressants and Cardiovascular Drugs in Advertisements in Irish Medical Publications », *Social Science & Medicine*, vol. 62, n° 8, p. 1970-1977.

Ettorre, Elizabeth et Elianne Riska (2001). « Long-Term Users of Psychotropic Drugs : Embodying Masculinized Stress and Feminized Nerves », *Substance Use & Misuse*, vol. 39, n° 12, p. 1667-1673.

Farmer, Rosemary L. (2003). « Gender and Psychotropics : Toward a Third Wave Framework », *British Journal of Social Work*, vol. 33, n° 5, p. 611-623.

Fortin, Dany et coll. (2007). « Factors Associated with Long-Term Benzodiazepine Use Among Elderly Women and Men in Quebec », *Journal of Women & Aging*, vol. 19, n° 3-4, p. 37-52.

Gomberg, Edith S. Lisansky (1982). « Historical and Political Perspective : Women and Drug Use », *Journal of Social Issues*, vol. 38, n° 2, p. 9-23.

Guyon, Louise et Louise Nadeau (1990). « Le mouvement féministe et la santé mentale : que reste-t-il de nos amours ? », *Santé mentale au Québec*, vol. 15, n° 1, p. 7-28.

Lamarre, Bruno, André Mineau et Gilbert Larochelle (2006). « Le discours sur la médicalisation sociale et la santé mentale : 1973-1994 », *Recherches sociographiques*, vol. 47, n° 2, p. 227-251.

L'Écuyer, René (1990). *Méthodologie de l'analyse développementale de contenu. Méthode GPS et concept de soi*, Québec, Presses de l'Université du Québec.

Leppard, Wanda, Shirley Matile Ogletree et Emily Wallen (1993). « Gender Stereotyping in Medical Advertising : Much Ado About Something ? », *Sex Roles*, vol. 29, n° 11-12, p. 829-838.

Lock, Margaret (1996). « Culture politique et vécu du vieillissement des femmes au Japon et en Amérique », *Sociologie et sociétés*, vol. 28, n° 2, p. 119-140.

Madhusoodanan, Subramoniam et Olivera J. Bogunovic (2004). « Safety of Benzodiazepines in the Geriatric Population », *Expert Opinion on Drug Safety*, vol. 3, nº 5, p. 485-493.

Metzl, Jonathan M. (2003). « Selling Sanity Through Gender : The Psychodynamics of Psychotropic Advertising », *Journal of Medical Humanities*, vol. 24, nº 1-2, p. 79-103.

Pennec, Simone (2002). « La politique envers les personnes âgées dites dépendantes : providence des femmes et assignation à domicile », *Lien social et politiques*, vol. 47 nº 38, p. 31-49.

Pérodeau, Guilhème, Isabelle Paradis, Francine Ducharme, David Cohen et Johanne Collin (2006). « Détresse psychologique et psychotropes, perceptions de femmes âgées en perte d'autonomie et leurs aidantes : une perspective qualitative et quantitative », *Revue canadienne de santé mentale communautaire*, vol. 24, nº 2, p. 55-75.

Pérodeau, Guilhème, Philippe Voyer, Isabelle Paradis, Johanne Collin, Sylvie Lauzon et Francine Ducharme (2003). « Recherche d'informations sur les psychotropes par les personnes âgées consommatrices : les professionnels de la santé, les proches et les médias », *Vie et vieillissement*, vol. 2, nº 3, p. 37-44.

Pires, Alvaro (1997). « De quelques enjeux épistémologiques d'une méthodologie générale pour les sciences sociales », dans Jean Poupart et coll. (dir.), *La recherche qualitative : Enjeux épistémologiques et méthodologiques*, Montréal, Gaëtan Morin, p. 3-5.

Quigley, Paul et coll. (2006). « Socioeconomic Influences on Benzodiazepine Consumption in an Irish Region », *European. Addiction. Research*, vol. 12, nº 3, p. 145-150.

Robillard, Alain et Pascale Demers (1987). « French Version of the CERAD », Montréal, hôpital Maisonneuve-Rosemont.

Strauss, Anselm et Juliet Corbin (1998). *Basics of Qualitative Research : Techniques and Procedures for Developing Grounded Theory*, 2e éd., Thousand Oaks, Sage.

Tamblyn, Robyn et coll. (1994). « Questionable Prescribing for Elderly Patients in Québec », *Canadian Medical Association Journal*, vol. 150, nº 11, p. 1801-1809.

Twigg, Julia (2004). « The Body, Gender, and Age : Feminist Insights in Social Gerontology », *Journal of Aging Studies*, vol. 18, nº 1, p. 59-73.

Ulysse, Pierre-Joseph et Frédéric Lesemann (1997). « On ne vieillit plus aujourd'hui de la même façon », *Lien social et politiques*, vol. 42, nº 38, p. 31-49.

Van der Geest, Sjaak et Susan Reynolds Whyte (2003). « Popularité et scepticisme : opinions contrastées sur les médicaments », *Anthropologie et société*, vol. 27, nº 2, p. 97-117.

Vincent, John A. (2007). « Science and Imagery in the "War on Old Age" », *Aging & Society*, vol. 27, nº 6, p. 941-961.

Voyer, Philippe (2001). *La relation entre la santé mentale et la consommation de psychotropes chez les aînés vivant dans la communauté*, thèse de doctorat, Université de Montréal.

Winterich, Julie (2007). « Aging, Femininity, and the Body : What Appearance Changes Mean to Women with Age », *Gender Issues*, vol. 24, n° 3, p. 51-69.

Wright, Nicola et Sara Owen (2001). « Feminist Conceptualizations of Women's Madness : A Review of the Literature », *Journal of Advanced Nursing*, vol. 36, n° 1, p. 143-150.

Les baby-boomers, hommes et femmes, et leurs cheveux blancs : une étude exploratoire originale

Thomas Vannienwenhove

Introduction

Observant que, dans les sociétés occidentales, la valeur d'une femme se mesure à l'aune de la jeunesse de son corps, le courant féministe des années 1970 et 1980 alertait « *les femmes âgées de l'avenir* » (Abu-Laban, 1984 : 71) quant à leur triste destin. Pour parvenir à s'estimer positivement en vieillissant dans des sociétés caractérisées par ce que l'on pourrait appeler un « âgisme corporel sexiste » – exemptant les hommes vieillissants de la dévalorisation de l'image corporelle qui marque l'expérience des femmes qui avancent en âge –, il leur est conseillé de trouver « une alternative aux valeurs de l'attrait physique limité par l'âge » (Abu-Laban, 1984 : 71). Cependant, ce « double standard de l'âge » (*double standard of aging*) (Sontag, 1972) ne résume pas à lui seul le contexte socioculturel à partir duquel les individus incorporent leur vieillissement. En effet, la généralisation du devoir de beauté aux deux sexes et à tous les âges que les historiens situent à la fin du XXe siècle (Vigarello, 2004 ; Robin, 2005) n'a sans doute pas été sans incidence sur la manière dont les individus expérimentent aujourd'hui le vieillissement corporel. En portant sur les conduites corporelles des membres de la génération qui fait aujourd'hui son entrée dans la catégorie « senior »[1] – à savoir les premiers-nés du

1. Si les personnes qui vieillissent peuvent résister à « *ces catégorisations de soi opérées par autrui* » (Caradec, 2004b : 323), c'est néanmoins à travers ce ciblage marketing, incarné par Pierce Brosnan ou Diane Keaton, que la cohorte des premiers-nés du baby-boom est aujourd'hui visée.

baby-boom –, notre recherche[2] vise à mieux comprendre la portée de ces transformations socioculturelles dans l'expérience quotidienne de celles et ceux dont le corps donne des signes de vieillesse.

Nous examinerons ici comment les premiers baby-boomers québécois font face à une manifestation corporelle particulièrement visible de l'avancée en âge : le blanchiment des cheveux. Fondé sur l'analyse d'un corpus de 14 entretiens semi-directifs[3] et de données statistiques de cadrage[4], notre propos sera organisé en trois temps. Après avoir problématisé la question de la dépigmentation capillaire chez les premiers-nés du baby-boom, nous ferons ensuite état, par la présentation d'une typologie qualitative, des « tactiques de pigmentation capillaire » que les premiers baby-boomers québécois élaborent pour faire face au blanchiment de leurs cheveux. Enfin, à l'appui de cette typologie, nous pourrons apporter des éléments de réponse à la question qui structure l'ensemble de ce chapitre et qui consiste à se demander si, dans leur manière de faire face à un signe de vieillissement qui transforme l'image de leur corps, les premiers-nés du baby-boom constituent, dans le contexte socioculturel québécois actuel, une avant-garde porteuse d'une nouvelle corporéité pour l'individu qui avance en âge.

2. Cette recherche doctorale menée en France et au Québec sous la direction de Vincent Caradec est une recherche empirique, fondée sur l'analyse d'entretiens semi-directifs intégralement retranscrits et analysés de manière inductive avec l'assistance du logiciel d'analyse qualitative Nvivo, matériau principal auquel viennent s'ajouter des données statistiques de cadrage issues de diverses enquêtes.
3. Ces entretiens ont été réalisés auprès de personnes qui, contactées par la méthode boule de neige dans mon réseau personnel et professionnel, ont été rencontrées à Montréal au cours d'un premier séjour d'un mois en octobre 2006. Afin de réaliser une analyse en termes d'appartenance de genre, cet échantillon comprend autant d'hommes que de femmes. En revanche, on notera que, pour ce qui est de l'appartenance sociale, les 14 personnes rencontrées sont plutôt diplômées, disposent de revenus assez élevés et sont encore majoritairement en activité. Pour plus de détails sur la composition de notre échantillon, voir l'annexe « Données sociales des personnes rencontrées ».
4. À défaut de disposer de chiffres pour le Québec ou le Canada, les données statistiques de cadrage sont issues de l'enquête « Public Attitudes Toward Aging, Beauty and Cosmetic Surgery », menée en 2000 auprès de 2000 Américains âgés de 18 ans et plus, par Roper Starch Worldwide pour le compte de l'American Association of Retired Persons (AARP, 2001).

Un défi identitaire

Canitie et image de soi

La canitie désigne « l'état des cheveux devenus blancs ». Les sciences du vivant ont identifié les principaux responsables du phénomène (il s'agit des mélanocytes), mais elles peinent encore à percer les mécanismes biochimiques qui président à sa genèse et à son développement (Le Perchec, 1999)[5]. Intrigante pour le biochimiste, la canitie féconde aussi l'imagination des sociologues. Ce que l'observateur du vivant décrit en termes de mélanocytes et de follicules pileux, le sociologue le définit comme la production d'un « signe de vieillissement » (Caradec, 2004a). Ainsi, la saturation d'une chevelure – le pourcentage de blanc dans une couleur – fait partie des éléments à partir desquels l'individu perçoit son vieillissement et celui de ses contemporains (proches, personnes et personnages médiatisés). Les cheveux blancs ont cette particularité de constituer un signe « saillant » de vieillissement. Visibles aux yeux de celui qui les porte et qui voit ainsi transformé un élément central de son identité corporelle, ils le sont aussi aux yeux des autres. De plus, ils font partie des signes dont usent couramment les médias pour représenter la vieillesse et le vieillissement (Abastado, Guiramand et Bousquet, 2005 ; Robinson et coll., 2007 ; Bytheway et Johnson, 1998 ; Gestin, 2001), de sorte que plus la chevelure d'un personnage est blanche, plus on est porté à penser *a priori* qu'il est âgé. Ainsi, de par sa visibilité, le blanchiment des cheveux constitue un objet de choix pour qui se pose la question de savoir comment l'individu qui avance en âge parvient à s'identifier à un corps dont l'image se transforme inexorablement au fil du temps et se charge de sens malgré lui.

Devoir de beauté et esthétique sexuée

Ce défi identitaire, la canitie le lance aujourd'hui aux premiers-nés du baby-boom, c'est-à-dire à celles et ceux qui, nés au lendemain de la Seconde Guerre mondiale, ont atteint l'âge de cinquante ans. Or, ces premiers baby-boomers « blanchissent » dans une société québécoise où les cadres culturels

5. Ainsi, on peut expliquer que certains mélanocytes ne peuvent plus produire la mélanine qui colore les cheveux, mais on ne comprend toujours pas pourquoi des mélanocytes productifs peinent à transmettre leur précieuse substance et que d'autres encore, pour des raisons tout aussi mystérieuses, restent en sommeil, surnuméraires, dans des follicules pileux qui se reconstituent sans eux (*Hair-Science*, s.d.).

à partir desquels les femmes et les hommes vieillissants « incorporent » leur vieillissement (Drulhe, 1993 : 273-274) ont fait l'objet de transformations profondes au cours de la seconde moitié du XXe siècle. Ils ont d'abord reçu en héritage le *double standard* de l'âge mis en évidence par les féministes (Sontag, 1972 ; Mc Irvin Abu-Laban, 1984 ; Gee, Kimball, 1987) et qui invite les unes à se retirer du champ de la beauté tandis que la séduction masculine n'a pas d'âge. Ces femmes et ces hommes ont aussi traversé la fin d'un siècle marqué par la généralisation du devoir de beauté aux deux sexes et à tous les âges (Vigarello, 2004 ; Robin, 2005). Ainsi, injonction leur est faite de « vieillir en beauté », c'est-à-dire de se soucier des signes de vieillissement et d'en tirer le meilleur parti ou, du moins, d'en maîtriser l'apparition et de ne pas se « laisser-aller ».

Pour ce faire, les individus disposent d'une panoplie hautement diversifiée de « technologies du soi » (Martin, Hutton et Gutman, 1988). Pour ce qui nous concerne, les moyens qui permettent de faire face au blanchiment des cheveux sont multiples, allant de la coupe d'une chevelure grisonnante à la teinture permanente en passant par les soins retardateurs. Mais ces technologies restent limitées, et certains nourrissent l'espoir de voir la cosmétologie proposer un jour un procédé de régénération de la couleur originelle ou encore une teinture miracle qui allierait, par exemple, le pouvoir couvrant des teintures permanentes et la réversibilité des teintures non permanentes[6].

Si ces technologies sont théoriquement accessibles aux deux sexes, on observe, dans les pratiques comme dans les représentations, qu'un *double standard* esthétique sexué, fondé sur « *l'artefact de l'homme viril et de la femme féminine* » (Bourdieu, 1998), donne lieu à deux traditions distinctes. D'un côté, pour les hommes, domine une esthétique du sérieux, du naturel et de l'absence d'artifice. Blanchir va de soi, et Sean Connery hier comme George Clooney aujourd'hui en sont l'illustration. Le rasage complet, qui fait quelques émules chez les baby-boomers, s'inscrit également dans ce registre. En revanche, une telle représentation virile bannit le recours aux

6. Les divers types de teintures capillaires (permanente, semi-permanente, temporaire) peuvent être ramenés à deux grands principes de coloration : la coloration directe par dépôt et la coloration oxydante par imprégnation de coréactifs (Le Perchec, 1999). Mais seul le second principe de « coloration permanente » permet de contrecarrer le blanchiment marqué des cheveux. Seules les teintures par oxydation semblent permettre de couvrir complètement, dans une diversité de tons, les chevelures les plus saturées de blanc. À notre connaissance, les procédés « naturels » permettent au mieux de ralentir le blanchiment. Nous pensons ici aux vitamines B4, B5 et B8 ou biotine, ou encore l'acide para-amino-benzoique (PABA), appelé également « facteur anti-grisonnant ».

teintures capillaires. D'un autre côté, pour les femmes, domine une esthétique de la coquetterie où le soin de l'apparence est constitué en monopole féminin (Robin, 2005). Le rasage se trouve proscrit et c'est le recours à la teinture qui, cette fois, va de soi. En retour, blanchir constitue un défi pour des femmes qui, dès leur plus tendre enfance, ont été interpellées par des messages publicitaires vantant les mérites de colorations permettant à chacune d'exprimer son propre style quel que soit son âge (Gerbod, 1995 ; Vigarello, 2004).

Soulignons qu'à ces deux principales options que sont la mise à distance et le recours à la coloration correspondent des normes esthétiques. Ainsi, dans le cas des cheveux blancs, les coupes courtes sont valorisées et il convient d'afficher de beaux cheveux blancs ou un joli poivre et sel, au moins de parer au jaunissement. La coloration, quant à elle, doit paraître naturelle, et si l'individu opte pour une couleur excentrique, il lui faut en ce cas éviter de « *ressembler à un clown* » (Fairhurst, 1998) ou de paraître plus âgé.

Les premiers baby-boomers sont-ils en passe de reproduire ce *double standard* ou bien sont-ils en train de remettre en cause ces normes sexuées qui tendent à empêcher les unes de blanchir et les autres de se teindre ? Décrits par les historiens comme un « *ensemble générationnel* » (Mannheim, 1990) porteur des transformations sociales de la deuxième partie du XXe siècle et ayant reformulé toutes les étapes de la vie qu'ils ont traversées (Sirinelli, 2003 ; Ricard, 1994), ils sembleraient moins disposés que les générations précédentes à « *vieillir naturellement* » (Hurd Clarke, Griffin, 2007), c'est-à-dire sans recourir aux technologies du soi. Les hommes baby-boomers s'acquittent-ils de leur devoir de beauté sans autre effort que de consentir à blanchir, ou bien ce devoir s'impose-t-il à eux au point de fragiliser la norme du « blanc masculin » héritée de leurs aînés ? Les femmes issues de cette même génération n'ont-elles d'autre salut que de recourir à des procédés de coloration toujours plus performants ou parviennent-elles à répondre au devoir de beauté par d'autres voies que la « couleur féminine » ?

Les tactiques de pigmentation capillaire des premiers baby-boomers

L'art de faire face à ses cheveux blancs

Nous avons vu dans la section précédente que s'imposent à l'individu non seulement la canitie « fabriquée » par son corps vieillissant, mais aussi les technologies de pigmentation capillaire auxquelles il peut avoir accès et qui sont mises à sa disposition par le concours de diverses institutions (industrie, santé publique, etc.), ainsi que les représentations sociales associées aux cheveux blancs et à la coloration, qui sont également élaborées par diverses institutions (industrie, santé publique, associations, famille, groupe de pairs, etc.), véhiculées par les médias et qui tendent à promouvoir un *double standard* esthétique de genre.

Les premiers baby-boomers québécois font usage de ces produits imposés. Le blanchiment des cheveux, les teintures capillaires et les significations sexuées qui leur sont collectivement associées sont « *l'objet de manipulations de la part des pratiquants qui n'en sont pas les fabricateurs* » (Certeau, 1990 : 54). De « *ces vastes ensembles de la production* », les pratiquants en sélectionnent « *des fragments* » (Certeau, 1990 : 58) et composent un « *art de faire* » (Certeau, 1990) face au blanchiment de leurs cheveux. Ainsi, les premiers baby-boomers « n'ont pas le pouvoir », mais ils élaborent des « tactiques », c'est-à-dire des « manières de faire avec » le blanchiment de leurs cheveux, les procédés de teinture capillaire à leur disposition et les normes et valeurs corporelles héritées de leurs aînés.

Vécu du blanchiment et rapport aux procédés de coloration

À l'analyse des discours que tiennent les personnes rencontrées pour faire part de la manière dont elles font face au blanchiment de leurs cheveux, on peut constater que ces dernières parviennent à expliciter leur tactique à travers un double positionnement renvoyant, d'un côté, au vécu de cette manifestation corporelle de l'avancée en âge, de l'autre, au rapport qu'elles entretiennent avec les procédés de coloration. Finalement, cinq tactiques se dégagent des discours tenus par les personnes qui composent notre échantillon et qui, soulignons-le, affichent un blanchiment plus ou moins marqué et se déclarent plus ou moins ouverts aux procédés de coloration capillaire. Cinq tactiques qui sont autant de déclinaisons d'un même art de faire avec le blanchiment capillaire, les teintures permanentes et les représentations qui leur donnent sens dans la société québécoise. Cinq tactiques que nous présenterons après en avoir détaillé les deux principaux ressorts : le vécu de la canitie et le rapport aux teintures capillaires aujourd'hui disponibles.

Vécu du blanchiment et recherche de congruence

Ces tactiques ont en commun un même but: la recherche d'une congruence entre l'image corporelle et l'image de soi. Cependant, deux formes de congruence peuvent être recherchées.

D'un côté, certaines personnes souhaitent que leur chevelure continue de correspondre à l'image qu'elles se font d'elles-mêmes et, pour ce faire, recourent à des technologies de transformation telles que les teintures capillaires. La recherche de ce type de congruence, que l'on peut qualifier de « narcissique », est déclenchée par un « seuil subjectif de blanchiment » qui, lorsqu'il est atteint ou lorsqu'il est envisagé ainsi, apparaît dans les discours comme un événement structurant du parcours (Caradec, 1998), c'est-à-dire un noyau à partir duquel les individus définissent un avant et un après (Bertaux, 2005) dans leur parcours de pigmentation capillaire et mettent ainsi « en intrigue » (Ricoeur, 1983) le blanchiment de leurs cheveux. Aussi, ce n'est pas tant l'apparition des premiers cheveux blancs qui interpelle ces individus, mais plutôt la disparition des derniers cheveux noirs (Fournier, 2006) ou, plus précisément, le franchissement du seuil au-delà duquel l'individu a le sentiment que les cheveux blancs « prennent le dessus » au point d'altérer l'image qu'il se faisait de luimême jusque-là. Les personnes ressentent alors une forme de discordance avec un signe de vieillesse qui ne s'accorde pas à l'image qu'elles se font d'elles-mêmes. Les propos de Mme Beaulieu[7] (« *Avoir la tête grise... je me vois vraiment pas* »), ou de M. Côté (« *Ça correspondait pas... à l'image que j'ai de moi, qui est... à la perception que j'ai de moi, d'avoir des cheveux blancs* ») illustrent un tel vécu discordant.

À l'opposé de ce vécu discordant donnant lieu à la recherche d'une congruence narcissique, d'autres personnes expriment une forme de concordance avec une transformation entendue comme allant de soi. Ainsi, pour M. Cloutier, « *comme on dit, ça fait partie de la vie* ». « *Ça va être avec l'âge* », nous confie Mme Ouellet. « *C'est ça le vieillissement, c'est ça la vie* », nous dit M. Bouchard en parlant de ses cheveux blancs. La congruence recherchée peut alors être qualifiée de « corporelle ». Ce n'est pas le corps qui doit s'adapter à l'image de soi, mais l'image de soi qu'il faut accepter de voir transformée par le blanchiment naturel des cheveux. Les individus qui s'inscrivent dans ce type de congruence décrivent leur parcours

7. Afin de préserver leur anonymat, les personnes rencontrées sont désignées par des pseudonymes choisis parmi les patronymes les plus fréquents au Québec.

comme un continuum et n'éprouvent pas le sentiment d'une dépersonnalisation insupportable au-delà d'un quelconque seuil critique de blanchiment.

Si la plupart des personnes rencontrées affirment clairement rechercher l'une ou l'autre forme de congruence, notons que d'autres sont plus indécises et ont une position plus ambivalente. Ayant en commun de « se trouver chanceuses », c'est-à-dire d'éprouver le sentiment d'être relativement épargnées par le processus de blanchiment au regard des personnes de leur âge, ces personnes semblent se donner un temps de réflexion et attendent de blanchir davantage pour, suivant leur vécu, s'inscrire dans la recherche d'une congruence narcissique ou corporelle.

Un rapport plus ou moins distant aux technologies de coloration capillaire

Concernant le rapport aux procédés de teinture capillaire, quatre grandes postures peuvent être dégagées des discours. La première consiste à se tenir à distance de ces procédés, par principe ou par choix. Sur la base d'une continuité avec un passé sans aucune teinture, certains opposent un refus de principe à une pratique qui leur est étrangère. Ainsi, questionnés sur leur recours à la coloration, M. Gauthier exprime en quelques mots une position tranchée (« *Ah ! Non. Non. Ça ne m'a jamais travaillé et je veux pas. Non* »), que M. Bouchard paraphrase : « *Non. Je le ferai jamais non plus. Non. Je vois pas pourquoi. Je... Je sais qu'il y a des hommes qui... de plus en plus d'hommes qui font ça mais euh... moi je me dis...* ». Mais les personnes qui expriment aujourd'hui des réserves face aux teintures capillaires pour couvrir leurs cheveux blancs ont pu en user par le passé pour exprimer leur style. Recourir aux teintures pour, cette fois, couvrir ses cheveux blancs, fait alors l'objet d'une réflexion éclairée. Mme Ouellet, par exemple, a fait usage de teintures au cours de sa jeunesse, puis dans le cadre de certains emplois qui l'exposaient au public. Mais lorsqu'on lui demande si elle envisage de recourir à nouveau à la teinture, elle prend ses distances en arguant d'un « *cheveu sec* » et déclarant : « *c'est pas toujours réussi quand une personne vieillit et qu'elle a des cheveux qui vont pas avec son âge* ».

À l'opposé de cette posture, qui signale une mise à distance des procédés de teinture capillaire, deux autres postures renvoient à un usage assidu des teintures par oxydation. Les uns décrivent un « engagement à vie », à l'image de Mme Lévesque, qui a « *attendu le moment maximum* » avant d'adopter une pratique qu'elle apparente à un « *esclavage* », mais à laquelle elle a « *décidé* » de recourir « *jusqu'à ce que mort s'en suive* ». D'autres, par contre, se projettent dans un avenir sans teinture, décrivant un recours temporaire mais que l'on s'attend à abandonner dans un futur plus ou moins proche pour ritualiser le passage à une l'étape suivante de la vie. Ainsi, M. Côté évoque l'âge de 65 ans pour donner une idée de quand il va « *choisir ce moment-là* », où « *d'un coup* » il se dira : « *bon, je me transforme en grand-père* ».

Pour finir, certaines personnes décrivent une posture d'« attente d'alternatives » qui consiste à se tenir à distance des teintures oxydantes considérées à risque, fastidieuses ou coûteuses, tout en manifestant une ouverture à l'égard de procédés de coloration qui restent à inventer. Ainsi, Mme Pelletier peut « *encore mettre du henné et que ça fasse pas bizarre* », mais elle sait que cette coloration par dépôt produira tôt ou tard « *un gros rouge* », lorsque ses cheveux blancs seront devenus majoritaires. Aussi nourrit-elle l'espoir de disposer un jour d'un procédé « *naturel* » plus efficace que le henné et qui lui permette de satisfaire son souhait d'« *être d'une couleur naturelle en fait, qui ferait ressortir [sa] pigmentation* ». Sur un autre registre, M. Tremblay, par provocation et pour revendiquer son appartenance gay, s'est teint les cheveux en bleu et rouge durant de longues années. Mais, avec le temps, n'obtenant plus l'effet recherché, il a abandonné cette pratique. Il n'envisage aujourd'hui qu'en rêve de verser à nouveau dans la provocation par une teinture iconoclaste, dont il juge néanmoins l'entretien trop fastidieux : « *Si je pouvais les mettre mauves et qu'ils restent mauves tout le temps [rire], je trouverais ça, juste pour le fun et agréable... Mais c'est trop d'entretien.* »

Les tactiques de pigmentation capillaire : une typologie qualitative

Étant entendu qu'une tactique permettant de faire face au blanchiment des cheveux renvoie à la combinaison particulière, pour un individu, d'un vécu du blanchiment et d'un rapport aux procédés de coloration, à l'analyse de notre matériau[8], cinq tactiques peuvent alors être aujourd'hui dégagées. La première tactique consiste à « consentir au blanchiment », c'est-à-dire laisser blanchir les cheveux en nourrissant le sentiment que

8. Les cinq tactiques ici présentées ont été identifiées en isolant les individus dont les tactiques sont les plus éloignées, puis en rapprochant de ces « individus-noyaux » celles et ceux qui adoptent des tactiques similaires, c'est-à-dire qui combinent de la même manière dans leur discours un vécu du blanchiment et un rapport aux procédés de coloration semblables.

cela concorde avec l'avancée en âge et en entretenant une distance certaine face aux procédés de coloration. M. Gauthier, qui n'a jamais utilisé de produits de coloration, illustre cette première tactique :

> *Puis les cheveux blancs, je trouve que c'est beau. À partir d'un certain âge... À 35 ans, les cheveux blancs, bon, ça convient pas tout ça. Mais, justement, il y a une idée des hommes qui, à 60 ans, qui ont leurs cheveux et puis ils sont blancs, ça leur donne... je sais pas... un air de... de Monseigneur... un air de... de... de noblesse, hein, de... Des beaux cheveux blancs, je trouve ça beau, je vois pas pourquoi je... je les aurais teints.* (M. Gauthier)

Les propos de Mme Ouellet illustrent également ce consentement à blanchir : *« Il va y avoir du blanc dans ça et ça va être avec l'âge et je... j'aime mieux ça comme ça »* (Mme Ouellet).

Deux autres tactiques peuvent être adoptées pas des individus plus ouverts au principe de la coloration, mais néanmoins réticents à faire usage des procédés permanents. L'une d'elles consiste à « essayer de blanchir », et les individus qui l'adoptent se sentent épargnés au regard du blanchiment de leurs congénères. Recherchant une congruence corporelle, ils restent cependant prudents quant à leur capacité à assumer une telle transformation de leur image et n'écartent pas un éventuel recours à la coloration. C'est notamment la tactique de Mme Pelletier, qui ne trouve pas d'alternative au henné, qui « *essaie* » de blanchir, mais qui ne parvient pas à évoquer ses cheveux tout blancs autrement qu'au futur ou au conditionnel :

> *Peut-être, je vais me dire « ah, bah, là y'a des... petits cheveux blancs... c'est pas grave ». J'essaie de... j'essaie de m'adapter à mes cheveux blancs [rire]. Je ne sais pas. Je me trouve chanceuse. Je trouve que j'en ai pas beaucoup. En arrière, ici, là, j'en ai [rire]. « Regarde là, c'est blanc » [rire], je dis ça à mon chum [rire]. Je pense peut-être que j'essaie de m'adapter à mes cheveux blancs. Je... j'aimerais pas... J'ai pas l'envie de vouloir me les teindre... plus tard, quand j'aurai plein de cheveux blancs. J'aimerais les laisser comme ça, comme ils sont. Au naturel.* (Mme Pelletier)

En revanche, l'autre tactique également fondée sur l'espoir d'alternatives aux teintures permanentes actuelles, « blanchir faute de mieux », repose sur le sentiment de devoir « faire avec » un blanchiment avéré. Recherchant une congruence narcissique, subissant un blanchiment qui altère l'image qu'ils se font d'eux-mêmes, les individus qui adoptent cette tactique ont le sentiment d'être assiégés par une canitie contre laquelle les technologies actuelles leur semblent impuissantes. Ainsi M. Simard, qui n'a jamais teint ses cheveux, avoue y avoir pensé, mais s'être ravisé devant les résultats décevants qu'il a pu constater chez ses contemporains. Cependant, il garde espoir :

> *C'est tellement uniforme, tu sais, et puis ça va tellement pas avec le reste de la figure, du visage. Fait que, je sais pas comment ça pourrait se faire, mais en tout cas peut-être, si jamais ça se fait... [...] Idéalement, j'aimerais rester à, je sais pas, 45 toute ma vie. Tu sais, 40-45 ans toute ma vie, au point de vue des cheveux... mais c'est pas ça.* (M. Simard)

Enfin, les deux dernières tactiques consistent à recourir aux teintures permanentes pour lutter contre un blanchiment qui constitue une menace pour « *l'unité narcissique* » (Deberdt, 1984). Certains individus choisissent alors de « combattre sans relâche », c'est-à-dire se donnent pour projet de poursuivre, toute leur vie durant, leur recours actuel aux procédés de teinture. Mme Lévesque, qui se teint les cheveux depuis l'âge de 50 ans et projette de poursuivre « *jusqu'à ce que mort s'en suive* », illustre cette tactique, qui combine un vécu discordant du blanchiment et un recours perpétuel aux teintures par oxydation :

> *Je voulais vraiment pas avoir les cheveux gris. Non. Ah non, non je me voyais pas... Ah non non non. Je sais pas, je me sentais... Non. Je me suis toujours vue comme ça... C'est à peu près ma couleur naturelle, moi j'étais blonde, pas très blonde avec des... blond vénitien [...] mais je reste comme ça jusqu'à ma mort.* (Mme Lévesque)

Par ailleurs, d'autres individus n'envisagent qu'un recours temporaire à la teinture. Vécu aujourd'hui sur un mode discordant, il s'agit de « différer son blanchiment » et d'adopter ainsi une tactique en deux temps qui laisse la porte ouverte à une redéfinition de soi. La couleur devrait laisser place au blanc, dont on pense, comme Mme Beaulieu, qu'il finira par s'avérer plus pertinent pour travailler sa chevelure à l'image d'un soi transformé par une vieillesse attendue et pour servir ainsi la recherche d'une congruence toujours narcissique :

> *Peut-être que... Si je vis jusqu'à 80, peut-être que... je les laisserai naturels, mais euh... pas pour l'instant. J'ai l'impression que rendue à 75-80, ça aura moins d'importance. Là je sors plus... alors... Je sais pas... Avoir la tête grise... je me vois vraiment pas [...]. J'imagine que ça aura moins d'importance plus tard, je sais pas...J'ai des tantes, des sœurs de ma mère qui se teignaient les cheveux plus jeunes, puis aujourd'hui elles*

ont justement 75-80, et elles ont toutes les cheveux gris maintenant. Puis... ça leur fait bien. Je trouve que ça leur fait bien, mais... plus jeunes... (Mme Beaulieu)

Tradition ou innovation ?

La typologie que nous venons de dresser met en évidence à la fois un « enjeu » commun, faire face à cette manifestation de l'avancée en âge qu'est la canitie et la pluralité des « mises en jeu » possibles, qui sont autant de tactiques effectivement utilisées aujourd'hui par les premiers baby-boomers au Québec. Surtout, elle constitue un outil d'analyse qui va maintenant nous permettre, pour conclure, de voir dans quelle mesure ces derniers, en s'acquittant de leur devoir de beauté dans un corps vieillissant, innovent et remettent en cause le *double standard* esthétique du blanc masculin et de la couleur féminine.

Un constat nuancé...

La manière dont se répartissent les hommes et les femmes de notre échantillon suivant les cinq tactiques dégagées (voir le tableau 1) nous conduit à un constat nuancé. Cette répartition ne prétend, bien sûr, à aucune représentativité statistique, mais elle rend compte à la fois de la persistance de tactiques sexuées traditionnelles et de l'émergence de tactiques plus iconoclastes.

Tableau 1

Tactiques de pigmentation capillaire selon le sexe

	Hommes	Femmes
Combattre sans relâche	0	3
Différer le blanchiment	1	1
Essayer de blanchir	0	2
Consentir au blanchiment	4	1
Blanchir faute de mieux	2	0

Source : Recherche « Travailler sur son corps vieillissant en France et au Québec », 2005-2009.

Tout d'abord, le fait que la tactique consistant à « combattre sans relâche » soit exclusivement féminine et que celle consistant à « consentir au blanchiment » soit très majoritairement masculine montre qu'une partie de notre échantillon tend à reproduire le *double standard* de la couleur féminine et du blanc masculin. Mais d'autres données témoignent de choix moins sexués. D'une part, Mme Ouellet « consent à blanchir » et la tactique consistant à « essayer de blanchir » est exclusivement suivie par des femmes. D'autre part, « différer le blanchiment » s'observe chez un homme, et la tactique de « blanchir faute de mieux » est le fait d'hommes en attente d'alternatives. Cependant, si l'éventail des tactiques s'est élargi, de sorte que les deux sexes peuvent aujourd'hui prétendre recourir ou non à la coloration, les tactiques les plus iconoclastes – du point de vue de l'appartenance de genre – restent rares. En effet, alors que celles qui essaient de blanchir indiquent une ouverture des femmes au blanchiment et ceux qui blanchissent faute de mieux, une ouverture des hommes à la coloration, seuls Mme Ouellet, qui consent au blanchiment, et M. Côté, qui le diffère, témoignent dans les faits d'une désexualisation des comportements face aux cheveux blancs.

... et des données statistiques concordantes

Des données statistiques issues de l'enquête « Public Attitudes Toward Aging, Beauty and Cosmetic Surgery » (AARP, 2001) nous permettent, finalement, de conforter ce constat nuancé et de mettre en évidence le fait que les premières baby-boomeuses ont banalisé le recours à la coloration alors que leurs homologues masculins ont continué d'entretenir avec les procédés de coloration une relation distante, semblable à celle qu'entretenaient leurs aînés.

En effet, l'analyse des données du tableau 2 ne révèle pas seulement que le recours à la teinture reste inégalement partagé entre les sexes (seuls 10 % des hommes, tous âges confondus, ont eu recours à la coloration et 16 % pensent y recourir, contre, respectivement, 45 % et 63 % des femmes, tous âges confondus). Elle montre aussi que les premières baby-boomeuses (dans la tranche d'âge 45-54 ans au moment de l'enquête) présentent le taux de recours actuel le plus élevé (71 %), qu'elles ne sont pas moins nombreuses à penser y recourir à l'avenir (73 %) ; surtout, elles amplifient la pratique débutée par leurs aînées (61 % des 55-64 ans et 47 % des 65 ans et plus) et la transmettent à leurs cadettes, puisque ces dernières pensent y recourir tout autant qu'elles (74 % des 35-44 ans et 70 % des 18-34 ans). Cette analyse montre enfin que les premiers baby-boomers n'ont pas joué, dans la gent masculine, ce rôle de catalyseur observable chez les premières baby-boomeuses. En effet, si certains d'entre eux ont déjà eu recours à la coloration (13 %), c'est dans des proportions équivalentes à leurs aînés (8 % des 55-64 ans et 14 % des 65 ans et plus) ; ce n'est que chez leurs cadets que l'on peut observer une amplification de cette pratique, puisque 20 % des 18-34 ans et des 35-44 ans envisagent de recourir à la coloration et pourraient donc bientôt souhaiter « différer le blanchiment », voire le « combattre sans relâche ».

Tableau 2

Le recours à la coloration pour couvrir ses cheveux blancs, selon l'âge et le sexe (%)

Tranche d'âge	**18-34**		**35-44**		**45-54**		**55-64**		**65 et +**		**Total**	
Sexe	***H***	***F***	***H***	***F***	***H***	***F***	***H***	***F***	***H***	***F***	***H***	***F***
Effectifs totaux	285	367	173	243	153	250	83*	147	104	203	798	1210
N'ont jamais teint leurs cheveux gris	8	18	13	50	13	71	8	61	14	47	10	45
Teindront probablement ou certainement leurs cheveux gris	20	70	20	74	12	73	9	58	11	34	16	63

* Effectif faible

Source : Compilation des données du rapport de l'enquête « Public Attitudes Toward Aging, Beauty and Cosmetic Surgery » (AARP, 2001 : 39-43).

En permettant aujourd'hui à une grande majorité des premières-nées du baby-boom de continuer à répondre à l'impératif de la beauté inculqué dans les mondes de femmes (Beausoleil, 2000), les innovations en matière de teintures capillaires ont repoussé les limites de l'exclusion des femmes âgées du champ de la beauté. En retour, ces progrès technologiques n'ont pas encouragé l'entreprise d'émancipation que le courant féministe appelait de ses vœux pour les « femmes âgées de l'avenir ». Et le projet de blanchir, que Mme Ouellet réalise et que d'autres envisagent non sans inquiétude, pourrait être durablement minoré parmi une gent féminine où règne désormais le recours généralisé aux procédés de coloration.

À l'inverse, en portant le projet de recourir aux procédés de coloration pour couvrir leurs cheveux blancs, M. Côté et ses congénères en attente d'alternatives apparaissent comme les fers de lance d'une pratique à laquelle les hommes de leur génération sont restés, à l'image de leurs aînés, très majoritairement rétifs, mais à laquelle les plus jeunes semblent désormais plus ouverts. Ceux-ci témoignent d'un affaiblissement du *double standard* qui fait des cheveux blancs un allant-de-soi de la masculinité vieillissante. Cependant, ils sont encore minoritaires dans des sociétés où laisser ses cheveux blanchir reste encore le meilleur moyen pour les hommes de s'acquitter de leur devoir de beauté, et qui continuent de leur conférer un droit à la beauté quel que soit leur âge et les exemptent ainsi des efforts auxquels les femmes, toujours menacées d'exclusion, doivent aujourd'hui encore consentir.

Bibliographie

Abastado, P., G. Guiramand et B. Bousquet (2005). « Signs of Ageing, the Lifespan and Self-Representation in European Self-Portraits Since 15th Century », *Ageing and Society*, vol. 25, p. 147-158.

Abu-Laban, S. McIrvin (1984). « Les femmes âgées : problèmes et perspectives », *Sociologie et sociétés*, vol. 16, n° 2, p. 69-78.

American Association of Retired Persons (AARP) (2001). « Public Attitudes Toward Aging, Beauty and Cosmetic Surgery », recherche.

Beausoleil, N. (2000). « Marquage du corps, discipline, résistance et plaisir : les pratiques de maquillage des femmes », dans S. Frigon et M. Kérisit (dir.), *Du corps des femmes. Contrôles, surveillances et résistances*, Ottawa, Presses de l'Université d'Ottawa, p. 231-253.

Bertaux, D. (2005). *L'enquête et ses méthodes : le récit de vie*, Paris, Nathan.

Bourdieu, P. (1998). *La domination masculine*, Paris, Seuil.

Bytheway, B. et J. Johnson (1998). « The Sight of Age », dans S. Nettleton et J. Watson (dir.), *The Body in Everyday Life*, Londres, Routledge, p. 243-256.

Caradec, V. (1998). « Les transitions biographiques, étapes du vieillissement », *Prévenir*, n° 35, p. 131-137.

Caradec, V. (2004a). *Vieillir après la retraite. Approche sociologique du vieillissement*, Paris, Presses universitaires de France.

Caradec, V. (2004b). « "Seniors" et "personnes âgées" : Réflexions sur les modes de catégorisation de la vieillesse », *Bulletin d'histoire de la Sécurité sociale*, n° 1, p. 313-326.

Certeau, M. de (1990). *L'invention du quotidien*, tome 1, *Arts de faire*, Paris, Gallimard.

Deberdt, A. (1984). « Quelques idées sur l'esthétique et la cosmétologie au troisième âge », *Gérontologie et société*, n° 29, p. 62-65.

Drulhe, M. (1993). « Effets de la culture sur les représentations et les activités des corps vieillissants », in C. Clanet, R. Fourasté et J.-L. Sudres (dir.), *Corps, cultures et thérapies*, Toulouse, Presses universitaires du Mirail, p. 267-284.

Fairhurst, E. (1998).« "Growing Old Gracefully" as Opposed to "Mutton Dressed as Lamb" », dans S. Nettleton et J. Watson (dir.), *The Body in Everyday Life*, Londres, Routledge, p. 257-274.

Featherstone, M. et M. Hepworth (1991). « The Mask of Ageing and the Postmodern Life Course », dans M. Featherstone, M. Hepworth et B. S. Turner (dir.), *The Body. Social Process and Cultural Theory*, Londres/Thousand Oaks/New Delhi, Sage, p. 371-389.

Fournier, J.-L. (2006). *Mon dernier cheveu noir*, Paris, Anne Carrière.

Gee, E. M. et M. M. Kimball (1987).« The Double Standard of Aging : Images and Sexuality », dans E. M. Gee et M. M. Kimball (dir.), *Women and Aging*, Toronto/ Vancouver, Butterworths, p. 99-106.

Gerbod, P. (1995). *Histoire de la coiffure et des coiffeurs*, Paris, Larousse.

Gestin, A. (2001). « Un nouvel impératif pour les hommes et les femmes retraitées : "vieillir-jeune" », *Cahiers du genre*, n° 31, p. 203-219.

Hair-Science (s.d.). « Le cheveu gris n'existe pas ! », Hair-Science.com.

Hurd Clarke, L. et M. Griffin (2007). « The Body Natural and the Body Unnatural : Beauty Work and Aging », *Journal of Aging Studies*, vol. 21, n° 3, p. 187-201.

Jodelet, D. (2003) [1989]. *Les représentations sociales*, Paris, Presses universitaires de France.

Le Perchec, P. (1999). *Les molécules de la beauté, de l'hygiène et de la protection : une introduction à la science cosmétologique*, Paris, Nathan.

Mannheim, K. (1990). *Le problème des générations*, Paris, Nathan.

Martin, L. H., P. H. Hutton et H. S. D. Gutman (1988). *Technology of the Self : A Seminar with Michel Foucault*, Amherst, University of Massachusetts Press.

Ricard, F. (1994). *La génération lyrique. Essai sur la vie et l'œuvre des premiers-nés du baby-boom*, Montréal, Boréal.

Ricoeur, P. (1983). *Temps et récit*, tome 1, *L'intrigue et le récit historique*, Paris, Seuil.

Robin, A. (2005). *Une sociologie du « beau "sexe fort" » : L'homme et les soins de beauté de hier à aujourd'hui*, Paris, L'Harmattan.

Robinson, T. et coll. (2007). « The Portrayal of Older Characters in Disney Animated Films », *Journal of Aging Studies*, vol. 21, n° 3, p. 203-213.

Sirinelli, J.-F. (2003). *Les babyboomers. Une génération 1945-1969*, Paris, Fayard.

Sontag, S. (1972). « The Double Standard of Aging », *Saturday Review*, n° 23, p. 29-38.

Vigarello, G. (2004). *Histoire de la beauté. Le corps et l'art d'embellir, de la Renaissance à nos jours*, Paris, Seuil.

Annexe

Données statistiques des personnes rencontrées

Revenu mensuel du foyer

Tranche de revenus	Effectifs
Plus de 5000 $ CAD/mois	7
Entre 2000 et 5000 $ CAD/mois	3
Moins de 2000 $ CAD/mois	4
Total	**14**

Diplôme le plus élevé obtenu

Niveau d'enseignement	Effectifs
Universitaire	11
Collégial	3
Secondaire	0
Total	**14**

Profession exercée (ou dernière profession exercée)

Grands groupes*	Effectifs
Membres de l'exécutif et des corps législatifs	1
Professions intellectuelles et scientifiques	10
Professions intermédiaires	1
Employés de type administratif	1
Ouvriers et employés non qualifiés	1
Total	**14**

*Selon la classification internationale type des professions de l'Organisation internationale du travail.

Données sociales des personnes rencontrées

Pseudo	Âge (en 2006)	Situation matrimoniale	Nombre d'enfants	Diplôme le plus élevé obtenu	Profession (ou dernière exercée)
					Statut d'activité professionnelle (année de cessation d'activité ; année de retraite)
M. Tremblay	50	Conjoint de fait	0	DEC arts plastiques	Artiste mouleur, conseiller technique
					En activité
M. Gagnon	60	Conjoint de fait	0	Bac latin grec, bac général	Cadre d'entreprise en ressources humaines
					En activité
M. Simard	64	Célibataire (Divorcé)	1	Maîtrise de psychologie	Psychologue
					En retraite (1997 ; 1997)
M. Côté	53	Célibataire (Séparé)	2	Certificat universitaire	Musicien et patron de bar
					En activité
M. Bouchard	56	Marié	1	Doctorat en médecine	Médecin généraliste
					En activité à temps partiel (non concerné ; 2006)
M. Gauthier	66	Célibataire (Divorcé)	3	Bac géographie	Enseignant en primaire et secondaire
					En retraite (2004 ; 1998)
M. Cloutier	59	Conjoint de fait	1	Bac prof. en diététique	Diététicien, chef de service hospitalier
					En congé différé

Pseudo	Âge (en 2006)	Situation matrimoniale	Nombre d'enfants	Diplôme le plus élevé obtenu	Profession (ou dernière exercée)
Mme Lavoie	65	Mariée	0	Bac philosophie	Enseignante en primaire
					En retraite (1995 ; 1995)
Mme Fortin	59	Célibataire (Divorcée)	1	École du barreau	Avocate
					En activité
Mme Beaulieu	64	Veuve	0	12e commerciale	Secrétaire au gouvernement provincial
					En retraite (1997 ; 1997)
Mme Ouellet	61	Veuve	0	Bac es arts	Comptable à domicile
					En activité
Mme Pelletier	51	Conjoint de fait	0	DEC diététique	Femme de ménage
					En activité
Mme Bergeron	66	Célibataire	0	Licence de chiropractie	Chiropracteur
					En retraite (1989 ; 2005)
Mme Lévesque	61	Mariée	1	Bac lettres	Enseignante à l'université
					En retraite (2000 ; 2006)

Au-delà de l'âge : pour une esthétique de soi

tania navarro swain

Un beau matin, au réveil, je me suis trouvée morte.
anahita

[...] elles n'avaient pas de jardin pour y planter des semences ni un canari qui chanterait en fin d'après-midi. Elles ne s'occupaient que de déjouer la mort, tout en ne pensant qu'à elle, la devançant, la ruminant.
Isabel Allende

Vieillir, c'est un fait. Seule la mort nous épargne la dégradation du corps. La vision perd de son acuité, les voix s'estompent, les forces se réduisent, les souvenirs remplissent souvent les creux du présent. Personne n'y échappe, à moins de disparaître avant, et ça, c'est une évidence. Vieillir est un phénomène individuel, car les signes de l'âge ne se manifestent ni de la même manière ni au même moment de la vie pour chacune/chacun.

Toutefois, la vieillesse est également une catégorie historique, ainsi que l'enfance, l'adolescence, la jeunesse. Ce sont des divisions arbitraires du chemin parcouru par l'humain, et le traitement social et juridique de ces catégories a été variable, selon le temps et les injonctions sociales (Oliveira, 2006). Des personnages et des groupes sont ainsi créés suivant les valeurs et les contingences historiques : si, d'un côté, le grand âge peut être synonyme de savoir et de respect, de l'autre, il peut aussi exprimer la perte de la valeur sociale, de la place au sein de la communauté, de l'estime de soi.

De nos jours, la vieillesse se définit différemment selon le sexe et la classe sociale, selon l'expérience constitutive de l'individu, les violences subies, les grossesses répétées, la surcharge de travail, l'assujettissement aux normes, les conditions de vie. C'est ainsi que les femmes vieillissent plus vite culturellement que les hommes, au grand bonheur des cliniques esthétiques, car l'assujettissement aux images et aux représentations sociales de la « vraie femme » les enfonce très vite dans les fissures sociales de la vieillesse.

La vieillesse est donc le grand mal qui doit être évité, un état d'anéantissement social. « Vieillesse », mot imprononçable. Cachons vite les rides, les marques du temps, la technologie et la médecine sont là pour éviter le pire, la tare du vieillissement. La vieillesse s'estompe et n'ose pas dire son nom, car dorénavant on parle de « troisième âge », de « l'âge d'or », pour mieux cacher les rhumatismes et les lombalgies et, surtout, l'exclusion. Au Québec, on voit encore des cheveux poivre et sel, des femmes qui n'ont pas peur des signes de l'âge ; au Brésil, toutes les femmes de plus de 40 ans deviennent rousses, couleur vraisemblablement plus efficace pour cacher le blanc. Pour les plus nantis, les agences de voyage se jettent sur un nouveau marché : le tourisme pour « seniors », forts de leurs retraites.

D'autres catégories d'âge sont historiques : pour les enfants se dessine très tôt leur destin adulte dans les mœurs et les vêtements, destin moulé dans la représentation binaire de l'humain : les garçons se voient octroyer des espaces multiples et valorisés, tandis qu'aux filles on parle toujours poupées, chiffons, séduction, dans le meilleur des cas. Petites « femmes », images précoces d'un double destin : épouses ou prostituées, mères ou séductrices.

Et puis il y a la catégorie des « jeunes » (Duby, 1964). « Jeune adulte » ou « jeune » tout court, cette catégorie s'accorde au masculin, car il y a « les jeunes » et les femmes. Tout comme les travailleurs et les femmes, les ouvriers et les femmes, les sportifs et les femmes. Les femmes forment une catégorie à part, le « différent » sans lequel il ne pourrait exister de « référent », toujours masculin.

Dans l'actualité, l'itération des discours sur la « différence », basés sur la science notamment, essaie de voiler le fait que *l'énonciation de la différence est aussi sa construction.* Gayle Rubin, dans les années 1970, avait déjà souligné le rôle de la science et des idéologies (anthropologie, psychanalyse et marxisme) dans la création d'un système sexe/genre, fondé sur une incontournable « différence » naturelle. Colette Guillaumin s'inquiète :

> *Comment différentes ? De quoi ? [...] Parce qu'être différent tout seul, si l'on pense grammaire et logique, ça n'existe pas [...]. On n'est pas différente comme on est frisé, on est différente DE... Différent de quelque chose. Pourtant, si les femmes son différentes des hommes, les hommes, eux [...] sont les hommes.* (Guillaumin, 1978 : 14-15)

Or, cette *différence* établie comme « naturelle » crée l'image idéale du féminin, la « vraie femme », modèle univoque qui réunit toutes les femmes dans une seule représentation. Cette image se compose du sexe – procréateur – et de la sexualité – définie par l'hétérosexualité, et qui exige aussi un autre attribut, la jeunesse.

Toutefois au départ, **la** femme n'a pas d'âge, car son destin est tracé, bien qu'il puisse emprunter quelques détours comme le travail salarié ou le célibat ; mais la « nature », destin incontournable, entre maternité et don de soi, la fait vite rentrer au bercail. Cette femme sans âge est produite par des représentations sociales qui habitent un imaginaire fondateur, « *magma de significations sociales* » (Castoriadis, 1982). Image fluide, formule consacrée par son itération, **la** femme se présente comme un modèle au singulier, réduisant l'expérience multiple des femmes à une appellation unique. **La** femme, c'est un être construit en corps sexué, dont les visées politiques sont écrasées par le destin biologique.

Colette Guillaumin analyse ainsi la « nature » qui définirait les corps des femmes :

> *[...] l'idée de nature ne se réduit plus à une simple finalité sur la place des objets, mais elle prétend en outre que chacun d'entre eux comme l'ensemble du groupe, est organisé intérieurement pour faire ce qu'il fait, pour être là où il est. [...] C'est la singulière idée que les actions d'un groupe humain, d'une classe, sont « naturelles » ; qu'elles sont indépendantes des rapports sociaux, qu'elles préexistent à toute histoire, à toutes conditions concrètes déterminées.* (Guillaumin, 1978 : 5 et 11)

Teresa de Lauretis (1990) se demande pourquoi les femmes ne se libèrent pas de **la** femme. C'est d'ailleurs l'une des tâches les plus ardues qui revient aux féminismes : détruire « l'évidence » de la nature féminine, toujours réinstituée dans les discours sociaux, de l'éducation formelle aux médias électroniques. Combien de textes féministes n'invoquent-ils pas eux-mêmes **la** femme dans leurs arguments ?

Les discours sur la « nature » et la « différence » voilent les rapports sociaux qui les construisent et cantonnent le féminin dans la lourde matérialité d'un corps géré par les fonctions génitales et mû de l'extérieur, comme le souligne Colette Guillaumin :

> *L'absence (de désir, d'initiative, etc.) renvoie au fait qu'idéologiquement les femmes sont le sexe, tout entières sexe et utilisées dans ce sens. Et n'ont bien évidemment à cet égard, ni appréciation personnelle, ni mouvement propre : une chaise n'est jamais qu'une chaise, un sexe n'est*

> *jamais qu'un sexe. Sexe est la femme, mais elle ne possède pas un sexe : un sexe ne se possède soi-même.* (Guillaumin, 1978 : 7)

Mais les corps des femmes, au pluriel, multitude, subissent les travaux et les jours... et les hommes : leur destin est marqué par le besoin de séduire, de se voir dans les miroirs des chambres et des couloirs, dans les yeux et le désir des autres. Les teintures, les chirurgies plastiques, le maquillage à outrance tentent d'évincer les fantômes de l'absence du désir d'autrui, d'un abîme identitaire qui s'approche à l'heure de la ménopause. Le fantôme de la vieillesse rôde. Fondée sur la fermeté des chairs, l'identité des femmes se vide de sens, s'étiole. Quelle estime de soi peut donc avoir une femme dont l'assurance se base sur les regards complaisants ?

Du fait qu'elles sont définies en tant que corps et nature, sexe et procréation, les femmes subissent l'imposition d'une hétérosexualité normative, régulatrice et reproductrice, aux visées hégémoniques. Hors du cadre de cette fonctionnalité sexuelle, elles se trouvent dépourvues de leur amour-propre. Si leur destin biologique ne peut plus être réalisé, leur vie perd son sens, ses objectifs.

C'est ainsi que la *différence des sexes* joue également lorsqu'il s'agit du vieillissement et de la valeur sociale attribuée aux individus : les femmes subissent une brusque chute de leur valeur sociale au moment de la ménopause.

Éduquées, contraintes, convaincues, assujetties, étouffées dans leurs élans et leur créativité, renvoyées avec rudesse, rigueur, sarcasmes, ironie (Groult, 1993) à leur rôle de « femme », dominées, limitées à certains domaines, les femmes ont du mal à s'approprier et à cultiver un espace de liberté. Entre ménage et couches, entre le travail salarié et leurs tâches « féminines », le temps passe vite et la ligne de partage de l'âge, de la ménopause, du flétrissement des chairs, se dessine. Qui en réchappe ? Les féministes, bien sûr, qui, chacune dans son champ théorique ou dans les mouvements associatifs, créent de nouvelles représentations du féminin et des pratiques politiques transformatrices.

Le dispositif de la sexualité

Corollaire de la procréation, la sexualité était considérée, avant les analyses féministes contemporaines, indispensable à l'épanouissement des femmes – devenir « femme » –, mais également garante de leur « carrière » de mère/épouse. La séduction se révèle ainsi une carrière pour celles qui battent des cils et sourient de façon aguichante, dont les gestes sensuels exposent le vide d'un corps modelé au service du désir d'autrui. Carrière qui s'achève au retour d'âge.

Il y a une anxiété sociale autour de la sexualité, qui n'est autre que l'action d'un dispositif historique très bien explicité par Foucault :

> *Celle-ci, [la sexualité] il ne faut pas la concevoir comme une sorte de donnée de nature que le pouvoir essaierait de mater, ou comme un domaine obscur que le savoir tenterait, peu à peu, de dévoiler. C'est le nom qu'on peut donner à un dispositif historique : non pas réalité d'en dessous sur laquelle on exercerait des prises difficiles, mais grand réseau de surface où la stimulation des corps, l'intensification des plaisirs, l'incitation au discours, la formation des connaissances, le renforcement des contrôles et des résistances, s'enchaînent les uns avec les autres, selon quelques grandes stratégies de savoir et de pouvoir.* (Foucault, 1976 : 139)

Ce dispositif est donc le réseau qui lie une pluralité hétérogène de lois, d'institutions, de propositions philosophiques, de décisions réglementaires, d'énoncés scientifiques, moraux, normatifs, autour de la sexualité (Foucault, 1988 : 244). C'est du « vrai sexe » qu'il s'agit ici, « *quelque chose qui a ses propriétés intrinsèques et ses lois propres* » (Foucault, 1976 : 201) et qui s'exprime en sexualité débordante.

De nos jours, cette sexualité stimulée par tout un appareil médiatique et imagétique devient pour beaucoup de femmes l'axe de leur pensée et de leur vie. La fameuse série télévisée *Sex and the City* en est un exemple de choix : « *I lost my orgasm* », se plaint l'une des héroïnes, et toutes compatissent avec des mines contrites. Soyons sérieuses ! Personne ne me fera croire à ces orgasmes instantanés, à ce plaisir ineffable produit en quelques secondes de cris et de secousses, et servi comme modèle, sous toutes les coutures, à la télévision comme au cinéma. Qui donc ose mettre en doute le plaisir de cet accouplement dont la pénétration est le but ? Qui donc soulève le débat sur l'orgasme vaginal, à part les féministes ? L'hétérosexualité, en effet, ne trouve sa justification que dans la procréation, avatar d'un féminin domestiqué.

Il y a, dans ces images et ces histoires, tout un processus de répétition, de re-création d'un féminin avide, insatiable, assujetti, et content de l'être. Car les femmes ne sont pas « le sujet » de leur sexualité : celle-ci est invariablement tournée vers le désir de l'autre, que ce soit pour l'éveiller ou pour le combler. L'hypersexualisation ne fait que raccourcir la vie sexuelle « utile » des femmes, fondée sur la jeunesse, catégorie de plus en plus réduite.

Dans ce sens, une récente étude américaine, PRESIDE, range parmi les maladies le manque de désir sexuel chez les femmes : son nom est Hypoactive Sexual Desire Disorder (HSDD), désordre caractérisé par une diminution de l'intérêt sexuel, l'absence de pensées et de fantaisies sexuelles, et responsable de certaines difficultés dans les relations interpersonnelles.

Le manque d'activité ou de désir sexuel culpabilise les femmes et remplit les cabinets de psy. Arrivées à la ménopause, alors que la sexualité est libérée des grossesses indésirées, un grand nombre d'entre elles sombrent dans la dépression, car elles perdent leur identité de « femme » : la ménopause clôt la période de procréation et installe les femmes dans un espace ambigu, sans définition claire, par rapport au sexe et à la sexualité. C'est pour cela qu'on se doit de cacher les cheveux blancs, d'effacer les rides, de combler les creux et d'aplanir les bosses, merci botox !

« Le sexe, c'est la vie ! » proclament la télévision, la radio, les publicités. Le dispositif de la sexualité, investissement social et économique – patriarcal et capitaliste – inscrit l'incontournable hétérosexualité au cœur du vivant, renforçant l'image du sexe « naturel », du « vrai sexe » (hétérosexuel), du besoin de sexe et de sexualité comme axe de la vie.

Dans cette perspective, les femmes subissent et vivent la sexualité de plusieurs façons : en tant que représentations du sexe lui-même ; en tant qu'objets de la sexualité ; en tant que proies pour la sexualité ; en tant que corps façonnés par le désir d'autrui ; en tant que responsables de la sexualité et de ses conséquences procréatrices ; en tant que marchandises sexuelles d'échange ou de vente ; en tant que sujets d'un désir sexuel imprécis, car rivé à une notion diffuse d'obligation/devoir/nécessité ; en tant que véhicules de transmission de maladies, etc.

Aussi, Foucault indique-t-il quelques stratégies historiques du dispositif de la sexualité qui ordonnent la place du féminin dans les rapports sociaux :

> *Ainsi, dans le processus d'hystérisation de la femme, le « sexe » a été défini de trois façons : comme ce qui appartient en commun à l'homme et à la femme ; ou comme ce qui appartient aussi par excellence à l'homme et fait donc défaut à la femme ; mais encore comme ce qui constitue à lui seul le corps de la femme, l'ordonnant tout entier aux fonctions de reproduction et le perturbant sans cesse par les effets de cette même fonction ; l'hystérie est interprétée, dans cette stratégie, comme le jeu du sexe en tant qu'il est l'« un » et l'« autre », tout et partie, principe et manque.* (Foucault, 1976 : 201-202)

Si les femmes sont le sexe, l'âge, cependant, opère une scission : il y a celles, de plus en plus jeunes, faites pour la consommation et la procréation, et les autres, les vieilles, les fanées, celles qui n'ont plus de valeur ni marchande ni reproductrice. Car le corps des femmes subit l'*âge culturel* lié à la possibilité de procréer et de séduire, leur fonction « naturelle ».

Avec ses multiples tentacules, ses stratégies et techniques, ses pédagogies sociales, le dispositif de la sexualité, conjugué au système patriarcal, instaure des espaces cloisonnés d'action et d'appartenance politiques, divisés selon le sexe/l'âge/l'image corporelle. Pour les femmes, beauté et jeunesse font partie de leur définition : le manque de grâce, les formes imparfaites, un âge certain et c'est l'exclusion, le bannissement social en tant que « femme », être dépendant du regard et du désir d'autrui.

La vie des femmes tourne ainsi autour du sexe de l'homme et de sa sexualité. Même le plaisir sexuel, tant revendiqué depuis les débuts des féminismes contemporains, est basé sur le modèle masculin : la performance, le nombre de fois, l'anxieuse attente de la prochaine rencontre sexuelle. Dans un contexte d'hypersexualisation, existe-t-il encore pour les femmes la recherche d'une certaine émotion au-delà des baisers gourmands, des vêtements arrachés à la hâte, du besoin urgent d'une sexualité jamais assouvie ?

La ligne de partage

La ménopause se présente culturellement comme une fin, comme une perte du contrôle du corps, comme une sorte de dégénérescence. Le devoir et la possibilité de procréer régissent l'entrée des femmes dans le social, mais également leur sortie. Que devient-on alors, lorsque l'âge de la procréation est dépassé ? Quel sens attribuer à une vie dont la « nature » – le sexe – est vidée de son importance ? La ménopause est la ligne de démarcation entre l'insertion sociale et la mise au rancart, corps et représentations se construisant mutuellement.

Lorsque Emily Martin analyse les métaphores de la ménopause dans les discours médicaux et biologiques, elle souligne notamment celle d'une production défaillante, d'un organisme fait pour la procréation qui tout à coup perd ses moyens :

> *En chaque point de ce système, les fonctions ont des « défaillances » ou oscillent. Les folécules « ne réussissent pas à rassembler leurs forces » pour parvenir à l'ovulation. Au fur et à mesure que le fonctionnement connaît des ratés, les membres du système entrent en décadence : « les*

> *seins et les organes génitaux s'atrophient graduellement », ils « se dégonflent » et deviennent « séniles ». Reliques atrophiées d'une ancienne essence vigoureuse en pleine possession de ses moyens, les ovaires « séniles » sont un bon exemple des images vivaces employées dans ce processus. [...] Le fond du problème, évoqué dans les connotations de ces descriptions, est bien l'inutilité.* (Martin, 2006 : 88)

L'assujettissement aux normes culturelles, à l'image de la « vraie femme » est donc un facteur important pour créer l'inconfort psychologique et même physiologique chez les femmes à la ménopause. Selon Emily Martin, les fameuses « chaleurs » redoutables de la ménopause ont tendance à faire irruption dans des situations de stress, où la sensation de perte de contrôle du corps se transforme en embarras :

> *D'après mes entrevues et les publications sur le sujet, les femmes associent les chaleurs à des situations qui les rendent « nerveuses », où elles désirent tout spécialement produire une bonne impression.* (Martin, 2006 : 262)

Dans le cadre du dispositif de la sexualité, qui invente *la sexualité et le sexe-vérité ultime de l'être*, que devient-on au seuil de la ménopause, lorsque ce corps n'est plus donneur de vie ? Que devient la sexualité des femmes âgées délestées de l'obligation de procréer et de l'obligation de séduire ou de compter les orgasmes pour se sentir vivantes ?

Outre le dispositif de la sexualité, il existe à mon avis un autre dispositif, soi-disant commandé par la biologie, par la « nature » des femmes, celui que j'appelle le *dispositif amoureux*, créé par les pédagogies sociales et les technologies de production du féminin. Ce dispositif est à l'origine d'un réseau de sens qui enjoint le sexe social féminin de dispenser de *l'amour*, sous toutes ses formes, de s'occuper du bien-être de la famille, de réaliser des œuvres sociales, d'éprouver de la compassion, de la sensibilité envers les souffrances des humains et des animaux, de s'occuper des enfants, des vieillards, des marginaux de la société. Les hommes sont ainsi dispensés de ces corvées, ils n'ont pas besoin de s'affliger des souffrances qu'eux-mêmes provoquent : cela ne fait pas partie des attributs de leur sexe social.

Le *dispositif amoureux* actionne les images, les représentations, les valeurs, les normes, les lois, les institutions, les coutumes, de multiples discours provenant d'un ensemble de voix sociales : de la religion, de la tradition, d'une mémoire découpée en histoire, d'une science marquée par les stratégies de stabilisation des normes autour de la « vraie femme ».

Les femmes sont ainsi marquées du sceau de l'amour: aspiration majeure, objet de désir, centre de gravité, l'amour est soupir, invocation, poème, vertige, il est l'expression et la nécessité des corps façonnés en femmes. Par amour, les femmes sont capables de tous les sacrifices, de tous les assujettissements, d'abnégation, du don de soi.

En fait, l'expérience qui les constitue en femmes, traversée et instaurée par ce dispositif amoureux, ancre l'hétérosexualité et la maternité en tant que socles et moules. Ces piliers du processus de leur subjectivation, de construction de soi, sont liés au besoin de renoncement et d'altruisme, selon les canons déterminant la « vraie femme ». L'économie du devoir et de l'amour sans bornes compose ainsi la pratique du « véritable » féminin, de la « vraie femme ». Que fait-elle, alors, cette femme ménopausée au regard perdu ? Cette femme hors du circuit de la reproduction, hors du cercle du désir masculin, celui-là même qui construit son identité, son essence, autour des attraits et des fonctions de son corps ? Puisqu'elle n'est plus une « vraie femme », que devient ce corps sans définition, sans recours, sans destin ?

Anne Fausto-Sterling a relevé les représentations des femmes ménopausées dans le fameux livre de David Reuben (1969) *Tout ce que vous avez toujours voulu savoir sur le sexe...* :

> *Le vagin se flétrit, les seins s'atrophient, le désir sexuel disparaît... Des poils poussent sur le visage, la voix devient grave, l'obésité [...] les traits durcissent, la croissance du clitoris et la calvitie viennent compléter ce tableau tragique. Pas vraiment un homme, mais plus une femme fonctionnelle, ces individus vivent dans le monde de l'intersexe.* (Fausto-Sterling, 1999 : 169, notre traduction)

Et pour enfoncer le clou, un certain Dr Wilson, dont les recherches prônent l'utilisation d'hormones, notamment l'œstrogène, pour parer à toutes ces horreurs, affirme :

> *Il faut bien admettre cette insoutenable vérité, la femme ménopausée est un castrat.* (cité dans Fausto-Sterling, 1999 : 170)

Des géants de l'industrie pharmaceutique (Ayerst, Searle et Upjohn) financent ces recherches qui débitent ces propos intolérables, ce qui montre bien l'emprise capitaliste sur le corps des femmes. La consommation de l'œstrogène est donc encouragée, en dépit de ses effets secondaires, car c'est l'hormone directement liée aux caractéristiques dites « féminines » :

> *Elle est perçue comme la quintessence en matière d'hormone féminine. Où donc pourrait-on mieux diriger son attention si, d'emblée, on considère que la ménopause signifie la perte de la véritable féminité ?* (Fausto-Sterling, 1999 : 170-171)

Si l'on considère la vieillesse comme une catégorie négative, une femme vieille, est, peu importe son âge, une femme assujettie à l'image de la « vraie femme », celle qui ne peut plus ou qui ne peut *tout court* accomplir le contrat sexuel, celui de la procréation, du mariage, de la séduction. Elle subit de plein fouet les injonctions sociales sur le corps féminin, sur ses fonctions, sur son destin biologique. Elle cache la moindre ride, le plus petit cheveu blanc, elle affiche une jeunesse éternelle faite de chirurgies qui lui retroussent le nez, lui tirent la peau, et la font paraître une caricature d'elle-même, triste pantin à la recherche d'un regard, d'un sourire pour la rassurer sur son existence.

C'est une attitude de dépendance vis-à-vis de l'image corporelle, du besoin d'attirer et séduire, d'un vide existentiel qui se creuse toujours davantage : beauté, jeunesse (synonymes ?), séduction, procréation, où sont passés mes atours ? Un ovaire défaillant, un utérus malade, la perte d'un sein, l'impossibilité d'avoir des enfants, ce sont quelques variables qui écorchent l'image de la « vraie femme » ; il ne reste que des vieilles carcasses, bonnes à rien, puisque incapables d'accomplir leur destin biologique, leur destin de « femme ». C'est bien l'acceptation de tout cela, l'incorporation de ces représentations qui constituent les femmes vieillies, les vieilles femmes qui le deviendront, de fait, avec l'âge culturel de la vieillesse.

Il y a aussi des femmes qui se réfugient dans le dispositif amoureux : grands-mères de tout le monde, la maternité surmonte le besoin de séduction dans leur processus de subjectivation. Elles tournent autour de leur destin biologique, et transforment la *maternité* en *maternage.* Le corps n'a plus d'emprise, puisque les regards ne s'appuient plus sur lui, on peut grossir, se laisser aller, quelle importance ? Qui suis-je, moi, corps stérile, corps flétri, corps qui n'attire pas les regards, corps qui ne sent plus la brûlure du désir de l'autre, de l'homme, celui qui me donne essence et sève ?

La gestion de la vieillesse ou les féministes vieillissent-elles ?

La division des populations en tranches d'âge fait partie de ce que Foucault appelle le « biopouvoir » qui apparaît...

> *[...] dans le champ des pratiques politiques et des observations économiques, des problèmes de natalité, de longévité, de santé publique, d'habitat, de migration ; explosion, donc, de techniques diverses et nombreuses pour obtenir l'assujettissement des corps et le contrôle des populations. S'ouvre ainsi l'ère d'un « bio-pouvoir ».* (Foucault, 1976 : 184)

Les stratégies de contrôle des populations passent, dans cette perspective, par le contrôle des phénomènes de la vie, de la naissance à la mort. Ainsi, le biopouvoir s'amplifie-t-il dans la voix des fondamentalistes tous azimuts : les églises et leurs hérauts prônent la discipline et le contrôle à outrance du corps des femmes dans leur sexualité et la procréation ; oh ! Combien heureux étaient les temps où il n'existait pas de pilule contraceptive, où la virginité était la norme, où l'avortement était un crime !

La gestion de la vieillesse et de la longévité attire ainsi un capitalisme avide de profits : la prolifération de maisons de retraite, des activités spécialisées, crée tout un marché, entraînant la formation expéditive de personnel aux soins, tout en libérant les jeunes afin qu'ils puissent mieux se lancer sur le marché de la vie, du sexe et du bonheur.

Les vieilles personnes sont désormais cachées, pour que ne soit pas exposé, avec leurs tremblements, notre propre destin. La longévité, tant prônée et désirée, a créé une rentable affaire en lieu et place du bonheur annoncé. Parquées dans des mouroirs, peu importe si les vieilles personnes sont tristes, solitaires et malheureuses. Le prolongement de la vie engendre et produit du capital : médicaments, hôpitaux, médecins, la vieillesse est un nouveau filon.

De fait, la vieillesse annonce la mort, destin inexorable, masqué par l'élégie à la vie, par l'hypersexualisation, qui devient son noyau et son moteur.

Foucault en fait l'analyse suivante :

> *L'activité sexuelle s'inscrit donc sur l'horizon large de la mort et de la vie, du temps, du devenir et de l'éternité. Elle est rendue nécessaire parce que l'individu est voué à mourir, et pour que d'une certaine façon il échappe à la mort.* (Foucault, 1984 : 152)

C'est, en effet, la description de notre époque : l'hypersexualisation pour faire face au seul destin inévitable, incontournable pour tous. Le dispositif de la sexualité, débordant de tous les côtés, se vide de sa puissance, et la sexualité, par son exacerbation même, perd de l'intérêt. Comment exorciser la peur de la mort par un exercice sans fin, toujours renouvelé, jamais apaisé ?

Alors, le pouvoir sur autrui, présent dans le partage sexué et binaire du monde, s'affirme encore davantage dans le partage entre les femmes en fonction de l'âge : la catégorie culturelle « vieillesse » est une autre sorte de violence imposée aux femmes, inconcevable entre féministes. C'est encore établir un partage de pouvoir et d'importance basé sur des catégories sociales.

Que font les vieilles femmes de leur vie, de leur sexualité, de leurs désirs, quels plaisirs découvrent-elles une fois libérées de la contrainte du regard et de l'obligation du désir sexuel ? En fait, qui sont les vieilles femmes ?

Simone de Beauvoir demandait « qu'est-ce qu'une femme ? ». Ici, il faut surtout poser la question : qu'est-ce donc qu'une vieille femme ? Ou qu'est-ce qu'une femme vieille ? Et je renchéris : qu'est-ce, alors, qu'une vieille féministe ?

Si l'âge est une affaire culturelle, qu'est-ce qu'une vieille féministe ? À mon avis, cela n'existe pas des vieilles féministes. Monique Wittig affirmait qu'une lesbienne n'est pas une femme, puisqu'elle refuse le contrat hétérosexuel qui définit le féminin. De même, j'estime qu'une féministe ne sera jamais vieille, car elle n'accepte pas les contingences imposées à la « vraie femme », dont le fondement est la jeunesse. À la limite, une féministe est-elle une femme, si sa définition se fonde sur une « nature » niée par tous les féminismes ?

Si je **suis** sans avoir besoin du regard de l'autre pour m'accorder de l'importance, si je vis la liberté de me construire en expériences plurielles, si je n'ai pas besoin d'une identité fondée sur autrui, ou sur un organe quelconque, si je crée un espace de vie qui me plaît et me donne du plaisir, si je vis une sexualité libérée du devoir de la fréquence, de la performance, de la procréation, si je me libère ainsi des asservissements institués par le patriarcat et par le capitalisme, je suis une féministe, point. Peu importe l'âge. La vieillesse est encore une catégorie qui emprisonne les gens pour mieux les dompter, les discipliner et en tirer profit.

En outre, les féministes ne sont pas de « vraies femmes », même si elles ne le savent pas. Car être féministe c'est vouloir changer le monde, en commençant par soi-même, en refusant la soumission aux règles en vigueur qui modèlent les « vraies femmes ». Les féministes dérangent l'ordre établi, elles prennent la parole, elles n'acceptent pas un rôle déterminé par le biologique dans un social envahi par des pouvoirs multiples. Elles bouleversent l'ordre du discours, que ce soit dans le domaine du partage politique des sexes, de l'âge, de la sexualité. Non, une féministe n'est pas une « vraie femme », et le mot « soumission » n'existe pas dans son dictionnaire. Jamais, donc, elle ne sera une vieille. Peu importe l'âge.

Je m'amuse lorsque j'entends « féministes historiques » pour désigner les « vieilles de la vieille ». Moi, par exemple, en quelque sorte. Depuis quand l'histoire est synonyme de vieillesse ? Il y a comme une pudeur à utiliser le mot « vieille », mot outrageant, mot dérangeant, mot qui déclasse. J'estime qu'il faut déranger les sens, là où ils sont utilisés dans le but de discriminer, contrôler, opprimer, exclure.

C'est beau d'être vieille, des cheveux blancs, des rides ici et là, il y a toute une sagesse qu'il ne faut pas ignorer, une sensibilité, une finesse d'approche, un calme qu'on n'acquiert qu'au fil des jours. À moins de mourir.

Il s'agit donc ici d'une esthétique de l'existence, cette pratique qui construit un sujet politique, un sujet en devenir. L'*eccentric subject* (de Lauretis) est le sujet du féminisme, qui invente son lieu de parole, son espace, coupe les « *nœuds sémiotiques* » (Haraway) qui attachent ses pensées, ses images, ses autoreprésentations autour de la « vraie femme ».

> *C'est l'idée qu'il faut faire de son existence une belle existence ; c'est un mode esthétique.* (Foucault, 1994 : 397)

Foucault estime qu'il faudrait faire l'histoire de l'esthétique de l'existence dans le monde moderne (1994 : 630), ce qui, à mon sens, inclut l'histoire des mouvements féministes. Les féminismes ont construit leur propre esthétique de l'existence, refusant la discipline, le moulage des corps, la « nature », qui remplace la parole de dieu, la soumission aux hommes et aux injonctions sociales à propos du « féminin », l'abjection d'une vie assujettie.

Au-delà de l'âge, la construction de soi, l'invention de la vie comme une œuvre d'art, dans la mouvance des jours qui passent et s'amoncèlent. Je suis, oui, celle qui se construit dans l'expérience vécue, dans la création de soi, dans les pratiques politiques qui nient l'image de la « vraie femme » et s'invente en tant que féministe.

Une esthétique de l'existence est, d'un côté, le domaine de la créativité, de la production d'un savoir-vivre, de la réécriture des modèles ou, mieux encore, de leur destruction. De l'autre, c'est vivre sans chaînes, sans l'obligation d'être autre que soi-même. Une esthétique de l'existence c'est la fin de la dictature de l'identité : je me construis au fil de l'expérience, au fil des jours, qui me plissent peut-être le visage au coin des yeux, aux commissures des lèvres, mais qui ne rognent pas ma vie, la réalité dans laquelle j'existe et ne m'emprisonnent pas dans un corps défini et modelé en tant que « vraie femme » avant même ma naissance.

Quel âge a-t-elle ? Quelle importance !

Bibliographie

Castoriadis, Cornelius (1982). *A instituição imaginária da sociedade*, Rio de Janeiro, Paz e Terra.

de Lauretis, Teresa (1990). « Eccentric Subjects : Feminist Theory and Historical Consciousness », *Feminist Studies*, vol. 16, nº 1 (printemps), p. 115-150.

Duby, Georges (1964). « Au XIIe siècle : les "jeunes" dans la société aristocratique », dans *Annales*, E.S.C., p. 826-840.

Fausto-Sterling, Anne (1999). « Menopause : The Storm Before the Calm », dans Margrit Shildrick et Janet Price (dir.), *Feminist Theory and the Body*, New York, Routledge, p. 169-178.

Fernandes, Valéria (2008). *A construção da « verdadeira religiosa » no século XIII : o caso de Clara de Assis*, thèse de doctorat, Université de Brasília.

Foucault, Michel (1976). *Histoire de la sexualité*, tome I, *La volonté de savoir*, Paris, Gallimard.

Foucault, Michel (1984). *Histoire de la sexualité*, tome II, *L'usage des plaisirs*, Paris, Gallimard.

Foucault, Michel (1988). *Microfísica do poder*, Rio de Janeiro, Graal.

Foucault, Michel (1994). *Dits et écrits*, tome IV, *1980-1988*, Paris, Gallimard.

Groult, Benoîte (1993). *Cette mâle assurance*, Paris, Albin Michel.

Guillaumin, Colette (1978). « Pratique du pouvoir et idée de Nature », *Questions féministes*, nº 3, mai, Paris, Tierce.

Haraway, Donna J. (1991). *Ciencia, Cyborgs Y Mujeres, La reinvención de la naturaleza*, Valencia, Ediciones Catedra.

Kukulsky, Carol Ann (2007). http://www.womenshealthmatters.ca/resources/show_res.cfm?ID=41960, 16 février, consulté le 7 novembre 2008.

Martin, Emily (2006). *A mulher no corpo, uma análise cultural da reprodução*, Rio de Janeiro, Garamond.

Oliveira, Ana Rodrigues (2006). *As Idades da Criança*, Instituto de Estudos Medievais/FCSH-UNL, vol. 2, nº 2, consulté le 17 août 2008. http://www2.fcsh.unl.pt/iem/medievalista/MEDIEVALISTA2/medievalista-crianca.htm#_ftnref28.

Rubin, Gayle (1975). « The Traffic in Women : Notes on the "Political Economy of Sex" », dans Rayna R. Reiter (dir.), *Toward an Anthropology of Women*, New York/Londres, Monthly Review Press.

Weber, Gail (2007). http://www.womenshealthmatters.ca/resources/show_res.cfm?ID=42255, 4 juin, consulté le 3 novembre 2008.

Wittig, Monique (1980). « La pensée straight », *Questions féministes*, Paris, Tierce, nº 7. http://www.medicalnewstoday.com/articles/127720.php, consulté le 2 novembre 2008.

Le vieillissement chez les lesbiennes : y a-t-il des enjeux spécifiques ?

Line Chamberland

avec la collaboration de Marie-Pier Petit

L'été, quand il fait beau soleil,
Je vois souvent passer deux vieilles
Qui marchent en se tenant le bras
Elles s'arrêtent à tous les dix pas
Quand j'entends leur éclat de rire
J'ai un peu moins peur de vieillir

Clémence DesRochers

Les lesbiennes vieillissent-elles différemment des autres femmes ? Si oui, est-il possible de cerner les spécificités de leurs expériences du vieillissement ? Leurs parcours de vie, sur les plans identitaire, conjugal, familial et professionnel, se répercutent-ils sur leurs conditions d'existence une fois parvenues au troisième âge ? Font-elles face à des défis distincts dans leur adaptation à l'avancement en âge ou sont-elles plutôt amenées à répondre différemment aux mêmes défis que les autres femmes ? Sont-elles exposées à des risques particuliers sur le plan de leur santé physique ? Telles sont les questions abordées dans ce chapitre. Il s'agit moins d'y apporter des réponses, même provisoires – ce qui serait impossible, compte tenu de l'insuffisance des études empiriques, au Québec encore plus qu'ailleurs –, que de cibler certains aspects du vieillissement chez les lesbiennes par rapport auxquels de telles interrogations apparaissent incontournables.

En d'autres termes, notre objectif ici est de mettre en question une double présomption que l'on observe tant dans les milieux de l'intervention auprès des personnes âgées que de la recherche en gérontologie : celle prétendant que toutes les femmes âgées sont hétérosexuelles et celle, enracinée dans un humanisme de bon aloi, voulant que les lesbiennes soient comme les autres femmes, exception faite de leurs pratiques sexuelles, lesquelles n'auraient aucune incidence sur les autres dimensions de leur vie (Chamberland, 2003 ; Chamberland et Paquin, 2004). De telles présuppositions contribuent à occulter l'existence des lesbiennes âgées et à entretenir l'ignorance, voire l'insensibilité, quant à leurs besoins propres ou aux manières adéquates de répondre à des besoins qu'elles partagent avec les autres aînés, hommes et femmes. Sans prétendre en réaliser une synthèse exhaustive, ce chapitre s'appuie sur une recension des recherches récentes sur les lesbiennes âgées afin de documenter diverses facettes de leurs expériences du vieillissement et de formuler des interrogations qui devraient recevoir plus d'attention de la part des milieux de l'intervention et de la recherche[1].

Affirmons-le d'emblée : les réalités des lesbiennes âgées sont diverses. L'un des périls à tenter de décrire leur situation en vue de les sortir de l'ombre consiste à dresser un portrait uniformisant, qui néglige la variabilité interne de ce groupe. La prise en compte des intersections qui permettraient de localiser et de considérer la complexité de leur position sociale (sexe/genre, classe sociale, origine ethnoculturelle, trajectoire géographique, etc.) fait défaut dans la plupart des recherches existantes. Alors qu'une partie des lesbiennes aînées cumulent plusieurs facteurs de vulnérabilité (par ex. pauvreté, isolement), d'autres bénéficient de ressources financières, éducatives et autres qui les aident à surmonter les difficultés. Un autre écueil observé lors de la recension des études sur les lesbiennes âgées est l'excès de pessimisme, alors que des faits dramatiques sont mis en évidence dans le but d'alerter les acteurs sociaux potentiellement concernés, ou, à l'inverse, le surcroît d'optimisme, qui traduit une volonté de contrecarrer une vision négative des lesbiennes âgées dont le

1. Je remercie l'Institut de recherches et d'études féministes de l'UQAM, le Cégep Maisonneuve de même que le Centre de recherche sur le développement humain (Université Concordia) pour leur soutien. Marie-Pier Petit a effectué une mise à jour bibliographique et une synthèse des recherches récentes. Une partie des écrits consultés englobe les hommes gais ainsi que les personnes bisexuelles. Nous ne rapportons ici que les résultats concernant les lesbiennes âgées. Je remercie sincèrement Karol O'Brien, du Centre de solidarité lesbienne, et Renée Ouimet pour leurs commentaires sur une portion de ce texte, dont j'assume l'entière responsabilité.

sort serait peu enviable, sinon misérable. S'il s'avère impossible d'échapper aux limites des connaissances actuelles sur l'impact de l'orientation sexuelle – prise au sens large de désir, de comportement et d'identité – sur le vieillissement, il importe d'en prévenir la lectrice, le lecteur et de l'encourager à cultiver un sain scepticisme, y compris en parcourant ce chapitre, vis-à-vis des représentations qui décrivent les lesbiennes âgées comme un groupe homogène.

L'invisibilité sociale des lesbiennes âgées

Tous les écrits consultés attirent l'attention sur l'invisibilité sociale des lesbiennes âgées[2]. Celle-ci résulte de la conjugaison de plusieurs facteurs. La plupart des lesbiennes de cette cohorte conservent l'habitude, fortement ancrée, de dissimuler leur orientation sexuelle afin de se protéger de la stigmatisation sociale.

> *Avec un peu de recul, je constate que ma vie s'est organisée autour de l'invisibilité. J'ai cherché par tous les moyens à rester le plus invisible possible dans la relation que j'ai entretenue avec cette femme* [qui vient de décéder]. *Mais pourquoi avoir tellement tenu à l'invisibilité ? Je sais, je sais, c'est par crainte du rejet... Il faut remonter à il y a 25 ans* [années 1960], *j'ai 17 ans, j'aime une femme, on me jette en dehors du couvent. Je suis la perverse, la personne dont on doit s'éloigner absolument. Ce fut un tel traumatisme dans ma vie. Je pense que ç'a été le premier conditionnement à commencer là : cacher à tout prix, parce que dès que ce sera su, ce sera le rejet. Ce sera la condamnation. Ce sera devoir repartir à zéro, et seule. Et ce sera perdre la personne que j'aime. Ce sera perdre les amis que j'aime... L'invisibilité était préférable au rejet.* – Alice (GRIIGES, 1988 : 51-52)

> *Notre génération, ce que j'ai vécu, c'était comme... c'était caché [...]. On prend l'habitude de vivre ça, hein ! Moi, j'ai vécu ça [...]. Jamais je ne me suis posé une question qu'il fallait que mon médecin sache ça ! Jamais, jamais, jamais ! Dans cette génération... en tout cas, moi, là, [...] jamais vous ne dites ça, vous ne dites pas ça ! Ah ! non ! Ça ne m'est*

2. Voir notamment Cahill et coll., 2000 ; Comerford et coll., 2004 ; Clunis et coll., 2005 ; D'Augelli et Grossman, 2001 ; Gabbay et Wahler, 2002 ; Heaphy et coll., 2004 ; Herdt et de Vries, 2004 ; Kimmel et coll., 2006 ; Richard et Brown, 2006.

jamais passé par la tête qu'il aurait fallu que je dise ça à mon médecin ! – Aînée[3], Centre-du-Québec (RQASF, 2003 : 167)

On ne m'a jamais persécutée au travail, mais je l'ai jamais dit. Je disais pas que j'avais reçu mon cavalier en fin de semaine pour tromper le monde, mais j'ai jamais affirmé ça. C'est qu'à cette époque-là on pensait pas être obligées de le dire. On se disait : on est mieux de ne pas leur dire, ils ne comprendront rien, on est mieux de pas s'embarquer là-dedans. – Marguerite (Chamberland, 1996 : 58-59)

Les lesbiennes ayant connu la répression sévère de l'homosexualité au cours de leur jeunesse et d'une partie de leur vie adulte ont acquis l'habitude de ne jamais nommer leur lesbianisme, ou encore d'employer des euphémismes (« être comme ça », « être comme moi »), des mots ambigus (« mon amie »), des termes codés (« végétarienne » pour dire « lesbienne »). Ou encore, leur orientation sexuelle s'est dévoilée progressivement ou indirectement, à travers leur mode de vie, sans que la question ne soit jamais abordée directement.

[À propos de son frère et sa sœur] *Je n'ai jamais senti d'animosité de leur part. Mais on n'en a jamais parlé ouvertement non plus.* – Isabelle, 63 ans (Chamberland et Paquin, 2004 : 76)

Le maintien d'une attitude silencieuse ou discrète une fois atteint un âge avancé se justifie par l'anticipation de réactions négatives de la part des individus de leur propre génération, des personnes dont elles dépendent (voisins, fournisseurs de services, etc.), ou encore des proches qui pousseraient les hauts cris en présence d'une mère, d'une grand-mère, d'une sœur s'affirmant ouvertement lesbienne. Une étude québécoise sur l'adaptation des services résidentiels aux besoins des lesbiennes aînées confirme que celles-ci demeurent pratiquement invisibles dans les résidences pour personnes âgées, ou que leur visibilité se borne à une ou deux personnes.

Tout en se disant prêts à les accueillir, des intervenants anticipent des difficultés d'intégration, d'autant que dans ce type d'habitat, les espaces de vie privés et collectifs sont peu étanches.

Écoutez... une femme de 80 ans qui se dirait gaie, je pense qu'elle se ferait beaucoup pointer du doigt par les autres. Il y a beaucoup de mémé-

3. Selon les études, les personnes dont les propos sont cités ne sont pas identifiées ou le sont par des pseudonymes.

> *rage chez les gens de cet âge-là. Ou encore, comme je vous le disais tantôt, dans cette génération-là, les gens cachaient leur orientation. [...] Dans le temps, vous savez, une personne gaie, homosexuelle, c'était une maladie. Je pense que c'est resté collé.* – Fabrice, intervenant dans une résidence pour personnes âgées (Chamberland et Paquin, 2004 : 44)

Cette même étude montre que les lesbiennes âgées autonomes font des choix identitaires adaptés au contexte : transparence avec les amies intimes et dans la sphère privée, et mutisme prudent dans la sphère publique et institutionnelle. Ainsi, Fleur, 72 ans, raconte que l'habitude de la retenue en public est partagée par toutes ses amies, des lesbiennes exclusivement :

> *Elles sont bien discrètes de ce côté-là. Mes amies font bien attention... Des fois, on est plusieurs et on jase. Mais on ne parle pas de ça, on fait toujours ben attention. On va manger au restaurant et ça ne paraît pas du tout, du tout. C'est comme des amies de filles et c'est tout. Et toutes celles que je connais, elles sont toutes comme moi, elles font bien attention.* (Chamberland, 2003 : 95)

Cet aménagement n'exprime pas un malaise identitaire, mais la recherche simultanée d'un confort psychologique (maximiser son bien-être en étant soi-même) dans l'espace privé et d'une protection (minimiser les risques encourus) dans l'espace public. Ces choix identitaires des lesbiennes âgées ne sont pas figés. Si elles se sentent en sécurité, si elles en attendent un avantage concret, elles pourront divulguer leur orientation sexuelle dans un contexte institutionnel, vis-à-vis des professionnels de la santé par exemple.

> *Je pense que vous le dites à quelques personnes, mais la plupart du temps, c'est à travers les relations que vous avez, ou bien vous faites référence à votre partenaire... Ce n'est pas quelque chose que je suis allée annoncer à la ronde, mais je le vois comme faisant partie de ma vie. Et c'est seulement si c'est pertinent. Comme faire affaire avec des médecins, là, c'est pertinent. Donc, je vais être claire à ce propos dans ce cas-là. Dans d'autres cas, c'est aux gens de forger leurs propres conclusions.* – Aînée, Montréal (Brotman et coll., 2006 : 2)

Cependant, selon des études sur l'accès aux services sociaux et de santé, plusieurs éléments se combinent pour occulter leur présence tout en laissant reposer sur leurs épaules, appelées à devenir plus frêles avec le vieillissement, la responsabilité de briser le mur du silence (Brotman et coll.,

2006 ; Brotman et coll., 2003 ; Chamberland, 2003 ; Fullmer et coll., 1999 ; RQASF, 2003).

> *Bien sûr, je crois qu'il est important qu'ils sachent mais n'importe qui avec qui tu parles, de qui tu veux obtenir de l'aide, alors ils doivent savoir que tu es gai ou lesbienne... Autrement, ils supposent que tu es* [hétérosexuel]. *Les travailleurs en soins de santé ont besoin d'être formés et... j'imagine qu'ils sont formés... à considérer qu'il y a des gais et des lesbiennes, comme il y a toutes sortes de gens...* – Aînée, Vancouver (Brotman et coll., 2006 : 5)

Les pratiques d'accueil (formulaires, dossiers, etc.) hétérosexistes présument de l'hétérosexualité de la clientèle et ne contribuent guère à créer un environnement rassurant. La plupart des intervenants et des intervenantes méconnaissent les réalités des lesbiennes âgées ou n'osent pas aborder directement cette question. Celles et ceux parmi eux qui s'identifient comme homosexuels sont davantage à l'affût de signes révélateurs d'une identité non hétérosexuelle, mais ils demeurent très timides dans leurs approches et se butent parfois à une réserve farouche.

> *C'est difficile... on ne pourrait pas aborder directement ce sujet-là avec des personnes de cet âge-là, parce que c'est peut-être une génération où ça a toujours été tabou, on ne parlait pas de ça.* – Claude, intervenant dans une résidence pour personnes âgées (Chamberland et Paquin, 2004 : 43)

Enfin, les perceptions des lesbiennes âgées se fondent sur des stéréotypes à propos des vieilles femmes, auxquelles on ne prête ni besoin ni désir sexuel, alors que les définitions sociales du lesbianisme, souvent calquées sur l'homosexualité masculine, se construisent principalement autour de la sexualité. En projetant l'image d'une femme âgée désexualisée, il est facile de passer inaperçue en tant que lesbienne et d'échapper à tout soupçon. Cependant, ces mêmes suppositions rendent difficilement concevable qu'une femme âgée puisse s'identifier comme lesbienne, même en présence d'indications évidentes.

> *Même si tu as une girlfriend dans la vie, tu es* [perçue comme] *une femme seule. If you are not with a man, you are a single woman, even if you have a girlfriend.* – Aînée, Montréal (RQASF, 2003 : 168)

Dans une entrevue, une lesbienne âgée raconte qu'ayant apposé un autocollant arc-en-ciel sur le pare-chocs de sa voiture, elle s'est fait demander si elle savait ce qu'un tel symbole signifiait, comme s'il était impensable qu'elle s'identifie comme lesbienne en toute connaissance de cause.

Par ailleurs, les lesbiennes du troisième âge sont absentes des représentations sociales, que ce soit dans la société en général, dans les médias, au sein des communautés lesbiennes et gaies elles-mêmes, ou dans le monde scientifique, y compris dans la recherche féministe et gérontologique.

Des trajectoires de vie multiples

Certains clichés ayant la vie dure concourent également à l'occultation des réalités des lesbiennes aînées, notamment celui de la lesbienne-célibataire-et-sans-enfants, qui présuppose que le statut de mère ou de grand-mère est incompatible avec une identité lesbienne. Les approximations tirées de diverses études indiquent qu'entre le cinquième et la moitié des lesbiennes âgées ont été mariées (à un homme) à une certaine période de leur vie. Elles ont mis au monde et éduqué un ou plusieurs enfants dans des proportions légèrement inférieures[4]. Elles sont également nombreuses à avoir eu des partenaires sexuels masculins, sans jamais s'être mariées (Koh et Ross, 2006). Bien que les études établissent souvent une distinction entre celles ayant ressenti très tôt des attirances envers d'autres femmes et celles pour qui de tels désirs sont apparus tardivement, les trajectoires sexuelles et identitaires sont multiples et ne se réduisent pas à ces deux profils. La pression pour devenir épouse et mère en a poussé plusieurs à renoncer à leurs préférences sexuelles conscientes. Celles qui passaient outre se voyaient coincées entre la nécessité de se dérober aux regards, vu la condamnation unanime du lesbianisme, et le risque d'être rejetées et repoussées dans la marginalité si leur orientation sexuelle devenait connue, de leur plein gré ou accidentellement. Entre le secret et l'exclusion sociale, peu d'options s'offraient à elles.

> *Comme je ne pouvais pas vivre comme ça, cachée, et que je ne pouvais pas vivre ouvertement non plus, j'ai essayé de sortir avec des hommes à ce moment-là. C'est pas que ça m'a déplu, parce que j'ai rien contre les hommes, absolument rien, mais j'étais pas bien avec eux, ça a duré à peu près cinq ans ça aussi. [...] Là au moins, je pouvais sortir, je pouvais parler librement. Personne me regardait, personne me garrochait toutes sortes d'affaires.* – Doris (Chamberland, 1996 : 155)

4. Voir Barker, 2004 ; Cahill et coll. 2000 ; Chamberland, 2001 ; Clunis et coll., 2005 ; Claassen, 2005 ; Gabbay et Wahler, 2002 ; Garnets et Peplau, 2006 ; Goldberg et coll., 2005 ; Heaphy et coll., 2004 ; Hunter, 2005, 2007 ; Veilleux, 1998.

> *J'ai eu un épisode avec un gars que j'ai marié. Ça fait très dur parce que je l'ai rencontré en juillet, je me suis mariée en octobre et je me suis séparée en janvier de la même année. Il était fin, doux, il avait une profession aussi, j'allais faire plaisir à ma mère. J'aimais l'être humain qu'il était mais quand je me suis retrouvée dans un lit avec lui, ça a été horrible.* – Danielle (Chamberland, 1996 : 155)

Dans un tel contexte, surmonter les obstacles qui les empêchaient de vivre leur lesbianisme (survivre économiquement, se trouver une conjointe, des amies, vivre sans mots pour le dire, se cacher, etc.) pouvait s'avérer un processus long, ardu et sinueux (Chamberland, 1996 ; Claassen, 2005).

La diversité des parcours antérieurs se répercute sur la composition du réseau relationnel des lesbiennes âgées et les possibilités d'obtenir diverses formes de soutien. Pour échapper au contrôle familial, plusieurs, surtout parmi les plus vieilles, n'ont maintenu que des liens faibles et distants avec leurs parents, leur fratrie et leur parenté. Le dévoilement de l'orientation sexuelle a pu affecter négativement les relations familiales, sous forme de mutisme imposé, d'affronts lesbophobes, voire d'un rejet et d'une perte de contacts[5]. Un rapprochement a pu s'effectuer par la suite, en particulier lorsque le style de vie (partenaire stable, réussite professionnelle) s'accordait avec les modèles approuvés par la famille – sauf sur le plan de l'orientation sexuelle. Le plus souvent, les liens familiaux se sont renoués ou raffermis sur une base sélective, selon les attitudes manifestées envers le lesbianisme. Les dynamiques familiales peuvent également varier selon les contextes ethnoculturels (Cahill et coll., 2000 ; Hunter, 2005 ; Kimmel et coll., 2006). Lorsqu'il est présent, le soutien reçu de la part de membres de la famille d'origine contribue fortement au sentiment de bien-être personnel (Orel, 2006b).

Les relations entretenues avec les enfants montrent également beaucoup de variabilité dans leur qualité et leur intensité (Weinstock, 2004). Leur présence dans la vie de leurs mères est survenue à travers des chemins et à des âges différents, et la qualité de la relation fluctue, parfois à l'intérieur d'une même cellule familiale. À la suite de la divulgation de l'orientation sexuelle, le lien a pu se rompre momentanément, par exemple avec le retrait de la garde de l'enfant au lendemain d'une séparation, ou s'affaiblir consécutivement aux réponses des jeunes – à l'adolescence et

---

5. Voir Barker, 2004 ; Clunis et coll., 2005 ; Goldberg et coll., 2005 ; Hunter, 2007 ; Kimmel et coll., 2006 ; Richard et Brown, 2006.

à l'âge adulte – à la divulgation de l'homosexualité de leur mère (Hunter, 2005 ; Veilleux, 1998).

> *[...] l'idée d'avoir une mère qui est lesbienne, ça le* [son fils aîné] *dérange. Il a fait des efforts pour se situer, mais il dit : « Moi, je suis un homme et toi, tu dis non aux hommes, alors moi où je suis ? » Quand ils avaient 10 ans, je leur ai dit que j'avais deux fils et qu'ils auraient toujours une place spéciale... mais il ne serait pas prêt à ce que cela se sache tant que ça. Il ressent un certain malaise.* – Diane (Veilleux, 1998 : 108)

Selon les circonstances et le degré d'intimité maintenu, les relations avec les enfants sont la source d'une aide fonctionnelle appréciable et, beaucoup plus rarement, d'un soutien émotionnel. Pour les lesbiennes ayant des petits-enfants, l'investissement dans un rôle grand-parental, la manière dont elles s'en acquittent de même que les bénéfices qu'elles en tirent (amour inconditionnel des enfants, sentiment de continuité de la famille, etc.) ne semblent guère influencés par leur orientation sexuelle, si ce n'est du poids accru de leurs enfants, devenus parents, dans les décisions concernant l'accès qu'elles – et leur partenaire éventuellement – auront à leurs descendants afin de partager des moments avec eux. La question du *coming out* soulève également des préoccupations quant aux réactions des petits-enfants, mais aussi de leurs parents. Pour sa part, le rôle de grand-mère non biologique semble plus malaisé à endosser et à faire reconnaître, ce qui peut causer des tensions au sein du couple lui-même (Cahill, 2000 ; Orel, 2006a ; Whalen et coll., 2000).

Bien qu'il soit quasiment impossible d'en estimer précisément la fréquence, le couple occupe une position centrale dans la vie des lesbiennes âgées : une proportion substantielle d'entre elles (de 40 à 80 % selon les études) seraient engagées dans une relation conjugale qui prend le plus souvent, mais pas toujours, la forme d'une cohabitation[6]. Les attentes et les bénéfices qui y sont associés sont nombreux : compagnonnage et partage des moments intenses, stabilité émotionnelle, capacité d'entraide, notamment face aux problèmes de santé, revenu supérieur (Clunis et coll., 2005). La conjointe apparaît comme la première et la plus importante source de soutien, quelle que soit la nature des besoins (Chamberland et Paquin, 2004 ; Comerford et coll., 2004 ; Clunis et coll., 2005 ; Hunter, 2005, Veilleux, 1998).

6. Voir Barker, 2004 ; Cahill et coll., 2000 ; Claassen, 2005 ; Goldberg et coll., 2005 ; Grossman, 2006 ; Heaphy et coll., 2004 ; Hunter, 2005 ; Weinstock, 2004.

En général, les recherches constatent un sentiment de bien-être plus élevé chez les lesbiennes en couple que chez les célibataires, ce qui serait relié à une vie sexuelle plus active et plus satisfaisante, à moins de solitude et de stress, à l'absence de regrets par rapport à leur lesbianisme, à une meilleure santé physique et mentale ainsi qu'à la présence dans l'entourage d'un plus grand nombre de personnes au courant de l'orientation sexuelle et pouvant fournir de l'assistance en cas de besoin (Cahill et coll., 2000 ; Gabbay et Wahler, 2002 ; Garnets et Peplau, 2006 ; Koh et Ross, 2006).

Les études comparatives sur les couples de tous âges en soulignent les ressemblances, quelle que soit l'orientation sexuelle, en ce qui a trait à la qualité, la cohésion, l'intimité, la satisfaction et la durée de la relation conjugale (Hunter, 2005). Cependant, les couples de même sexe, y compris ceux du troisième âge, peuvent faire face à des défis particuliers, tels le peu de modèles, le manque de reconnaissance sociale et de soutien de la part de la famille et de l'entourage lorsqu'il y a ignorance ou réticence par rapport à l'orientation sexuelle. Sur le plan juridique, les législations québécoises et canadiennes accordent désormais une égalité formelle aux couples de même sexe (CSQ, 2007), mais ces avancées sont récentes et il n'est pas sûr que les cohortes des plus âgées sont et seront en mesure de profiter pleinement de leurs retombées. Avec le vieillissement, la vie de couple devient plus valorisée et son absence, par exemple à la suite d'un deuil, est crainte parce que synonyme d'un état d'abandon (Comerford et coll., 2004 ; Heaphy et coll., 2004). La mort ou la maladie d'une partenaire de vie peut s'avérer particulièrement douloureuse lorsque le couple vit replié sur lui-même et que le lien conjugal et, par conséquent, la sévérité de la perte ne sont pas reconnus par l'entourage, tandis qu'il n'existe pas d'alternatives sur le plan du soutien.

> *Dans notre couple, on est bien. Mais si je me retrouvais toute seule, à qui je pourrais parler de Catherine ? Si j'avais besoin d'en parler : « Ma blonde vient de mourir et je m'ennuie. Catherine faisait ça, Catherine aimait ça. » C'est dans ce sens-là que je vois que quand tu deviens seule, même si tu es encore autonome, tu es pognée dans une maison de personnes âgées et là, il faut que tu en trouves une vieille lesbienne qui va te jaser. C'est qui ? Ce n'est pas écrit dans le front ! Surtout que plus tu vieillis, moins ça paraît. Il faut que tu essaies de faire des contacts et là, tu n'as peut-être plus l'énergie pour le faire. Moi, c'est ça qui me manquerait... parler à quelqu'un de mon affaire.* – Isabelle, 63 ans. (Chamberland et Paquin, 2004 : 92)

Avec l'avancement en âge, la difficulté de trouver une nouvelle conjointe s'accentue, d'autant plus que les contextes offrant des possibilités de rencontre sont rares (Heaphy et coll., 2004).

> *Tu vas dans les clubs et c'est rien que du disco. Il n'y a même pas de place pour des femmes gaies âgées.* – Pauline, 65 ans (Chamberland, 2003 : 97)

Par contre, il semble que l'apparence physique et une image corporelle associée à la minceur et à la jeunesse joueraient un rôle moins important dans la formation et le maintien des liens sexuels et amoureux chez les lesbiennes d'âge mûr ou plus âgées (Gabbay et Wahler, 2002 ; Garnets et Peplau, 2006 ; Koh et Ross, 2006).

Les études convergent sur un autre point, soit l'importance du cercle d'amies composé principalement de pairs en termes de sexe, d'âge et d'orientation sexuelle, et incluant souvent une ou plusieurs ex-conjointes (Goldberg et coll., 2005 ; Grossman, 2006 ; Hunter, 2005 ; Richard et Brown, 2006 ; Weinstock, 2004).

> *Mon ex de l'époque, c'est aussi ma meilleure amie. [...] Quand je vois du monde qui appelle leurs sœurs et leurs frères, moi, je n'ai plus de famille. J'ai rompu avec ma famille.* – Iris, 61 ans (Chamberland et Paquin, 2004 : 68)

Ces amitiés viennent compenser des liens familiaux manquants ou faibles, ou se juxtaposent aux relations maintenues sélectivement avec des membres de la famille d'origine. Les lesbiennes célibataires ont plus d'amies intimes que celles en couple et s'investiraient davantage dans les réseaux communautaires (Gabbay et Wahler, 2002 ; Garnets et Peplau, 2006 ; Richard et Brown, 2006). Le noyau de proches – comprenant, selon le cas, conjointe, relations amicales ou membres de la famille – est parfois assimilé à une famille choisie, une appellation que d'autres contestent puisqu'elle maintient l'hégémonie du modèle familial (Gabbay et Wahler, 2002 ; Weinstock, 2004)[7]. Quoi qu'il en soit, le réseau amical revêt une importance grandissante avec l'avancement en âge et constitue une source majeure de différents types de soutien : aide pratique, appui émotionnel,

7. Le contexte géographique et ethnoculturel influence la composition du réseau de soutien. Des études relèvent le rôle accru des voisins et des amis hétérosexuels dans les régions rurales et les petites villes (Comerford, 2004 ; Hunter, 2005), et notent que les Afro-Américaines maintiennent des liens serrés avec leur famille d'origine (Cahill, 2000).

soins et accompagnement en cas de problèmes de santé, conseils de toute sorte, assistance financière[8]. La transparence des relations amicales de même que la communauté d'expériences vécues facilitent le partage et la compréhension mutuelle de certains problèmes, par exemple le deuil d'une conjointe ou d'une amie de longue date, ou encore la crainte que l'orientation sexuelle ne soit révélée à des tiers.

> *Le support émotif, c'est la pierre angulaire, la force, de nos systèmes de support que j'ai découverte avec les lesbiennes. Maintenant, j'ai aussi quelques personnes hétéros qui peuvent me donner ça aussi, mais c'est encore plus complet, ce système de support émotif chez les amies lesbiennes. C'est peut-être parce qu'il n'y a rien de caché, qu'il n'y a pas de non-dit, c'est plus ouvert... La confiance, aussi, l'acceptation.* – Pauline (Veilleux, 1998 : 128-129)

> *Le support moral vient plus de mon réseau d'amies lesbiennes. C'est vraiment autour des ruptures, des difficultés dans les relations, les difficultés financières ou autres. [...] Je pense que c'est le type d'appui que tu peux juste avoir d'une autre lesbienne, quand tu passes une période difficile.* – Barbara (Veilleux, 1998 : 129)

Outre le fait qu'elles facilitent l'adaptation au vieillissement, ces amitiés sont d'un apport indispensable pour faire face à la stigmatisation sociale, diminuer les risques d'isolement et partager les préoccupations les plus intimes. Elles comblent les besoins de légitimation de soi en tant que lesbienne et alimentent un sentiment d'appartenance collective dans un monde où le lesbianisme demeure occulté et ne s'incarne à peu près jamais sous les traits d'une vieille femme (Barker, 2004 ; Grossman, 2006 ; Richard et Brown, 2006 ; Weinstock, 2004). En somme, de telles amitiés *« contribuent à créer un espace social positif qui rend visible et valorise l'existence en tant que lesbienne »* (Veilleux, 1998 : 136).

L'insécurité financière est souvent mentionnée comme une préoccupation majeure chez les lesbiennes âgées (Barker, 2004 ; Cahill et coll., 2000 ; Clunis et coll., 2005 ; Gabbay et Wahler, 2002 ; Richard et Brown, 2006). De fait, leur condition économique réelle demeure largement méconnue. Leurs niveaux de revenus et leurs perspectives d'avenir varient

8. Voir Barker, 2004 ; Barnoff et coll., 2005 ; Chamberland et Paquin, 2004 ; Clunis et coll., 2005 ; Comerford et coll., 2004 ; Gabbay et Wahler, 2002 ; Goldberg et coll., 2005 ; Grossman, 2006 ; Heaphy et coll., 2004 ; Hunter, 2005 ; Orel, 2006b ; Richard et Brown, 2006 ; Veilleux, 1998 ; Weinstock, 2004.

sans doute en fonction des variables déjà connues influençant la stratification socio-économique (éducation, métier ou profession, vivre seule ou en couple, situation géographique, etc.) (Claassen, 2005). D'un côté, la discrimination en emploi subie antérieurement sur la double base du sexe et de l'orientation sexuelle, dans un contexte défavorisant à la fois les femmes et les personnes homosexuelles, se répercute sur leur situation financière actuelle. Comme bien d'autres femmes, plusieurs lesbiennes connaissent la pauvreté dans leurs vieux jours, surtout parmi celles ayant été discriminées à plus d'une reprise sur le plan de l'emploi ou ayant opté pour des voies non traditionnelles (travail autonome, par exemple) afin de préserver leur autodétermination.

En outre, bien souvent, les lesbiennes aujourd'hui âgées n'ont pas pu tirer parti de leur situation conjugale dans le passé, celle-ci n'étant pas reconnue juridiquement, pour profiter d'avantages financiers et autres liés à ce statut (par ex., participation à un régime d'assurances conjoint, partage de fonds de retraite). D'un autre côté, on peut penser que certains facteurs de paupérisation des femmes âgées jouent moins dans leur cas. En tant que lesbiennes, elles se voyaient davantage forcées de développer des stratégies pour maintenir leur autonomie économique, notamment par une participation continue sur le marché du travail, l'amélioration de leurs qualifications scolaires et professionnelles, un investissement soutenu dans la carrière et, lorsque c'était possible, une cotisation régulière à un fonds de retraite ou l'achat d'une maison. De même, ne comptant sur personne d'autre, un certain nombre, mais pas toutes, ont pu prévoir et planifier leur retraite du monde du travail. Il reste que la situation économique affecte l'ensemble des conditions de vie des lesbiennes âgées ; sa détérioration peut aggraver d'autres problèmes et vient limiter l'éventail des solutions envisageables, y compris les choix résidentiels.

L'adaptation au vieillissement

Tout en reconnaissant que l'homosexualité ne constitue pas une pathologie en soi, plusieurs études font état des conséquences néfastes pour la santé physique et mentale pouvant découler du stress engendré par l'appartenance à une minorité sexuelle. La notion de stress lié au statut des minoritaires (*minority stress*) renvoie aux expériences vécues, directement ou indirectement (en tant que témoin ou soutien d'une personne victimisée), de dénigrement, de rejet, de discrimination ou même de violence. Elle réfère également aux pressions consécutives à l'intériorisation des jugements qui condamnent l'homosexualité, aux tensions liées à la crainte que l'orientation sexuelle ne soit découverte ainsi qu'à l'inhibition des émotions qu'entraîne le secret forcé sur ce pan de sa vie.

> *Je me suis fait câlisser dehors à ben des places à cause de ça. C'est se faire mettre dehors de partout : me faire mettre dehors de chez nous, du centre d'accueil, de la maison de chambres. Ça a été le rejet, rejet, ça a toujours été du rejet. Quand tu te fais rejeter de même, tu viens que tu te rejettes toi-même avant que les autres te rejettent, tellement que tu deviens écœurée. [...] C'était* rough, *parce que quand tu décides de partir de chez vous, t'as seize ans, t'as déjà accumulé des souffrances, pis tu t'en vas dehors dans le monde pis tu te fais écœurer encore, ostie ! Tu refoules ça en dedans, tu bois, tu te drogues, tu connais toute cette maudite vie-là. Tout le mal en dedans, le ressentiment, la haine... on s'étouffait en maudit avec ça.* – Paulo (Chamberland, 1996 : 64)

> *L'effort continuel que ça demandait de ne pas dire « nous »* [elle-même et sa conjointe], *de dire « je ». On disait pas : « Nous avons aimé telle chose, nous sommes allées au cinéma. » Tout était filtré. Tu filtres toute ta vie en disant « je », pas « nous ». Fallait pas avoir aimé les mêmes choses, fallait pas donner l'impression qu'on était allées à la même place. On n'en parlait jamais. Ça annulait la vie quotidienne. [...] C'était devenu une obsession [...]. Ça sonnait à la porte, on regardait s'il y avait quelque chose qui traînait quelque part... des vrais pompiers pour faire le ménage... c'était vraiment devenu obsessionnel le fait de vouloir cacher, que ça se sache pas.* – Lucille (Chamberland, 1996 : 63)

Les difficultés d'ajustement qui peuvent en résulter se manifestent par des indices de précarité sur le plan de la santé mentale (faible estime de soi, niveau élevé de détresse psychologique, idées suicidaires) et des comportements à risque, telle la consommation d'alcool ou de drogue (Balsam et D'Augelli, 2006 ; Cahill et coll., 2000 ; Grossman, 2006 ; Koh et Ross, 2006).

Rappelons-le : les lesbiennes âgées ont vécu leur jeunesse, sinon une partie de leur vie adulte, dans un contexte où la sexualité entre personnes du même sexe était considérée comme illégale, immorale et pathologique. Malgré des avancées indéniables sur les plans social et législatif, l'hétérosexisme (croyance en la normalité ou la supériorité de l'hétérosexualité, présomption d'hétérosexualité appliquée à tous les individus), l'homophobie (crainte irrationnelle ou haine envers les personnes homosexuelles) et la lesbophobie (déni et occultation du lesbianisme, dépréciation des femmes lesbiennes en particulier) perdurent dans l'environnement social et institutionnel.

Les études sur l'adaptation psychosociale des lesbiennes âgées brossent des portraits contrastés : certaines mettent l'accent sur les effets cumulés ou irréversibles de l'oppression qu'elles ont subie tout au long de leur vie, tandis que d'autres soutiennent que celles qui sont parvenues à affirmer leurs préférences sexuelles malgré les limitations sociales qui leur étaient imposées ont acquis par là même des compétences qui les aident à faire face aux défis du vieillissement. La variation des observations empiriques est attribuable pour une part aux différents types d'échantillons de même qu'à leur petite taille dans bon nombre d'études[9]. Outre qu'elle empêche toute généralisation hâtive, elle met en évidence la nécessité de prendre en considération l'interaction entre divers facteurs qui peuvent accroître ou tempérer la vulnérabilité aux effets potentiels de la stigmatisation sociale du lesbianisme.

Certaines études confirment en effet l'impact des facteurs de risque liés au contexte social. Ainsi, les expériences de victimisation, l'adhésion à des croyances hétérosexistes ou l'inconfort ressenti eu égard à sa propre orientation sexuelle se répercutent défavorablement sur la santé psychologique des lesbiennes âgées (Balsam et D'Augelli, 2006 ; D'Augelli et Grossman, 2001 ; Grossman, 2006). À l'inverse, on observe un effet bénéfique sur la santé mentale et l'estime de soi d'une vision positive de sa sexualité et de l'affirmation de son lesbianisme dans les différentes sphères de vie, dans la mesure où le *coming out* traduit l'aisance avec sa propre orientation sexuelle (Gabbay et Wahler, 2002 ; Grossman, 2006 ; Koh et Ross, 2006).

Dans l'ensemble, les difficultés majeures auxquelles se heurtent les lesbiennes d'âge avancé sont : la solitude, la perte des personnes proches (famille, amies), l'intériorisation de préjugés relevant du sexisme et de

9. Les études basées sur un échantillon probabiliste constatent généralement une prévalence plus élevée des comportements à risque et des indicateurs négatifs de santé mentale chez les personnes homo et bisexuelles, comparativement aux personnes hétérosexuelles, alors que celles faisant appel à un échantillon de volontaires, souvent recrutés par le biais d'organismes communautaires, aboutissent à des résultats plus positifs qui montrent leurs capacités de résilience par rapport au stress subi et aux embûches ayant jalonné leur parcours de vie (Julien et Chartrand, 2003 et 2005). Ajoutons à cela que les lesbiennes de plus de 60 ans forment un groupe particulièrement difficile à rejoindre, qu'elles sont souvent exclues ou peu présentes dans les études portant sur la santé physique et mentale des adultes de minorités sexuelles, et sous-représentées dans celles prétendant examiner la situation des aînés homosexuels hommes et femmes.

l'âgisme, les préoccupations économiques, la détérioration de la santé physique et cognitive, les difficultés d'accès aux soins de santé, la diminution progressive de leur autonomie et la crainte de dépendre d'autrui[10]. À première vue, ces problèmes ne diffèrent pas de ceux vécus par les femmes hétérosexuelles vieillissantes. Toutefois, certains d'entre eux peuvent se présenter de manière particulière ou s'aggraver par suite des conséquences de l'ostracisme social (passé et actuel) envers les personnes homosexuelles. Ainsi, les lesbiennes aînées vivent plus souvent seules, sans conjointe ni enfants, comparativement aux femmes hétérosexuelles (Cahill et coll., 2000, Weinstock, 2004). La dissimulation du lesbianisme pour se protéger contre d'éventuelles discriminations, les possibilités restreintes de socialisation avec des pairs, notamment en milieu rural, accroissent le risque d'isolement, surtout sur le plan affectif (Chamberland, 2003 ; Comerford et coll., 2004 ; Gabbay et Wahler, 2002 ; Heaphy et coll., 2004 ; Hunter, 2005, 2007 ; Veilleux, 1998).

> *On ne peut pas dire que ce soit facile de vieillir dans le monde gai. [...] Je ne sais pas, un jour, je vais rencontrer quelqu'un qui s'assume, qui est bien, qui est positive, qui ne boit pas. Qu'elle fume, ça ce n'est pas grave. Un verre, je n'ai rien contre ça. Mais qui soit bien dans sa peau, il n'y en a pas beaucoup [...]. Je me dis : « Il y en a, je ne suis pas toute seule. » Des fois, je me sens toute seule, je me dis : « Je vais me mettre une pancarte sur le front "je suis disponible" » [rire]. Je veux une relation [...]. Je vis beaucoup de solitude là-dedans [...]. Je ne trouve pas ça évident [...]. Je regrette, j'ai beaucoup de regrets [...]. J'aurais dû m'assumer plus jeune, c'est mes préjugés qui ont fait que j'ai bloqué.* – Aînée, Montréal (RQASF, 2003 : 167)

Les craintes associées à la détérioration de la santé physique seront intensifiées par la peur que personne ne prenne soin d'elles, de mourir seules, sans personne pour pleurer leur départ (Barker, 2004 ; Grossman, 2006 ; Schope, 2005).

> *J'ai l'impression qu'on va faire dur [...]. Je ne me vois pas dans un foyer, dans un centre d'accueil [...] comme lesbienne, avec des préposés gars [...] ou une bonne fille pas du tout à l'aise ou sensibilisée à ça [...]. C'est préoccupant, je trouve.* – Aînée, Montréal (RQASF, 2003 : 168)

10. Voir Beeler et coll., 1999 ; Clunis et coll., 2005 ; Comerford et coll., 2004 ; Gabbay et Wahler, 2002 ; Hunter, 2005 ; Jacobs et coll., 1999 ; Kimmel et coll., 2006.

J'ai peur. J'ai vraiment peur de, tu sais... de la solitude. [...] Et je pense que cette crainte est réaliste, car je travaille en gériatrie et je sais ce qui vous arrive quand vous n'avez pas le soutien de votre famille et des choses comme ça... Je sais ce qui arrive aux personnes qui deviennent un peu confuses et qui essaient de s'occuper de leurs affaires ! Mon dieu ! Et à voir le genre de décisions que les gouvernements prennent, je sais que nous serons encore plus dépendants de la famille. Je ne crois pas qu'entre amies nous arriverons à nous soutenir comme une famille, autant que possible. Je suis vraiment terrifiée à l'idée de vieillir ! – Maryann (Veilleux, 1998 : 168, notre traduction)

Autrement dit, si la solitude est d'abord une conséquence du vieillissement (baisse d'énergie et de mobilité, deuils, exclusion sociale des personnes âgées), elle peut s'accentuer ou trouver plus difficilement remède à cause des effets de l'oppression liée à l'orientation sexuelle, tout dépendant également des particularités de l'environnement immédiat. Bref, il n'est pas toujours facile de démêler les effets enchevêtrés du sexisme, de l'âgisme et de la lesbophobie.

Certains éléments agissent comme facteurs de protection du bien-être des lesbiennes âgées : un niveau élevé d'éducation, l'accès à de meilleurs revenus, une bonne santé physique et cognitive, la présence d'une partenaire de vie, l'implication dans un rôle parental, les capacités individuelles de résilience, la possibilité de conserver son domicile et l'accès à un large réseau social capable d'offrir diverses formes de soutien (Beeler et coll., 1999 ; Grossman, 2006 ; Jacobs et coll., 1999). Dans la mesure où ils peuvent résulter de conduites et d'attitudes modifiables, les recherches les identifient comme des ingrédients essentiels pour un vieillissement réussi. Dans les études faisant appel à des participantes volontaires, la majorité de aînées lesbiennes se déclarent en bonne santé mentale. Plusieurs témoignent d'un sentiment de liberté et d'accomplissement, se disent satisfaites de leur vie et confiantes dans leur capacité de s'ajuster à cette nouvelle étape (Cahill et coll., 2000 ; Clunis et coll., 2005 ; Gabbay et Wahler, 2002 ; Goldberg et coll., 2005 ; Grossman, 2006 ; Hunter, 2005 ; Schope, 2005). Ces perceptions positives seraient principalement tributaires de leurs expériences de vie. L'indépendance acquise, la démonstration de leurs capacités d'autosuffisance nourrissent leur fierté et la confiance en l'avenir.

J'aime la femme que je suis devenue... le fait que je n'ai pas peur de vieillir... que je suis encore en bonne forme. J'aime le fait que j'ai beaucoup d'amies... J'aime l'expertise que j'ai acquise au fil des années, mon

> *expérience, mon vécu. J'aime la vie, j'aime ma vie, j'aime vivre.* – Irène (Veilleux, 1998 : 169)

Pour certaines, la retraite de même que les attentes sociales qui minorent la sexualité chez les femmes âgées signifient également un soulagement par rapport à la pression de maintenir une façade hétérosexuelle, notamment dans l'environnement de travail.

L'acceptation et l'affirmation de son orientation sexuelle apparaissent comme des variables clés d'une bonne adaptation au vieillissement. Cependant, cette proposition appelle quelques nuances. Pour les plus âgées ou celles ayant survécu dans un environnement hostile, la dissimulation de leur orientation sexuelle a pu s'avérer une protection efficace contre le rejet social et la discrimination, et permettre de sauvegarder une image positive de soi sur les plans personnel et professionnel. Ainsi, la réussite de la carrière, même au prix du secret, a pu favoriser l'adaptation au contexte sociohistorique, tout en assurant l'autonomie économique (Adelman, 1991).

> *Ma vie, c'était comme deux vies différentes. Il y avait mon travail d'un côté, et mon homosexualité de l'autre. [...] Parce que quand je travaillais, on pouvait perdre notre emploi, on aurait pu perdre notre emploi, juste comme ça.* – Louise (Veilleux, 1998 : 121, notre traduction)

> *J'étais dans un domaine où je ne pouvais pas* [me dire lesbienne]. *Je travaillais comme vendeuse, j'aurais perdu mon emploi, donc je ne pouvais pas. C'est aussi que je n'aurais pas pu survivre si j'avais perdu mon emploi. C'est une des raisons pour lesquelles je suis retournée aux études... pour être capable de travailler où je voulais et où je savais que je serais acceptée, pour arrêter de me cacher.* – Irène, mère monoparentale de cinq enfants après son divorce (Veilleux, 1998 : 120)

La séquence de développement d'une identité lesbienne – et non l'âge comme tel – revêtirait également de l'importance : expérimenter le lesbianisme avant d'endosser une telle définition de soi est relié à une satisfaction plus élevée vis-à-vis de soi-même et de son passé. Un tel déroulement aura permis à la personne de s'ajuster aux pressions adverses et de s'assurer qu'elle disposait des ressources nécessaires pour y parvenir. Au contraire, l'impression d'avoir échoué dans sa vie, sa carrière, ses relations à cause de son orientation sexuelle, soit faute de l'avoir assumée, soit à cause des ennuis qui en ont découlé, entraîne de l'insatisfaction dans le vieil âge (Adelman, 1991 ; Gabbay et Wahler, 2002 ; Hunter, 2005).

Certaines études vont jusqu'à avancer que les aînées lesbiennes, en particulier celles ayant assumé leurs préférences sexuelles au cours de leur vie, ont acquis à travers ce cheminement des compétences comportementales et affectives qui les aident à faire face aux difficultés associées au vieillissement. Ainsi, elles auraient développé une capacité de résilience, tant sur le plan psychologique que dans leur aptitude à rechercher de l'aide à travers l'utilisation de services de psychothérapie et la création de réseaux de soutien alternatifs (Cahill et coll., 2000 ; Clunis et coll., 2005 ; Hunter, 2005 ; Koh et Ross, 2006). Une étude canadienne confirme que les lesbiennes de tous âges sont plus susceptibles de consulter les services en santé mentale que les femmes hétérosexuelles (Tjepkema, 2008). À la suite d'expériences de rejet, les lesbiennes auraient appris à s'adapter à des changements brusques ou forcés tels que les deuils, maladies, perte du domicile (Friend, 1991). Leur sentiment d'indépendance se traduirait par une approche responsable et préventive, qu'il s'agisse de planifier leur retraite, maintenir leur santé physique et leurs capacités intellectuelles, et demeurer socialement actives (Gabbay et Wahler, 2002).

> *J'ai toujours compté sur moi-même. [...] Je n'ai jamais demandé d'aide de personne.* – Pauline, 65 ans (Chamberland et Paquin, 2004 : 88)

Leur résistance aux stéréotypes et aux normes sociales les rendrait moins sensibles à certains effets du sexisme et de l'âgisme, comme la dépréciation de leur image corporelle (Gabbay et Wahler, 2002 ; Schope, 2005). De même, leur flexibilité par rapport aux rôles de genre faciliterait le réaménagement du quotidien à la suite de la perte d'une conjointe ; les lesbiennes de milieux ruraux s'y seraient adaptées en faisant preuve de beaucoup d'autonomie, comme l'exige la ruralité, et en entretenant de nombreuses relations amicales, y compris avec les voisins (Comerford et coll., 2004). Cette approche optimiste fait toutefois l'objet de critiques : l'importance accordée aux mécanismes de résilience comme déterminant principal de l'ajustement au vieillissement sous-estime l'influence de facteurs économiques, matériels, physiques, sociaux et culturels sur la façon dont les lesbiennes négocient leur vie en prenant de l'âge, tout en restant aux prises avec les effets du sexisme, de l'hétérosexisme et de la lesbophobie qui s'ajoutent à ceux du vieillissement (Heaphy et coll., 2004, Koh et Ross, 2006 ; Schope, 2005).

Lesbienne et âgée : quels risques pour la santé ?

En l'absence d'informations contraires, on peut penser que les maladies, chroniques et autres, liées à l'avancement en âge sont les mêmes pour toutes les femmes, quelle que soit leur orientation sexuelle. Cependant, certaines études se sont penchées sur de possibles disparités, en défaveur des lesbiennes, eu égard à certains types de cancer. L'inconsistance des données disponibles et l'absence de vastes études épidémiologiques qui incluraient l'orientation sexuelle parmi les variables examinées empêchent de tirer des conclusions définitives (Brown et Tracy, 2008 ; Cahill et coll., 2000) ; toutefois, les hypothèses sont suffisamment sérieuses pour être exposées. Leur discussion permet également d'illustrer les impacts de l'occultation du lesbianisme à toutes les étapes de la prise en charge des problèmes de santé : recherche, prévention, dépistage et traitement.

Selon des sources qui recensent les publications médicales, on retrouverait chez les lesbiennes, comparativement aux femmes hétérosexuelles, une plus forte prévalence de certains facteurs de risque associés au cancer du sein : la nulliparité, la consommation d'alcool, le tabagisme, le surplus de poids et le manque d'exercice physique[11]. Plusieurs de ces facteurs sont également mis en lien avec un type ou un autre de cancer (Brown et Tracy, 2008 ; Cahill et coll., 2000). Pour ce qui est du cancer du col de l'utérus, les lesbiennes bénéficieraient moins des facteurs de protection comme les grossesses multiples et l'usage de contraceptifs oraux (Brown et Tracy, 2008). Sauf pour la probabilité plus faible d'avoir enfanté, il s'agit là d'habitudes néfastes pour la santé, qui sont le plus souvent considérées comme des réponses malsaines au stress consécutif à l'appartenance à une minorité ostracisée socialement.

Le tabagisme et la consommation d'alcool peuvent aussi être reliés aux styles de vie induits par les seuls espaces de socialisation disponibles dans certains contextes (bars, partys privés) (Barker, 2004 ; Clunis et coll., 2005 ; Fish, 2006). En contrepartie, la santé émotionnelle, le soutien d'une

11. Voir Barker, 2004 ; Brown et Tracy, 2008 ; Cahill et coll., 2000 ; Clunis et coll., 2005 ; Fish, 2006 ; Gabbay et Wahler, 2002 ; Grossman, 2006 ; Kavanaugh-Lynch et coll., 2002 ; Tjepkema, 2008 ; Washington et Murray 2005. Toutes les études n'endossent pas le constat d'une consommation abusive d'alcool plus fréquente parmi les lesbiennes (voir notamment Goldberg, 2005 ; Kimmel, 2006). Les différences observées entre les études peuvent être attribuables à des biais d'échantillonnage, aux mesures de la consommation d'alcool et des seuils définissant la consommation excessive. Selon Fish (2006), le tabagisme ne constituerait pas un facteur de risque spécifique pour le cancer du sein.

conjointe et d'un réseau social, le fait d'avoir subi moins de discrimination au cours de la vie, l'activité physique et un bon niveau de revenu influencent positivement l'état de santé physique en général (Comerford et coll., 2004 ; Goldberg et coll., 2005 ; Grossman, 2006). Soulignons qu'il s'agit de facteurs de risque relatifs, que la plupart sont de nature comportementale, donc dépendants d'une série de variables socio-économiques et culturelles, et modifiables au cours d'une vie. Par ailleurs, les informations sur l'état de santé général et les habitudes de vie des lesbiennes âgées québécoises sont pratiquement inexistantes[12]. Une certaine prudence s'impose donc avant d'importer ici les conclusions d'études principalement états-uniennes.

Il en va de même pour les carences identifiées sur le plan du dépistage du cancer du sein, que certaines études assimilent à un facteur de risque étant donné l'importance d'un diagnostic précoce pour un traitement réussi. Nous ne discuterons pas ici de l'efficacité des méthodes de dépistage (auto-examen des seins, mammographie, examen clinique). Les recherches aboutissent à des résultats contradictoires quant à la régularité de ces pratiques (Brown et Tracy, 2008 ; Fish, 2006 ; Grindel et coll., 2006 ; Tjepkema, 2008). Outre les barrières et les incitatifs présents chez toutes les femmes, certaines études constatent un recours moins fréquent aux mammographies préventives parmi les lesbiennes, attribué à la piètre relation de confiance qu'elles auraient envers les médecins et le système de santé. D'autres observent un taux égal ou supérieur, qui s'expliquerait par la conscientisation de certaines lesbiennes par rapport aux risques encourus, ce qui les inviterait à plus de vigilance, en particulier lorsque apparaissent d'autres signaux d'alerte, comme un diagnostic positif chez une parente. Au Canada, une étude récente a observé que la prévalence de radiographies du sein au cours des deux années précédentes était la même chez les femmes de 50 à 59 ans hétérosexuelles et lesbiennes, mais un peu plus faible pour les bisexuelles (Tjepkema, 2008). À cet égard, le programme québécois de mammographie préventive offert à toutes les femmes de 50 ans et plus constitue une initiative heureuse. On ignore

12. La plupart des études sur la santé des personnes gaies, lesbiennes et bisexuelles n'incluent pas les cohortes vieillissantes de cette population. En outre, les études ne distinguent pas toujours entre les femmes lesbiennes et bisexuelles, alors que de manière générale, les indicateurs de la santé physique et mentale dessinent un portrait plus négatif pour ces dernières, comparativement aux lesbiennes et aux hétérosexuelles (Julien et Chartrand, 2005).

toutefois son efficacité à joindre spécifiquement les femmes non exclusivement hétérosexuelles. Si, de toute évidence, le système de santé détermine pour une large part l'accès aux diagnostics préventifs, il est néanmoins intéressant de relever que les rares programmes ciblés de sensibilisation produisent des résultats positifs en matière de dépistage chez les lesbiennes (Brown et Tracy, 2008).

Pour ce qui est du cancer du col de l'utérus, toutes les études attestent que les lesbiennes de différents groupes d'âge passent moins fréquemment le test Pap (Brown et Tracy, 2008 ; Cahill et coll., 2000 ; Grindel et coll., 2006 ; Washington et Murray, 2005). Les obstacles à la prévention relèveraient de la piètre communication entre la patiente et le médecin, aux malaises de part et d'autre autour de la divulgation de l'orientation sexuelle, de même qu'au manque de formation et de sensibilité des milieux de la santé, où ne circule guère d'information sur la santé des lesbiennes de tous âges et où on croit à tort qu'elles seraient relativement à l'abri de ce type de cancer. Là encore, d'autres variables telles que l'éducation, le revenu, les assurances, influencent l'accès aux soins de santé en général, incluant les examens de dépistage. Mais l'universalité et la gratuité des soins n'aplanissent pas toutes les difficultés. L'étude de Statistique Canada sur l'utilisation des services de santé en fonction de l'orientation sexuelle constate des différences marquées en ce qui concerne les lesbiennes : celles-ci sont moins susceptibles d'avoir un médecin de famille, elles utilisent moins ses services, elles sont plus nombreuses à déclarer des besoins de santé non satisfaits au cours de l'année écoulée et la probabilité d'avoir subi un test Pap au cours des trois dernières années est plus faible que chez les femmes hétérosexuelles (Tjepkema, 2008). Malheureusement, l'étude n'incluait pas les femmes de plus de 59 ans.

Selon quelques études qualitatives, la majorité des lesbiennes âgées ne divulguent pas en général leur orientation sexuelle à leur médecin, à la fois par manque de confiance et parce qu'elles n'en voient pas la nécessité, tout en se disant prêtes à en parler si un motif le justifie ou à répondre franchement à des questions relatives à leur sexualité.

> *J'aime beaucoup mes médecins, mais je ne vois pas la nécessité de leur dire que je suis lesbienne. Je n'ai pas de maladie... il n'y a pas de maladies de lesbienne.* – Pauline, 65 ans (Chamberland et Paquin, 2004 : 65)

> *J'ai consulté le même médecin pendant plus de 20 ans et c'était un homme médecin. Ma partenaire consultait aussi ce médecin, mais il n'en avait pas la moindre idée. Il n'a jamais posé de questions et je n'en*

> *ai jamais parlé. Et c'est une des raisons pour lesquelles, il y a environ 18 mois de ça, ma partenaire et moi avons changé pour une femme médecin. Alors, nous avions la possibilité de parler ouvertement de qui nous étions, de ce que nous étions et c'est une relation beaucoup plus confortable.* – Aînée, Vancouver (Brotman et coll., 2006 : 5)

Pour leur part, les médecins ne les questionnent à peu près jamais sur leur vie sexuelle ou amoureuse, surtout lorsqu'elles atteignent un âge avancé et se présentent comme célibataires.

Les expériences des lesbiennes ayant reçu un diagnostic de cancer sont également très peu documentées, notamment quant à l'adaptation à la maladie, aux réponses aux traitements reçus et à la qualité de vie en général. Des études signalent qu'elles rapportent plus de stress et un niveau moindre de satisfaction quant aux soins et au soutien émotionnel obtenus de la part du milieu de la santé, ce qui peut influer sur leur convalescence (Brown et Tracy, 2008 ; Clunis et coll., 2005). Selon une étude ontarienne qualitative auprès de lesbiennes ayant reçu des traitements pour un cancer du sein, seule une minorité déclare des comportements discriminatoires (par exemple, refus de soins, déni de leur identité lesbienne) ou exprime un sentiment d'isolement.

> *À partir de ce moment-là* [où l'infirmière a su que j'étais lesbienne], *je ne pouvais plus avoir l'aide de personne pour m'aider à sortir du lit. Il a fallu que j'apprenne à retourner au lit moi-même, mais c'était dur. À cause de la douleur, vous savez.* – Aînée, Vancouver (Brotman et coll., 2006 : 3)

La majorité des participantes déplore toutefois le manque de soutien psychosocial – sauf de la part de leurs pairs (Barnoff et coll., 2005). Les implications sociales et symboliques et esthétiques du diagnostic et des traitements envisagés (comme l'ablation du sein, la chirurgie de remplacement) demeurent également peu explorées, alors qu'elles peuvent différer pour certaines lesbiennes, ainsi que l'attestent des témoignages qui contestent l'injonction à la reconstruction chirurgicale (Julien, 1997).

> *Je n'ai pas accepté la reconstruction* [du sein atteint de cancer], *en dépit de la pression qui a été (... naturellement ?) exercée sur moi par mes chefs de guerre. Pression institutionnelle en réalité, tout comme l'hétérosocialité qui vous traverse et vous constitue, chères équipes soignantes.*

Je n'ai pas accepté la reconstruction parce que j'ai eu la possibilité de réfléchir depuis longtemps, bien avant d'avoir un cancer, sur ce qui contraint toute femme (Femme) à paraître *ce qu'elle doit être aussi.*

Je n'ai pas accepté la reconstruction parce que je ne me sentais pas « détruite », ni « mutilée ». Blessée, menacée, oui, mais dans ma vie d'être humaine, non pas dans la seule « féminité » où l'on aurait voulu me résoudre, via une paire de seins. (Julien, 1997)

Les lesbiennes seraient moins affectées par les modifications de leur apparence et maintiendraient davantage une sexualité active en cours de convalescence. Il est possible que les normes et les valeurs au sein des communautés lesbiennes atténuent les impacts des changements physiques et autres consécutifs aux traitements, ce qui militerait en faveur de la création de réseaux de soutien adaptés pour elles, où elles n'auraient pas à négocier leur identité lesbienne (Barnoff et coll., 2005 ; Brown et Tracy, 2008).

En somme, plusieurs aspects devraient recevoir plus d'attention si l'on veut connaître et éventuellement réduire les disparités de risques associés à ces cancers : prise en compte de l'orientation sexuelle dans les recherches ; formation des professionnels de la santé ; une ouverture envers la clientèle lesbienne ; programmes ciblés de prévention et de soutien psychosocial ; ressources (comme des dépliants d'information) reflétant et intégrant les réalités lesbiennes.

Par ailleurs, un certain nombre d'études ont documenté les barrières à l'équité dans l'accès aux services de santé, sociaux et résidentiels pour les lesbiennes, aînées ou de tous âges[13]. Les cures de toutes sortes antérieurement imposées pour guérir l'homosexualité de même que les rejets subis nourrissent chez elles une méfiance que l'on peut qualifier d'historique vis-à-vis du système de santé. Plusieurs éléments interagissent pour faire obstacle à l'identification et à la satisfaction de leurs besoins. Le déficit de confiance envers les institutions est entretenu par des pratiques hétérosexistes et le peu d'efforts qui y sont déployés pour créer un climat sécurisant et proactif dans l'adaptation à la diversité sexuelle. L'autocensure des lesbiennes elles-mêmes dans la sphère publique, nourrie par l'appréhension d'éventuelles discriminations, freine l'expression de leurs désirs et de leurs frustrations. Les intervenants et intervenantes sont mal informés des réalités lesbiennes. Certains, même bien intentionnés, pré-

13. Voir Brotman et coll., 2006 ; Brotman et coll., 2003 ; Chamberland, 2003 ; Chamberland et Paquin, 2004 ; Clunis et coll. 2005 ; Daley, 2003 ; RQASF, 2003 ; Ryan et coll., 2000.

tendent traiter tout le monde également en les considérant de la même façon, sans égard pour leurs expériences de vie particulières. Enfin, une minorité adopte des comportements franchement homophobes ou lesbophobes.

Conclusion

L'hypothèse selon laquelle les lesbiennes seraient plus exposées à certains types de cancer a suscité des critiques (Fish, 2006). Le risque accru, bien que réel, aurait été surestimé selon l'épidémiologiste réputée Susan Cochran. En outre, l'exploitation de telles informations, en particulier dans les médias de masse, pourrait avoir comme contrecoup de pathologiser de nouveau le lesbianisme en y associant des comportements tels que l'obésité ou la consommation d'alcool. Ou encore de réitérer les injonctions faites aux femmes de rester minces, d'avoir des enfants, bref, de renforcer des codes de la féminité qui construisent culturellement l'hétéronormativité. Enfin, est-ce que l'on ne prête pas flanc à la reconduction de stéréotypes en confondant certains comportements (comme ne pas avoir d'enfants) et une identité (lesbienne) ? Certes, ces dangers ne sont pas négligeables. Cependant, ne pas envisager les lesbiennes en tant que groupe les maintient dans l'invisibilité et perpétue l'ignorance concernant leurs besoins. En niant la nécessité d'explorer les facteurs qui influencent leur santé physique et mentale, on occulte les conditions sociales qui peuvent mettre celle-ci en péril de même que les barrières à un accès équitable aux institutions et aux services publics et privés.

L'hétérosexisme nous tend un double piège, qui est constamment présent lorsque l'on tente de dépeindre la situation des lesbiennes, y compris les plus âgées : d'un côté, l'invisibilité, de l'autre, l'enfermement dans des catégories discursives réductrices qui cantonnent à la différence (Fish, 2006). Ainsi, pour attirer l'attention des milieux scientifiques, médicaux et gouvernementaux, l'on insistera sur les risques liés à la santé physique et mentale, en particulier dans une société où le prisme de la santé et de la maladie constitue un paradigme omniprésent. La constitution des lesbiennes en « groupe à risque » tend cependant à présenter leurs caractéristiques et leurs situations comme étant homogènes alors qu'elles sont diverses. La dramatisation de certaines facettes occulte d'autres dimensions qui peuvent s'avérer positives pour plusieurs d'entre elles, par exemple, l'autonomie acquise en tant que femme ou la réussite professionnelle. Il en va de même lorsqu'on souhaite améliorer l'accueil réservé aux lesbiennes âgées dans les services : comment mettre fin au silence qui dénie leur existence et les insécurise sans pour autant les confiner à une étiquette qui les oblige à se différencier malgré elles ? Une voie s'impose : écouter, susciter leurs paroles multiples.

Quelques ressources

Gay and Lesbian Medical Association, http://www.glma.org. Cette association publie le guide *Healthy People 2010 Companion Document for Lesbian, Gay, Bisexual, and Transgender Health*, disponible en version PDF sur son site, de même qu'une revue scientifique sur la santé des minorités sexuelles, *Journal of Gay and Lesbian Medical Association*.

National Lesbian Health Organization, http://www.mautnerproject.org/home/.

Portrait de lesbiennes aînées, vidéo, coproduction du Réseau des lesbiennes du Québec et du Réseau Vidé-elle, avec le soutien de l'Alliance de recherche IREF/Relais-femmes. Pour plus d'information, consulter le site : http://www.algi.qc.ca/asso/rlq-qln.

Projet Interaction, Université McGill, http://www.mcgill.ca/interaction/aging/french/.

Diversity, Our Strength. LGBT Toolkit for Creating Lesbian, Gay, Bisexual and Transgendered Culturally Competent Care at Toronto Long-Term Care Homes and Services. Un guide publié en 2008 par le Toronto Long-Term Care Homes and Services et visant à développer les compétences des milieux de la santé afin de fournir des services et des soins de longue durée adaptés aux personnes aînées LGBT.

Bibliographie

Adelman, Marcy (1991). « Stigma, Gay Lifestyles, and Adjustment to Aging : A Study of Later-Life Gay Men and Lesbians », *Journal of Homosexuality*, vol. 20, p. 7-32.

Balsam, Kimberly F. et Anthony R. D'Augelli (2006). « The Victimization of Older LGBT Adults : Patterns, Impact, and Implications for Intervention », dans Douglas Kimmel, Tara Rose et Steven David (dir.), *Lesbian, Gay, Bisexual, and Transgender Aging : Research and Clinical Perspectives*, New York, Columbia University Press, p. 110-130.

Barker, Judith C. (2004). « Lesbian Aging : An Agenda for Social Research », dans Gilbert Herdt et Brian de Vries (dir.), *Gay and Lesbian Aging : Research and Future Directions*, New York, Springer, p. 29-72.

Barnoff, Lisa, Christina Sinding et Pamela Grassau (2005). « Listening to the Voices of Lesbians Diagnosed with Cancer : Recommendations for Change in Cancer Support Services », *Journal of Gay and Lesbian Social Services*, vol. 18, n° 1, p. 17-35.

Beeler, Jeff A., Todd W. Rawls, Gilbert Herdt et Bertram J. Cohler (1999). « The Needs of Older Lesbians and Gay Men in Chicago », *Journal of Gay and Lesbian Social Services*, vol. 9, p. 31-49.

Brotman, Shari, Bill Ryan et Richard Cormier (2003). « The Health and Social Service Needs of Gay and Lesbian Elders and Their Families in Canada », *The Gerontologist*, vol. 43, n° 2, p. 192-202.

Brotman, Shari, et coll. (2006). *Les besoins en santé et services sociaux des aînés gais et lesbiennes et de leurs familles au Canada*, rapport synthèse, Montréal, École de service social de McGill. Disponible à l'adresse suivante : http://www.mcgill.ca/interaction/aging/french/.

Brown, Jessica P. et J. Kathleen Tracy (2008). « Lesbians and Cancer : An Overlooked Health Disparity », *Cancer Causes Control*, vol. 19, n° 10, p. 1009-1020.

Cahill, Sean, Ken South et Jane Spade (2000). *Outing Age : Public Policy Issues Affecting Gay, Lesbian, Bisexual and Transgender Elders*, New York, Policy Institute of the National Gay and Lesbian Task Force Foundation.

Chamberland, Line (1996). *Mémoires lesbiennes. Le lesbianisme à Montréal entre 1950 et 1972*, Montréal, Remue-ménage.

Chamberland, Line (2003). « "Plus on vieillit, moins ça paraît" : Femmes âgées, lesbiennes invisibles », *Revue canadienne de santé mentale communautaire/The Canadian Journal of Community Mental Health*, vol. 22, n° 2, p. 85-103.

Chamberland, Line, avec la collaboration de Louise Brossard (2001). « Lesbianisme, parentalité et vieillissement », dans Danielle Julien (dir.), *Parentalité gaie et lesbienne : familles en marge ?*, Association canadienne pour la santé mentale et Alliance de recherche IREF/Relais-femmes, Montréal, UQAM, p. 122-133.

Chamberland, Line et Johanne Paquin (2004). *Vieillir en étant soi-même... Le défi de l'adaptation des services résidentiels aux besoins des lesbiennes âgées*, Alliance de recherche IREF/Relais-femmes et Réseau des lesbiennes du Québec, Montréal, UQAM. Aussi disponible à l'adresse suivante, sous la rubrique Lesbienne aînée : http://www.algi.qc.ca/asso/rlq-qln.

Claassen, Cheryl (2005). *Whistling Women : A Study of the Lives of Older Lesbians*, Binghamton, Haworth Press.

Clunis, D. Merilee, Karen I. Fredriksen-Goldsen, Pat A. Freeman et Nancy M. Nystrom (2005). *Lives of the Lesbian Elders : Looking Back, Looking Forward*, Binghamton, Haworth Press.

Comerford, Susan A., M. Maxwell Henson-Stroud, Corbett Sionainn et Elizabeth Wheeler (2004). « Crone Songs : Voices of Lesbian Elders on Aging in a Rural Environment », *Affilia*, vol. 19, n° 4, p. 418-436.

CSQ (Centrale des syndicats du Québec) – Comité des droits des gais et des lesbiennes (2007). *Rappel historique de la condition homosexuelle.* Disponible à l'adresse suivante : http://www.travail.csq.qc.net/index.cfm/2,0,1679,9721,2357,0,html.

Daley, Andrea (2003). « Lesbian Health and the Assumption of Heterosexuality : An Organizational Perspective », *Revue canadienne de santé mentale communautaire/The Canadian Journal of Community Mental Health*, vol. 22, n° 2, p. 105-121.

D'Augelli, Anthony R. et Arnold H. Grossman (2001). « Disclosure of Sexual Orientation, Victimization, and Mental Health Among Lesbian, Gay, Bisexual Older Adults », *Journal of Interpersonal Violence*, vol. 16, n° 10, p. 1008-1027.

Fish, Andrea (2006). *Heterosexism In Health and Social Care*, Hampshire/New York, Palgrave/Macmillan.

Friend, Richard A. (1991). « Older Lesbian and Gay People : A Theory of Successful Aging », *Journal of Homosexuality*, vol. 20, p. 99-118.

Fullmer, Elise M., Dena Shenk et Lynette J. Eastland (1999). « Negating Identity : A Feminist Analysis of the Social Invisibility of Older Lesbians », *Journal of Women and Aging*, vol. 11, p. 131-148.

Gabbay, Sarah G. et James J. Wahler (2002). « Lesbian Aging : Review of a Growing Literature », *Journal of Gay and Lesbian Social Services*, vol. 14, n° 3, p. 14-21.

Garnets, Linda et Letitia Anne Peplau (2006). « Sexuality in the Lives of Aging Lesbian and Bisexual Women », dans Douglas Kimmel, Tara Rose et Steven David (dir.), *Lesbian, Gay, Bisexual, and Transgender Aging : Research and Clinical Perspectives*, New York, Columbia University Press, p. 70-90.

Goldberg, Sheryl, Joanna Sickler et Suzanne L. Dibble (2005). « Lesbians over Sixty : The Consistency of Findings from Twenty Years of Survey Data », *Journal of Lesbian Studies, Special Issue : Lesbian Communities : Festivals, RVs, and the Internet*, vol. 9, n° 1-2, p. 195-213.

Grindel, Cecilia G., Linda A. McGehee, Carol A. Patsdaughter et Susan J. Roberts (2006). « Cancer Prevention and Screening Strategies in Lesbians », *Women and Health*, vol. 44, n° 2, p. 15-39.

Grossman, Arnold H. (2006). « Physical and Mental Health of Older Lesbian, Gay, and Bisexual Adults », dans Douglas Kimmel, Tara Rose et Steven David (dir.), *Lesbian, Gay, Bisexual, and Transgender Aging : Research and Clinical Perspectives*, New York, Columbia University Press, p. 53-69.

Groupe de recherche interuniversitaire et interdisciplinaire sur la gestion sociale (GRIIGES) (1988). *Amour en sursis. Le témoignage d'Alice, homosexuelle*, Moncton, Éditions d'Acadie.

Heaphy, Brian, Andrew K. T. Yip et Debbie Thompson (2004). « Ageing in a Non-Heterosexual Context », *Ageing and Society*, vol. 24, 6e partie, p. 881-902.

Herdt, Gilbert et Brian de Vries (dir.) (2004). *Gay and Lesbian Aging : Research and Future Directions*, New York, Springer.

Hunter, Ski (2005). *Midlife and Older LGBT Adults : Knowledge and Affirmative Practice for the Social Services*, Binghamton, Haworth Press.

Hunter, Ski (2007). *Coming Out and Disclosure : LGBT Persons across the Life Span*, New York, Haworth Press.

Jacobs, Robin J., Lucinda A. Rasmussen et Melinda M. Hohman (1999). « The Social Support Needs of Older Lesbians, Gay Men, and Bisexuals », *Journal of Gay and Lesbian Social Services*, vol. 9, p. 1-30.

Julien, Danielle et Élise Chartrand (2003). *Recension des études utilisant un échantillon probabiliste sur la santé des personnes gays, lesbiennes et bisexuelles*, Montréal, Département de psychologie, UQAM.

Julien, Danielle et Élise Chartrand (2005). « Recension des études utilisant un échantillon représentatif de population sur la santé des personnes gaies, lesbiennes et bisexuelles », *Psychologie canadienne/Canadian Psychology*, vol. 46, nº 4, p. 235-250.

Julien, Jacqueline (1997). « Prothèse du sein après un cancer : une injonction. Pour qui ? Pour quoi ? », *Nouvelles questions féministes*, vol. 18, nº 3-4, p. 117-127. Texte relu par l'auteure en 2008, jacqueline.julien@wanadoo.fr.

Kavanaugh-Lynch, Marion H. E., Emily White, Janet R. Daling et Deborah J. Bowen (2002). « Correlates of Lesbian Sexual Orientation and the Risk of Breast Cancer », *Journal of the Gay and Lesbian Medical Association*, vol. 6, nº 3-4, p. 1991-1995.

Kimmel, Douglas, Tara Rose, Nancy Orel et Beverly Greene (2006). « Historical Context for Research on Lesbian, Gay, Bisexual, and Transgender Aging », dans Douglas Kimmel, Tara Rose et Steven David (dir.), *Lesbian, Gay, Bisexual, and Transgender Aging : Research and Clinical Perspectives*, New York, Columbia University Press, p. 1-19.

Koh, Audrey et Leslie K. Ross (2006). « Mental Health Issues : A Comparison of Lesbian, Bisexual and Heterosexual Women », *Journal of Homosexuality*, vol. 51, nº 1, p. 33-57.

Orel, Nancy (2006a). « Lesbian and Bisexual Women as Grandparents : The Centrality of Sexual Orientation in the Grandparent-Grandchild Relationship », dans Douglas Kimmel, Tara Rose et Steven David (dir.), *Lesbian, Gay, Bisexual, and Transgender Aging : Research and Clinical Perspectives*, New York, Columbia University Press, p. 175-194.

Orel, Nancy (2006b). « Community Needs Assessment : Documenting the Need for Affirmative Services for LGB Older Adults », dans Douglas Kimmel, Tara Rose et Steven David (dir.), *Lesbian, Gay, Bisexual, and Transgender Aging : Research and Clinical Perspectives*, New York, Columbia University Press, p. 227-246.

Réseau québécois d'action pour la santé des femmes (RQASF) (2003). *Pour le dire... Rendre les services sociaux et les services de santé accessibles aux lesbiennes*, Montréal, rapport de recherche rédigé par Isabelle Mimeault.

Richard, Colleen Anne et Alison Hamilton Brown (2006). « Configurations of Informal Social Support Among Older Lesbians », *Journal of Women and Aging*, vol. 18, nº 4, p. 49-65.

Ryan, Bill, Shari Brotman et Bill Rowe (2000). *Access to Care : Exploring the Health and Well-Being of Gay, Lesbian, Bisexual and Two-Spirit People in Canada*, Montréal, McGill Centre for Applied Family Studies.

Schope, Robert D. (2005). « Who's Afraid of Growing Old ? Gay and Lesbian Perceptions of Aging », *Journal of Gerontological Social Work*, vol. 45, nº 4, p. 23-39.

Tjepkema, Michael (2008). « Utilisation des services de santé par les gais, les lesbiennes, les bisexuels au Canada », *Rapports sur la santé*, vol. 19, nº 1, p. 56-70.

Veilleux, Denise (1998). *Vieillir en marge, les réseaux informels et formels des lesbiennes âgées*, Ottawa, mémoire de maîtrise (sociologie), Université d'Ottawa.

Washington, Thomas A. et June P. Murray (2005). « Breast Cancer Prevention Strategies for Aged Black Lesbian Women », *Journal of Gay and Lesbian Social Services*, vol. 18, nº 1, p. 89-96.

Weinstock, Jacqueline S. (2004). « Lesbian Friendship at and Beyond Midlife : Patterns and Possibilities for the 21st Century », dans Gilbert Herdt et Brian de Vries (dir.), *Gay and Lesbian Aging : Research and Future Directions*, New York, Springer, p. 177-209.

Whalen, Dorothy M., Jerry J. Bigner et Clifton E. Barber (2000). « The Grand-Mother Role as Experienced by Lesbian Women », *Journal of Women and Aging*, vol. 12, nº 3-4, p. 39-57.

DEUXIÈME PARTIE

LE RAPPORT AUX AUTRES, À LA SOCIÉTÉ, AUX INSTITUTIONS

Des générations de femmes aux multiples engagements : du quotidien à la longue durée

Simone Pennec

Tel le mouvement des vagues, les mouvements sociaux sont d'autant plus visibles qu'ils surviennent en vagues déferlantes et bien moins remarqués lorsqu'ils sont inlassablement renouvelés, tel le clapotis de la mer. Ainsi, les engagements des femmes gagnent en visibilité lorsqu'ils font irruption sur la place publique au travers de marches, d'occupations de sites et de résistances collectives. Ces actions gagnent aussi en notoriété lorsque leurs pas épousent ceux tracés par les organisations de la participation sociale et citoyenne : associations, syndicats, partis, etc. Parmi les autres indicateurs de militances au féminin, leur avènement sur la scène politique et la progression du nombre des mandats électifs sont fréquemment mis en avant. Dans la présente contribution, la perspective adoptée prend en considération la polyvalence et la variation des formes des engagements des femmes sur l'ensemble des parcours de vie. Pour rendre compte de l'étendue de ces engagements entre investissements au quotidien, responsabilité de longue durée et mobilisations ponctuelles, il est fait référence à plusieurs enquêtes à partir desquelles est réalisée une lecture secondaire consacrée au sujet retenu ici. L'analyse proposée s'appuie sur plusieurs recherches menées auprès d'individus de plusieurs générations dont une majorité âgée de plus de 50 ans. Cette population est composée principalement de femmes, en particulier lorsque les études concernent le soin envers les personnes au grand âge. Le propos consiste dans une lecture transversale de ce qui fonde les mobilisations de femmes, les mettant aux prises avec les événements ordinaires et avec les événements rupteurs de la vie, dans les sphères privées et publiques, en les confrontant avec les moments de l'histoire collective.

Le questionnement est centré sur une problématique double : l'articulation des activités des femmes entre des engagements pluriels et les temporalités de ces engagements selon l'avance en âge et la dynamique des réseaux relationnels. Les contextes et les objets de recherche sont succinctement présentés pour rendre compte des rapprochements opérés entre des matériaux relevant de plusieurs études qui sont interrogés suivant la problématique du parcours de vie, expérimenté et projeté. La diversité et la complexité des engagements mis en lumière montrent comment ils prennent forme au travers de processus d'ajustements qui sont construits pour faire face aux contraintes, individuelles et collectives, et propres aux cycles de vie. Après la présentation des terrains de recherche, les réflexions sont centrées dans un premier temps sur différentes positions générationnelles. La focalisation sur trois moments dans les parcours de vie cherche à rendre compte de l'imbrication des engagements publics et privés de manière précoce et continue, dont les formes diversifiées sont sensibles aux milieux sociaux d'appartenance. Le point suivant est consacré aux engagements étudiés cette fois principalement sur le plan intragénérationnel. Fréquemment centrés sur les activités de soutien à autrui dans l'entourage, ces engagements de proximité constituent pour les femmes le lieu de préoccupations constantes et de pratiques au quotidien, l'exercice au sein d'une même génération s'ajoutant aux activités à l'égard des autres générations, descendantes et ascendantes. Mais, tout en s'inscrivant au quotidien et dans la proximité, les causes des femmes sont loin de s'y limiter. Les luttes sociales sont, elles aussi, portées par les femmes. Ces pratiques, ces responsabilités et ces luttes impliquent de tenir ensemble l'analyse des engagements féminins, au quotidien et sur la longue durée, pour mieux rendre compte de la manière dont s'imbriquent affaires publiques et privées.

Les recherches mobilisées et la relecture centrée sur les engagements des femmes

Les pratiques des femmes en matière d'engagement ont été appréhendées dans le cadre de différentes études portant sur plusieurs périodes dans le cycle de vie. L'objet de ces recherches a concerné, d'une part, les diverses transitions vécues et/ou projetées dans les parcours de vie, et, d'autre part, les rôles tenus envers autrui et les activités réalisées dans les divers réseaux de fréquentation. Les enquêtes menées auprès d'une population majoritairement composée de femmes mettent en scène les projets souhaités pour l'avenir par l'ensemble des personnes rencontrées et, plus particulièrement, lorsqu'il s'agit de personnes en formation, initiale ou continue, et de personnes dans les temps de cessation d'activité professionnelle[1]. Pour l'ensemble des populations d'enquête, ce sont aussi les contraintes et les choix, réalisés précédemment, ceux du moment présent et ceux anticipés pour l'avenir, qui sont mis en question. L'ensemble des personnes enquêtées, malgré les écarts entre les âges en présence, formulent des prospectives en matière d'avenir, individuel et collectif, et portent des regards rétrospectifs sur les trajectoires parcourues. L'enchevêtrement des déterminations des espaces du public, du privé et de l'intime se décline diversement selon les moments des calendriers, les événements rencontrés et suivant les identités narratives mises en avant par les individus.

Objets des études et problématiques de recherche

Chacune des enquêtes mobilisées porte sur un objet spécifique, néanmoins, une problématique d'ensemble traverse ces études et porte sur une double perspective : les représentations de l'avance en âge et de l'avenir, le sien et celui de ses proches, d'une part, et sur les formes et espaces des engagements des individus, d'autre part. Les sujets de recherche, dont les résultats sont réinvestis pour l'analyse des engagements des femmes sur le parcours de vie, ont porté sur trois axes majeurs. Un premier axe concerne l'articulation entre vie professionnelle et familiale étudiée par le biais de deux séries d'études : l'analyse des parcours professionnels et des processus du vieillir dans les transitions de vie au travail et à la retraite ; les projets de carrière professionnelle et les modes de conciliation envisagés avec la vie personnelle et familiale. Le deuxième axe est consacré aux configurations relationnelles au sein de la parenté et des réseaux d'entourage. Il regroupe les études suivantes : les dynamiques familiales concernant les pratiques de retraite conjugale, celles de grand-parentalité et celles de la filiation envers les ascendants ; les réseaux relationnels de voisinage, d'amitié et en famille : l'évolution des entourages au cours du vieillissement. Un troisième axe concerne les situations de maladies et de handicaps du cours de la vie. Les études ont été centrées

1. Les recherches mobilisées sont présentées en annexe 1.

sur : les carrières de malades âgés *versus* les carrières de soignants profanes ; les transformations de l'habitat en situation de handicaps et les dynamiques de territoires. Le relevé suivant rend compte des populations d'enquête, des méthodes et des thématiques centrales propres à chaque recherche mobilisée dans l'analyse proposée.

Une relecture centrée sur les représentations et les pratiques d'engagements

À partir de la relecture des résultats des enquêtes réalisées, la perspective transversale retenue prend en considération la pluralité des formes des engagements de femmes et leurs spécificités qui sont définies et délimitées suivant les circonstances temporelles des événements qui les concernent elles-mêmes et leur entourage. L'articulation des différentes temporalités et des nombreuses activités dont les femmes assument la responsabilité, au quotidien et sur la longue durée, implique dans le même mouvement leur propre parcours générationnel et les parcours des autres générations, aînées ou plus jeunes. L'analyse secondaire des matériaux et des résultats des recherches permet de mettre en lumière les effets de périodes pour différentes générations contemporaines. Si, pour les plus âgées, l'étude des parcours de vie rend compte de l'ajustement des divers engagements, pour tous les groupes d'âge, l'enchâssement des investissements montre l'interpénétration des plans privés et publics. Pour les individus au mitan de leur vie ou plus âgés, les trajectoires vécues témoignent de formes et d'intensité d'engagements soumis à plusieurs champs de force : l'exigence des engagements de proximité dans des moments spécifiques du cycle de vie ; l'entrée par les réseaux relationnels dans les organisations sociales ; l'avènement d'évènements rupteurs donnant lieu à des luttes collectives plus ponctuelles.

L'analyse des parcours des engagements des différentes générations peut prendre plusieurs dimensions. L'approche synchronique permet de comparer diverses générations dans des temporalités similaires tandis que l'approche diachronique favorise le suivi d'une ou de plusieurs cohortes. Dans le questionnement présent, sont analysées les manières dont les femmes font part de leurs engagements, présents et à venir, et les formes données à l'organisation de différents rôles mis en jeu entre générations, au sein de leur propre génération et sur la scène collective comme sur la scène restreinte à la proximité. Engagements qui s'inscrivent dans des cadres temporels spécifiques à des moments du cycle de vie, que ceux-ci soient ordinaires et inscrits dans un cursus prévisible ou qu'ils fassent irruption de manière non anticipée.

Formes et contraintes des engagements de femmes de trois générations

Dans ce point, la présentation va distinguer les femmes à partir de différents groupes d'âge. La perspective n'en est pas pour autant comparative dans la mesure où les dispositifs des recherches mobilisées n'ont pas comporté un protocole similaire de collecte de données. Certains résultats permettent néanmoins de rapprocher quelques constats rassemblant ou différenciant les femmes au sein d'un même groupe générationnel et entre différentes générations. Les trois moments du parcours de vie mis en lumière sont ceux de jeunes en fin de formation (Guichard-Claudic et coll., 2002), de femmes en début ou mitan de leur carrière professionnelle et de femmes en fin de carrière ou début de retraite (Pennec et coll., 2000)[2]. Considérons la manière dont ces femmes de trois générations différentes, mais contemporaines, déclinent les articulations entre les objets et les univers de leurs engagements.

Des jeunes en quête d'entrée dans la fonction publique : des différences de préoccupations

Les jeunes rencontrés ont eu un parcours scolaire favorable (diplôme d'études supérieures de niveau Bac+5) et cherchent à terminer ces études par une préparation aux concours d'entrée dans la fonction publique. Ils font partie de la génération qui a eu 20 ans entre les années 1990 et 2000, qui rencontre des difficultés d'entrée dans l'activité professionnelle ou, tout au moins, un accroissement du temps entre sortie des études et accès à l'emploi. Cette situation distingue leurs parcours de ceux des générations qui ont eu 20 ans entre 1960 et 1970, et en cela des parcours de la plupart de leurs parents.

Interrogés sur leurs projets d'avenir, tant professionnel que personnel et familial, ces jeunes présentent des positions différentes malgré l'homogénéité des niveaux d'étude et des concours préparés. Arrêtons-nous sur les propos tenus par les jeunes femmes en particulier, sur les

2. Les groupes d'âge respectifs se situent entre 23 et 28 ans pour le premier groupe, entre 32 et 42 ans pour le deuxième groupe et entre 54 et 65 ans pour le dernier groupe.

perspectives d'emploi et de carrière qu'elles formulent, sur les types d'articulation entre leurs différents projets envisagés – travail, vie sociale, conjugalité, maternité – et sur les priorités et les valeurs mises en avant. Trois types de positionnements peuvent être distingués qui mettent en évidence comment les contraintes socio-économiques, principalement issues des milieux sociaux d'appartenance, contribuent à délimiter les horizons temporels et les ambitions des femmes. Des éléments similaires à ces déterminations seront retrouvés dans les trajectoires des femmes salariées présentées plus loin. Ces différences permettent aussi d'observer comment les formes des engagements varient selon les contraintes rencontrées et selon la manière dont est envisagé l'avenir, comme le montrent les trois positionnements repérés : un projet au long cours, un projet pour l'immédiat, un projet de compromis.

Une part de ces jeunes présente des projets d'avenir sur plusieurs plans et sur une perspective longue. Ils définissent des critères de qualité de vie à privilégier, qui laissent place à la vie personnelle et familiale comme à la vie sociale plus globalement, tout en formulant de fortes ambitions professionnelles. Partagée par les jeunes femmes et hommes, cette représentation comporte des souhaits d'engagement au service de diverses causes mais aussi des préoccupations centrées sur les loisirs. Cette propension à s'inscrire dans un avenir envisagé positivement, et ce, dans des univers pluriels est le fait d'un groupe particulier dont les origines sociales – cadres moyens et supérieurs – contribuent à leur aisance matérielle et à la mise à disposition d'un réseau relationnel favorable aux diverses formes d'insertion sociales et professionnelles. Ces jeunes participent le plus souvent à plusieurs formes d'organisations, informelles ou associatives, en particulier dans le milieu étudiant et plus largement.

À l'opposé, d'autres jeunes et majoritairement des femmes n'envisagent pas d'autres investissements que ceux focalisés sur l'avenir immédiat. La réalité vécue et le sentiment d'urgence exprimé, entre travail d'études et emplois précaires de subsistance, leur imposent la réussite aux concours et l'accès le plus rapide possible à l'emploi, même sous-qualifié. Leurs propos traduisent le refus de projections au long cours sur les différents registres de la vie, une insertion professionnelle plus assurée constituant le seuil à franchir avant même de pouvoir s'engager dans la vie, familiale et collective. L'accent mis sur cet immédiat et sur l'urgence de l'entrée dans un « emploi véritable » exclut tout ce qui pourrait faire diversion. Leurs familles d'origine sont moins aisées et contribuent à ce sentiment d'urgence, situation qui se traduit par des engagements moindres dans les réseaux associatifs.

Une position intermédiaire est présentée exclusivement par des jeunes femmes qui formulent des projets d'avenir de compromis. Dès la préparation aux concours d'entrée dans la fonction publique, elles précisent que leurs choix pour ce secteur d'activité tient en particulier aux possibilités offertes pour concilier vie de famille et vie professionnelle. Leurs souhaits de promotion par la suite et d'accès à des postes supérieurs sont dès à présent subordonnés aux enjeux conjugaux et elles considèrent ces « ambitions » comme des caractéristiques plutôt masculines. Ces jeunes femmes se placent, par avance, en position de compromis et de disponibilité professionnelle pour concilier la vie de famille et le travail de leur conjoint. Moins directement engagées dans le moment, elles envisagent des engagements potentiels qui s'inscrivent dans cette représentation du couple et de la famille en évoquant, par exemple, les activités associatives en direction des enfants.

Ces différences de positions à l'égard des engagements pris ou envisagés montrent principalement la force et les formes des contraintes sociales qui s'exercent aussi sur l'accès aux engagements, exercés dans la proximité ou de manière plus étendue. Contraintes qui imbriquent les déterminants socio-économiques et les déterminants des rapports sociaux de sexe, et ce, dès les premiers temps des carrières des individus. Les dimensions mises en lumière se retrouvent sous de nouvelles formes pour les femmes d'une autre génération, âgées en moyenne d'une vingtaine d'années de plus.

Des femmes en emploi et en formation continue : la contraction des engagements collectifs

Il s'agit de femmes salariées principalement dans le secteur de la santé et du travail social, inscrites dans des parcours de formation à l'université, qui ont été interrogées sur leurs premières expériences professionnelles, sociales et familiales ainsi que sur leurs projets dans ces différents domaines. Un autre pan de l'étude a concerné les rapports intergénérationnels au sein des entreprises et dans les réseaux fréquentés, associatifs, amicaux et familiaux. Ce qui distingue les femmes relève plus particulièrement des profils de carrière en matière de temps de travail, des différences de niveau de formation initiale et des emplois occupés. Une part des résultats de l'étude rejoint certains éléments de l'analyse précédente et montre comment la priorité donnée au travail de famille contribue à renforcer les engagements de proximité sur la longue durée. Deux groupes de femmes sont distingués pour rendre compte des contextes des retours en formation et des processus qui donnent forme aux engagements. Une part des femmes se place dans une dynamique promotionnelle et, pour ce faire, cherche à limiter certains engagements. D'autres femmes, qui ont donné priorité aux charges de famille, espèrent par la formation rattraper le cours du temps et des emplois.

Les femmes les plus diplômées – ici principalement des infirmières, des cadres de santé, des employées et des cadres du secteur tertiaire – inscrivent dans les formations un projet d'avancement professionnel. Cet objectif déclaré conduit la plus grande part d'entre elles à limiter les temps domestiques en les déléguant au sein de la parenté ou en les externalisant vers le secteur marchand, suivant les ressources économiques et relationnelles de la famille conjugale et de la famille élargie. C'est aussi l'état de ces ressources qui contribue à maintenir les engagements existant au-delà de la sphère familiale ou qui conduit à les réduire pour un temps ou de manière prolongée. Ces femmes exercent leur activité professionnelle généralement à temps plein et elles ont peu interrompu leur carrière sinon pour de courtes périodes. Les trajectoires rencontrées dans ces parcours correspondent à celles souhaitées par les jeunes femmes citées précédemment qui veulent conjuguer la qualité de la vie par l'articulation espérée de l'ensemble des champs du possible.

La position des femmes moins diplômées se distingue par les emplois occupés et par les temps de travail. Elles exercent principalement des fonctions d'aides soignantes, d'auxiliaires maternelles, d'aide à domicile. Elles ont assez fréquemment arrêté de travailler quelques années pour prendre soin de leurs enfants, leur travail a généralement été effectué à temps partiel et une partie d'entre elles sont confrontées à des difficultés de retour en emploi. Les carrières de ces femmes ont laissé la priorité au soin familial, parental et conjugal, et il faut souligner que leurs activités professionnelles s'exercent également dans les services à autrui. Ces pratiques impliquent une forte proximité, celle de la quotidienneté et celle des soins d'entretien du corps, conduisant une part des employées à engager un travail relationnel et de soutien qui dépasse fréquemment les temps impartis et rémunérés ainsi que les tâches codifiées[3]. Par la formation, elles espèrent réaliser un certain rattrapage de leur parcours de scolarité

3. Si ces éléments sont présents dans l'ensemble des professions de la santé et du social, les emplois plus qualifiés s'exercent pour partie dans une plus grande distance avec les individus en soin et, par ailleurs, les activités à temps plein connaissent des limitations plus strictes des temps travaillés.

et reconquérir une prise sur leur carrière professionnelle. Pour autant, le temps passé aux affaires familiales s'avère difficile à remonter sur le plan professionnel, peu favorable aux retours en emploi pour les personnes en milieu du calendrier d'activité professionnelle. Pour partie, leurs trajectoires correspondent aux perspectives tracées par les jeunes femmes conciliatrices. Leur parcours montre le prix à payer, dans le modèle sociétal actuel, pour la préférence donnée aux engagements de proximité dans la mesure où le soutien accordé à autrui, en temps et en activités du travail de famille, conduit à un recul des carrières professionnelles.

Pour ces personnes, la porosité entre sphère domestique familiale et sphère professionnelle est étendue et, de plus, les sollicitations familiales sont plus difficilement régulées par l'usage des services, marchands en particulier. Ainsi, à l'occasion des retours en formation, les charges de famille sont souvent réparties sur les apparentés, voire sur d'autres familiers. Ces situations relèvent des niveaux de revenus disponibles et des équipements mis à disposition dans le cadre des politiques publiques, l'insuffisance des uns et des autres accroissant les obligations des services au sein de la parenté et majoritairement par l'engagement des femmes. Mais ce processus contribue à enchaîner les engagements mutuels au sein des réseaux d'entraide et, en ce sens, renforce l'inscription des engagements dans la proximité au détriment des scènes publiques.

Ces situations rendent compte des degrés d'extension et des temporalités des engagements et montrent les contraintes socio-économiques qui contribuent à leur donner forme. Pour autant, à certains moments de l'histoire collective, la parole des engagées de la proximité se fait aussi entendre sur la place publique lors de mouvements sociaux propres à leurs métiers, à leurs soins – domestiques et professionnels – et à leurs territoires d'appartenance, comme nous l'analysons plus loin.

L'évolution des engagements lors des transitions de retraite

L'exploration des positions générationnelles peut être poursuivie par l'analyse de l'évolution des engagements des femmes en toute fin de carrière ou en début de retraite. Si les effets des déterminations précédemment mises en évidence (scolarité, milieu social, travail de famille) se prolongent dans la vie à la retraite, les transitions biographiques peuvent constituer des occasions de transformations des types d'investissements et des lieux de leur exercice. Le retrait de l'activité professionnelle peut conduire à de nouvelles formes de présence dans la vie collective par le biais de diverses participations associatives. L'avènement des « seniors » sur la scène publique a ainsi pu être associé à la baisse du nombre de militants, l'importance numérique prise par les retraités dans la vie associative étant mise en comparaison avec l'affaiblissement du nombre des militants affiliés aux syndicats et aux mouvements politiques. Concernant plus précisément les femmes, si leur présence associative est manifeste, certaines distinctions perdurent par rapport aux hommes et entre les femmes elles-mêmes. Par ailleurs, les configurations des engagements des femmes deviennent souvent plus complexes sous l'effet de l'accroissement des sollicitations familiales plurigénérationnelles et de l'entourage élargi. Ces demandes se placent en concurrence avec les désirs de loisirs accrus et avec les souhaits d'engagements plus collectifs. Un premier aperçu de ces diverses sphères d'intérêts et d'investissements envisagés pour les temps de retraite permet de délimiter le périmètre des activités et des jeux d'acteurs en présence.

Les transitions biographiques de retraite sont, pour les femmes, soit directement produites par leur propre cessation d'activité professionnelle, soit par celle de leur conjoint, ou encore par les deux situations, les calendriers de ces événements pouvant comporter des décalages. Les interactions conjugales influencent une nouvelle fois les sphères d'investissement des femmes et en particulier les lieux d'expression de leurs activités. Les enquêtes menées auprès de femmes de ces générations[4] montrent comment elles manifestent le souhait d'expérimenter d'autres univers que ceux précédemment explorés par le travail, professionnel ou/et familial. Leurs projets de retraite manifestent un fort désir de découvertes, de pratiques nouvelles, et d'engagements collectifs en vue de causes auxquelles elles adhèrent et auxquelles elles n'ont pu consacrer de temps auparavant. L'objectif formulé est aussi celui de sortir de chez soi et de se réaliser au travers d'activités centrées sur soi mais aussi sur autrui. Reste à souligner que nombre de leurs participations, les activités de loisirs mises à part, s'ordonnent autour de préoccupations altruistes[5] dont les

4. Les femmes rencontrées dans les années 1995 et 2005 ont entre 50 et 70 ans pour la majorité d'entre elles.

5. Selon un sondage réalisé par la Sofres en 2007, « *les trois premières causes pour lesquelles les femmes déclarent vouloir s'engager ou être prêtes à s'engager* » sont « *la lutte contre l'enfance maltraitée, l'école et la qualité de l'enseignement, et l'emploi* ». L'orientation éminemment sociale du souci d'autrui est patente ; elle traduit aussi la continuité des rôles, maternels et grand-maternels, et les préoccupations d'emploi propres à une période historique donnée.

formes se situent entre engagement dans la proximité et engagement dans la cité.

Si les femmes de cette génération manifestent cette volonté d'exister hors de la sphère familiale, les services d'entraide intergénérationnelle continuent d'exercer sur elles une force de rappel vers les fonctions domestiques et de soin. En position d'intermédiaire entre ascendants et descendants, nombre de femmes de ces générations sont conduites à assurer de nouvelles charges de famille au moment où elles pensaient en être pour partie dégagées et par rapport auxquelles elles espéraient un partage conjugal accru. Du côté des descendants, les rôles grand-parentaux peuvent se renforcer au-delà des temps envisagés, souvent du fait de difficultés éprouvées par les enfants. Quant aux ascendants, la prédominance de la part des familles, et particulièrement des femmes, est connue en matière de soutien à l'égard des parents en situation de handicap. Enfin, les conjointes semblent parfois restreindre leurs investissements hors famille pour répondre au duo conjugal souhaité par leur conjoint. Dans d'autres cas, l'accompagnement conjugal s'avère nécessaire au maintien des conditions de vie à domicile. L'engagement des femmes dans ces activités de proximité les conduit alors à devoir restreindre tout ou partie de leurs disponibilités par ailleurs.

Pour ce groupe d'âge, les situations des femmes apparaissent fortement diversifiées, selon les distinctions sociales similaires à celles présentes chez les jeunes et les femmes d'âge moyen, et en fonction de la complexité des configurations familiales étendues. Les femmes ayant mené une carrière professionnelle plus complète et plus qualifiée sont aussi celles qui font appel plus fréquemment aux services en dehors de la famille, y compris pour venir en aide à leurs enfants et à leurs ascendants. Ces possibilités socio-économiques leur permettent une plus grande sélectivité au sein de leurs engagements présents, contrairement aux femmes ayant donné priorité à la carrière familiale et dont la faiblesse ou la modestie des revenus les conduit à assurer une part importante du travail dans la parenté. Néanmoins, pour toutes les femmes, compte tenu des secteurs d'activité, professionnels et bénévoles, au sein desquels elles interviennent majoritairement, les normes du soutien à autrui tendent à renforcer la priorité de leurs engagements familiaux (conjugal, maternel, grand-maternel et filial) et de ceux réalisés envers l'entourage amical et du voisinage.

À ce moment du parcours de vie, l'entrée dans un temps projeté de loisirs et d'engagements collectifs peut ainsi se traduire par un réengagement étendu dans les services de la parenté et selon une diversité de configurations due à la composition des familles, des entourages et des situations propres aux différents membres. Les dynamiques intergénérationnelles et intragénérationnelles déterminent l'imbrication des engagements attendus de la part des femmes et des engagements qu'elles souhaitent ou souhaiteraient privilégier.

Les engagements pluriels des générations intermédiaires : combinatoire du proche et du collectif

Les cadres sociaux et temporels des engagements des femmes ont été tracés précédemment en montrant comment la trame des contraintes socio-économiques et des modèles familiaux donne forme aux engagements tenus et délimite leur sphère d'action prioritaire. Les trois groupes d'âge considérés montrent comment la diversification s'enclenche en amont de la vie adulte pour se poursuivre au long cours. Ces générations intermédiaires ont été évoquées au titre de la complexification possible de leurs engagements de proximité devenus plurigénérationnels et des désirs d'engagements plus collectifs, hors la sphère domestique en particulier. Dans le point suivant, la focale est centrée sur ces deux champs pour rendre compte des dimensions collectives des engagements de proximité, et de l'intrication des pratiques relevant des deux sphères, privée et publique, généralement considérées indépendamment et parfois opposées.

La responsabilité du soin de proximité

L'avance en âge renforce les engagements féminins de proximité par l'extension du nombre des proches, dans la famille et dans les entourages, et plus spécifiquement les rôles des générations intermédiaires, dont les fonctions de « pivot » intergénérationnel ont été précisément documentées. Au cœur du double circuit des échanges entre descendants et ascendants, analysé par Claudine Attias-Donfut (1997), ces générations sont également sollicitées par le soutien conjugal et par les réseaux d'entraide dans la germanité. Au sein des fratries et sororeries, les femmes interviennent aussi pour le soutien envers les membres les plus vulnérables et ceux qui nécessitent des soins de divers ordres. Au-delà des services intergénérationnels dans la parenté qui peuvent convoquer simultanément leurs rôles de mère, de grand-mère, de fille et, parfois, de petite-fille, de nièce, etc., d'autres engagements sont investis au niveau intragénérationnel. Ces engagements mobilisent des rôles dans la parenté, ceux de sœur à côté de ceux de conjointe, ainsi que des rôles sociétaux plus étendus au sein des réseaux de fréquentation sous plusieurs formes de bénévolat.

Des rôles au sein de leur entourage générationnel

Les situations d'accompagnement simultané auprès de plusieurs apparentés ont été considérées au cours des recherches consacrées aux rôles de grands-mères (Le Borgne-Uguen, 2001), d'enfants en soutien envers leurs ascendants (Pennec, 2005), et de parents dont les enfants ou/et les ascendants relèvent de mesures de protection de justice (Le Borgne-Uguen et Pennec, 2005). L'étude des configurations familiales, bien que privilégiant fréquemment l'observation des dynamiques intergénérationnelles, peut contribuer à éclairer d'autres engagements, dont le soutien entre conjoints et les soins assurés par les femmes dont les compagnons sont généralement plus âgés. L'une des dimensions intragénérationnelles peu exploitée dans les résultats d'enquête concerne le travail réalisé par les femmes en direction de leurs sœurs ou de leurs frères. Cet aspect est retenu ici du fait du nombre conséquent des cas de ce type rencontrés lors de nos enquêtes. Au-delà des collatéraux et des membres de la famille, l'engagement en direction des entourages d'une même génération s'étend aux réseaux d'amitié et au voisinage, activités à prendre en considération du fait de la progression de la vie en solo des femmes âgées (Pennec, 2004). Ces situations permettent de rendre compte de l'étendue des pratiques, de la polyvalence du travail de santé et de socialisation des femmes, et des exigences induites en matière d'articulation des enjeux et des priorités à accorder aux activités comme aux individus qui leur sont proches. Pour rendre compte de tels engagements au sein de leur propre génération, nous avons choisi de présenter une cohorte particulière conjuguée au féminin, et d'évoquer rapidement les contours d'un travail de santé sororal.

Le parcours des individus nés en 1894

Le choix de cette cohorte est emprunté à Louis Chauvel (2001), qui la présente dans les termes suivants :

> *Considérons les hommes nés en 1894 ; ils eurent vingt ans en 1914 ; un quart d'entre eux disparut dans les tranchées et un autre a subi des blessures aux séquelles définitives ; à quarante ans, ils vécurent dans la crise des années 30, et ils ont cinquante ans en 1944 ; la moitié à peine atteint l'âge de 65 ans, sans retraite véritable...*

Déclinée au masculin par l'auteur, nous pouvons aussi en tracer le parcours au féminin et mieux comprendre combien certaines générations de femmes ont vécu des veuvages précoces et de lourdes charges de famille. D'autres sont entrées dans des carrières d'accompagnement, d'une durée plus ou moins longue, de leurs conjoints marqués par la guerre. Pour d'autres encore, ce fut l'accompagnement de leurs enfants, de leurs frères ou sœurs frappés de handicaps et de diverses séquelles. Ces cadres historiques conduisent à resituer les engagements dans le soin et le soutien des proches assurés par les femmes, et à prendre quelque distance avec l'analyse de ces pratiques en termes de choix ou de modèles familialistes de la conception de l'entraide dans la parenté. De tels suivis de cohortes permettraient une meilleure connaissance des engagements des femmes au cours de l'histoire. Outre les veuves de guerre, peuvent être évoquées les situations d'autres veuves (femmes de marins, de mineurs, etc.) et les carrières soignantes d'autres femmes auprès de conjoints atteints de graves maladies professionnelles.

Les contours d'un travail de santé sororal

Dans ces situations, les femmes se trouvent confrontées aux besoins d'une sœur ou d'un frère, du fait de la maladie ou du grand âge. Ces frères ou sœurs sont généralement célibataires, vivant seuls ou parfois en cohabitation avec un ascendant, la mère le plus fréquemment. C'est le cas principalement des femmes de la génération pivot, déjà investies pour nombre d'entre elles dans les activités intergénérationnelles de plusieurs ordres et parfois aussi dans le soutien de leur conjoint. Pour certaines d'entre elles, l'entrée dans le soutien de la sororerie/fratrie a eu lieu dès le début de l'âge adulte, et parfois plus tôt encore, du fait des handicaps ou de la vulnérabilité présents dès l'enfance de l'un des frères ou sœurs. Les filles ont alors participé au travail familial de leur mère, veuve parfois, avant d'assurer son relais au moment de sa vieillesse ou de son décès. Comme pour l'ensemble des services au sein de la parenté, les hommes font également œuvre d'engagement, principalement à titre de père, de conjoint et de fils. Mais leurs rôles semblent peu étendus dans la germanité, en particulier en ce qui a trait aux situations de soutien et d'accompagnement. Pourtant, pour ce qui concerne les questions de gestion et de défense des droits de leurs descendants et de leurs ascendants, les hommes font jeu égal avec les femmes. Dans nos populations d'enquête, aucun homme n'assure le soutien d'un membre de sa fratrie, excepté l'exercice des mesures de protection juridique. Pour les femmes, leur engagement auprès des sœurs et/ou des frères est rarement limité aux affaires de droits et de biens. Elles manifestent des préoccupations en matière de santé et expriment le souci de veiller au maintien des habitudes et des choix du parent concerné.

Dans ces situations, les engagements auprès des proches sont souvent considérés comme des obligations, affectives et juridiques, et, à ce titre, ils ne paraissent pas comptabilisés en tant qu'engagements collectifs. Ces pratiques manifestent cependant la sollicitude dont font preuve les sœurs qui soutiennent leurs proches et les négociations qu'elles doivent mener à plusieurs niveaux : avec les autres parents, avec les professionnels et avec les acteurs institutionnels. Services dans la parenté que construisent les politiques publiques en assignant ces rôles aux femmes suivant des modalités différenciées selon leurs ressources socio-économiques.

Responsabilités collectives et luttes sociales : la place des femmes

Les engagements des femmes sont plus fortement marqués que ceux des hommes par la porosité entre les univers considérés collectivement comme privés ou publics. La recherche de proximité avec la cause, pour les femmes mais aussi pour les jeunes et pour d'autres groupes, caractérise aussi les formes de participations collectives, depuis l'adhésion aux associations jusqu'à la présence active dans des luttes et mouvements sociaux. Sur ce terrain aussi, la faible visibilité des engagements des femmes peut se trouver prolongée, en particulier dans la répartition des rôles et dans les types de pouvoirs qui y sont détenus. Pour considérer les scènes publiques, deux espaces sont évoqués : les associations, les luttes et mouvements sociaux.

Les engagements associatifs : une scène publique pour des enjeux de proximité

Le développement des associations, impulsé par les incitations publiques pour ce qui concerne les retraités, en particulier dans les années 1970-1980 en France (*Gérontologie et société*, 1983), a conduit à l'accroissement des adhésions de la part des femmes. Les études consacrées à ces organisations ont tantôt montré que les femmes constituaient la masse adhérente, et parfois la main-d'œuvre bénévole dominante, mais qu'elles accédaient peu aux postes de dirigeantes. Plus récemment, l'accent a été mis sur les contours du rapprochement des situations féminine et masculine, y compris dans certaines fonctions de responsabilités associatives, tout en montrant des situations très hétérogènes et des mouvements parfois paradoxaux dans les prises de direction (Tabariès et Tchernonog, 2005). Si l'on considère les objectifs des associations et le type d'actions menées, la reproduction des répartitions sexuées des rôles sociaux reste prégnante. Comme pour les activités réalisées de manière informelle dans les univers familiaux et dans les entourages élargis, voisinage et quartier en particulier, nombre d'activités associatives soulignent la présence majoritaire des femmes dans le bénévolat en direction d'autrui.

Cette situation est ancienne et caractérise les générations de femmes responsables du travail de famille tandis qu'il revenait aux hommes d'en assurer la pourvoyance par l'activité professionnelle, sans oublier les activités de travail d'appoint des femmes. C'est dans ces contextes qu'ont été créées les associations de femmes – à côté des organisations syndicales dirigées par les hommes – et promues les actions sociales réalisées par la mise en place d'associations d'aide aux familles. Ces activités ont donné lieu au développement des « associations de familles » chargées de services de soutien aux mères, aux malades et aux démunis. L'extension des « services de proximité » et la professionnalisation de ce secteur d'activité conduisent aujourd'hui au remplacement rapide des bénévoles en exercice par des personnels d'encadrement.

Peut-on alors considérer que la fin des bénévoles ainsi programmée succède à celle annoncée des militants et à la limitation de ce type d'engagements féminins ? L'étude des actions qui ont émergé et pris de l'importance au cours de la dernière décennie, ou plus précocement selon les territoires, conduit à des observations plus diversifiées. En premier lieu, l'insuffisance des prestations professionnelles des services aux personnes est régulièrement évoquée tant sur le plan des activités proposées que sur celui des attributions horaires et au niveau des qualifications et ratios de personnels (Cour des comptes, 2005 et 2009). Dans ces conditions, les engagements des proches, informels et associatifs, se prolongent et se diversifient. Compte tenu des rôles de genre, dans la parenté comme dans les activités professionnelles dominantes, redoublés par les engagements associatifs et les responsabilités politiques, ce sont encore des femmes qui mettent sur pied et développent différents réseaux, et ce, toujours dans le champ du social et du soin d'autrui. Peuvent être citées à titre d'exemple, les associations de soins palliatifs, de soutien aux personnes souffrant de la maladie d'Alzheimer, ou encore, les associations centrées sur les actions de voisinage, les modes de vie en collectif, les droits des femmes âgées, des personnes vulnérables et, plus globalement, les conditions d'accès à la citoyenneté (Charpentier et Quéniart, 2007)[6].

De fait, les actions sociales et de soin comme les liens de sociabilité reposent principalement sur les femmes, au travers d'organisations formelles et, plus souvent encore, par une organisation dite informelle, fortement régulée par la gestion du temps à répartir entre une grande diversité d'activités complexes et à exercer simultanément à l'adresse de plusieurs générations. Nous avons vu plus haut comment ces activités et leur répartition inégale, sexuée et sociale, dépendent des configurations spécifiques aux structures de la parenté, aux moments de vie ainsi qu'aux situations socio-économiques des apparentés. Cet ensemble d'éléments est à référer également aux effets de périodes, celles parcourues et celle du moment présent. Assignées aux rôles de proximité et fortement mobilisées à ce titre, les femmes délaissent-elles pour autant les autres scènes publiques associées aux mouvements sociaux et aux luttes ?

Les femmes dans les luttes sociales : entre visibilité et invisibilité

Tout au long des entretiens collectés, les récits des femmes, tout particulièrement les propos des femmes âgées de plus de cinquante ans et, plus encore, ceux des vieilles femmes associent systématiquement vie publique et vie privée. Ces récits liés mettent en avant leurs propres rôles mais aussi les activités de leurs conjoints et de leurs enfants. Généralement, ces femmes se présentent comme partie prenante des engagements menés par leurs conjoints, le plus souvent sur le mode de la complémentarité. Les femmes de militants laissent entendre aussi les difficultés rencontrées dans l'ajustement des temps, l'engagement militant réduisant la participation domestique du mari, et dans le partage des idées concernant les formes de lutte. La participation des femmes dans les mouvements sociaux n'est pas toujours médiée par les hommes, en particulier lorsqu'elles sont majoritaires dans les entreprises, comme en témoignent les luttes des ouvrières des conserveries dans la région d'enquête, la Bretagne. Néanmoins, l'influence des modèles masculins reste dominante au travers

---

6. Parmi les nombreuses publications sur le sujet, on pourra se référer aux suivantes : Actes du colloque international *L'âge et le pouvoir en question. Intégration et exclusion des personnes âgées dans les décisions publiques et privées*, CD-ROM et site www.reiactis.org, AFS, RT 7 et AISLF, CR 6, GEPECS, Université Paris 5 ; *Cahiers de recherche sociologique* (2002), « Femmes et engagement », n° 37.

de la référence à l'organisation syndicale, y compris dans les organisations des « femmes au foyer » comme l'analysent précisément Damien Bucco et Dominique Loiseau (2007). Pour ces auteurs, cette *« hiérarchie militante sexuée »* entraîne les *« difficultés des "femmes de" dont le manque d'autonomie et de reconnaissance sociale est ainsi mis en évidence. [...] Lorsque le conjoint syndiqué est salarié actif, l'appartenance symbolique, vécue au niveau du foyer, peine donc à s'exercer publiquement, ou du moins pas aussi pleinement que certaines le souhaitent »*.

Ces femmes restent des militantes d'à côté et l'on peut considérer que l'invisibilité et la non-reconnaissance des engagements féminins concernent aussi la sphère publique où leur militantisme partagé reste dans l'ombre des hommes. Présentes dans les luttes, les manifestations, le soutien au quotidien, les femmes restent à l'arrière-scène dans l'accès à la parole, aux décisions, et leurs actions spécifiques sont recouvertes du voile des activités de « la famille ». L'ouvrage consacré par Dominique Loiseau (1996) au sujet « femmes et militantismes » est riche d'exemples montrant les rôles majeurs tenus par les femmes dans plusieurs conflits malgré la limitation de leurs pouvoirs d'agir.

Les engagements sur la place publique sortent de la pénombre dans certaines circonstances et marquent des formes de luttes pour partie spécifiques aux femmes. Évoquons leur participation dans les luttes menées contre les maladies de l'amiante, en particulier les actions menées par les « veuves de l'amiante ». Leurs luttes sont caractéristiques de leurs préoccupations en matière de santé et de la qualité de la vie (Pennec, 2007) et manifestent ainsi les valeurs prioritaires à leurs yeux. On peut aussi y voir une prise d'indépendance, même partielle, à l'égard des modèles masculins et leurs capacités à faire valoir leurs propres objets, critères et modes d'engagement. D'autres situations ont constitué des occasions d'actions remarquables dues à quelques femmes, à des groupes particuliers et parfois à des communautés élargies au territoire. L'absence des hommes adultes, du fait de leurs métiers (marine d'État et marine marchande), a contribué à placer les femmes aux premières loges des mouvements et des batailles. Dans notre territoire d'enquête, ce fut le cas lors du projet d'implantation d'une centrale nucléaire. Le refus de la population locale d'un tel usage de son territoire va conduire au face-à-face entre « les forces de l'ordre » et « les femmes, leurs enfants et leurs vieillards ».

La mobilisation prend la forme d'une résistance massive au quotidien (800 gendarmes mobiles dans une commune de 2000 habitants) relevée conjointement par la presse écrite, les rapports de police et les documents audiovisuels[7]. Ce projet sera finalement retiré sans conditions. Vingt années plus tard, c'est sur ce territoire que l'usage de certaines prestations d'aide publique reste le plus faible, les habitants âgés déclarant vouloir se satisfaire de leurs seules ressources, au plan économique et au plan de l'entraide.

Les exemples de luttes publiques permettent de saisir une dimension supplémentaire des articulations nécessaires entre les engagements féminins, publics et privés, ponctuels ou de longue durée, quotidiens ou plus exceptionnels, transgénérationnels et intragénérationnels.

La dynamique des engagements des générations de femmes

Les résultats de ces recherches nous incitent à revisiter les études consacrées à l'engagement des femmes en tentant de dégager quelques lignes de force qui caractérisent les représentations et les pratiques dans ce domaine. Il s'agit en premier lieu du constat de leur présence massive dans des activités destinées au collectif, celui de la parenté et celui de l'entourage élargi. En outre, dans l'ensemble des générations enquêtées, les récits féminins sont marqués par l'expression de préoccupations et de responsabilités globales à l'égard d'autrui, et ce, bien au-delà de la sphère privée. Enfin, les pratiques des femmes rencontrées dans les contextes précédemment décrits manifestent une moindre inscription dans les formes d'action qui sont le plus souvent retenues comme les seuls indicateurs de la participation et de l'implication dans les luttes sociales. Les recherches consacrées aux questions de citoyenneté, du militantisme et de l'engagement, nous ont semblé faire peu référence aux pratiques ordinaires de participation à la vie de la cité, principalement celles inscrites à bas bruit dans les actions au quotidien. Exercés dans les diverses sphères de proximité – la parenté, l'entourage, le quartier, le travail, etc. –, ces modes d'engagement restent tenus pour informels, y compris dans les recherches, celles consacrées au bénévolat et celles qui interrogent la fin du militantisme et analysent l'avènement de la pluriparticipation associative.

Par ailleurs, les normes qui sont spontanément associées à l'esprit de famille contribuent, à leur tour, à invisibiliser voire à naturaliser les

7. Ces affrontements ont fait l'objet du film *Plogoff. Des pierres contre des fusils* (Le Garrec, 1980). Caractérisés par une résistance massive au quotidien, principalement de la part des femmes, les rassemblements vont s'étendre ensuite aux militants et aux sympathisants des causes antinucléaire et de défense de l'environnement.

engagements effectués au sein de la parenté, tout particulièrement ceux des femmes sur l'ensemble de leur parcours de vie. L'analyse des activités de la double journée de travail des femmes, ou des hommes, peine à montrer les dimensions politiques des engagements de proximité et leur enchevêtrement avec les actions des luttes et mouvements sociaux. Le politique, principalement décliné sous les traits de la citoyenneté, laisse souvent en retrait la responsabilité d'autrui, condition pourtant nécessaire à la citoyenneté des uns et des autres. L'ensemble de ces dimensions a contribué à tenir dans l'ombre les engagements de celles et ceux ayant acquis tardivement la totalité des droits du citoyen.

Pourtant, l'ampleur prise par certains mouvements de protestation issus de la mobilisation de groupes plus restreints, incite à prendre en considération les formes d'engagement de proximité pour repérer leurs transferts et extensions dans des espaces plus collectifs. Les causes de proximité semblent ainsi (re)prendre de l'importance, montrant que le souci du proche est politique. Les analyses proposées ici se sont centrées sur ces engagements pour accroître leur visibilité et contribuer à faire connaître leurs points communs avec les engagements plus collectifs. Néanmoins, il semble prudent de ne pas redoubler l'insuffisance de la reconnaissance publique des engagements de proximité, en laissant également dans l'ombre les engagements collectifs qui sont menés de concert par les femmes. Nombre de participations des femmes dans les actions collectives s'avèrent, elles aussi, peu visibles dans les mouvements, les luttes et au sein des organisations. C'est l'ensemble des engagements des femmes qui souffre du déficit de reconnaissance publique, comme si leurs pratiques recelaient un moindre degré de ce qui institue le politique.

La minoration des engagements collectifs assurés par les femmes est parfois considérée comme étant spécifique aux générations les plus âgées et à leur moindre insertion professionnelle ainsi qu'aux idéologies familialistes. Les évolutions potentiellement favorables dans ces domaines doivent être considérées en tenant compte de plusieurs éléments susceptibles de contribuer au maintien des charges de proximité. Nous pouvons en retenir quelques-uns : les formes de salariat, la longévité accrue et le familialisme des politiques publiques. Par comparaison avec la condition masculine, le salariat des femmes comporte toujours des temps partiels, des arrêts pour charges parentales et des salaires moindres, et ce, malgré des niveaux de scolarisation et des diplômes plus élevés. Quant à la longévité accrue de la population, elle met en présence aujourd'hui quatre et parfois cinq générations, accroissant les rôles pivots des femmes pour une plus longue durée et auprès de plus de parents. Pour l'ensemble des individus, les conditions socio-économiques contribuent à solliciter les rôles des membres dans la parenté, de manière plus ou moindre forte selon la rigueur des périodes vécues et selon les milieux sociaux. Or, les politiques publiques peuvent faire le choix d'une participation accrue des individus eux-mêmes et de leurs familles, contribuant ainsi à renforcer le travail de famille des femmes au plan intra et intergénérationnel.

Une synthèse analytique de la dynamique des engagements des femmes peut être proposée pour rendre compte des enchaînements entre public et privé et des pluri-engagements au cours des cycles de vie. En se référant aux recherches sociologiques consacrées à la production de santé familiale, Geneviève Cresson (1995) analyse le travail de soin profane parental. L'auteure distingue trois domaines d'exercice et trois types de ressources mises en œuvre, par les mères en particulier, ainsi qu'une fonction globale d'ajustement transversale aux domaines et aux ressources. L'emprunt de cette modélisation pour l'analyse des engagements conduit à retenir trois champs d'exercice : la parenté, l'entourage (quartier, ville), la société. À ces trois niveaux, les activités des femmes impliquent des engagements considérés comme relevant de la sphère privée, quand bien même ils mobilisent des scènes publiques. Et ces trois niveaux comportent également des engagements considérés comme relevant de la sphère publique, quand bien même ils prennent source dans les univers privés (associations de lutte contre les maladies dont souffre un parent, par exemple). Les ressources mises en acte font preuve de compétences sur les trois plans.

Au travail des émotions qui conduisent à agir, s'ajoutent les compétences pratiques cumulées au cours des diverses expériences ainsi que les connaissances acquises. Un travail supplémentaire d'ajustement s'avère nécessaire pour définir les objectifs et retenir les priorités dans les engagements exercés dans les divers espaces souvent simultanément, et pour les agencer tout au long du cycle de vie. Les ajustements permanents supposent des capacités de négociation des rôles pour délimiter la mise à disposition de soi dans la mobilisation pour autrui. Pour explorer les engagements des femmes, dans les activités professionnelles comme dans les activités profanes, il est également nécessaire de rendre compte des dimensions de servitude et de sollicitude intimement mêlées dans les actions envers les proches. Les trajectoires d'activités militantes et associatives comme celles des engagements informels évoluent selon les configurations familiales, suivant les contraintes socio-économiques qui affectent chacun de leurs membres et selon les diverses temporalités du cycle de vie. Néanmoins, les possibilités d'activités collectives tendent à se réduire au grand âge du fait de divers handicaps, et, si ces derniers ne portent pas atteinte aux désirs d'engagement, ils les rendent difficiles à mettre en œuvre au risque d'en effacer le projet. La citoyenneté des vieilles personnes, comme celle des personnes vulnérables, dans leurs différents droits et dans les différents registres de la vie en société, s'inscrit alors dans le travail du proche et dans le politique qui sont œuvre de femmes.

Bibliographie

Actes du colloque international *L'âge et le pouvoir en question. Intégration et exclusion des personnes âgées dans les décisions publiques et privées,* CD-ROM et site www.reiactis.org, AFS, RT 7 et AISLF, CR 6, GEPECS, Université Paris 5.

Attias-Donfut, Claudine (1997). « Les cycles d'échange entre trois générations », *Lien social et politiques,* n° 38, p. 113-122.

Bucco, Damien et Dominique Loiseau (2007). « La classe ouvrière et son épouse. Le syndicalisme et "ses" ménagères au moment de la retraite », dans Actes du colloque international *L'âge et le pouvoir en question. Intégration et exclusion des personnes âgées dans les décisions publiques et privées,* CD-ROM et site www.reiactis.org, AFS, RT 7 et AISLF, CR 6, GEPECS, Université Paris 5.

Cahiers de recherche sociologique (2002). « Femmes et engagement », n° 37, Montréal, UQAM.

Charpentier, Michèle et Anne Quéniart (dir.) (2007). *Vieillissement et citoyenneté,* Montréal, Presses de l'Université du Québec.

Chauvel, Louis (2001). « La responsabilité des générations », *Projet,* n° 266, p. 14-22.

Cour des comptes (2005). *Les personnes âgées dépendantes,* Paris, éd. des Journaux officiels, La Documentation française.

Cour des comptes (2009). « La politique en faveur des personnes âgées dépendantes », *Rapport public annuel 2009,* Paris, éd. des Journaux officiels, La Documentation française, p. 255-304.

Cresson, Geneviève (1995). *Le travail domestique de santé,* Paris, L'Harmattan.

Le Borgne-Uguen, Françoise (2001). « Parcours de grand-maternités. Entre engagements et retraits », dans François de Singly (dir.), *Être soi d'un âge à un autre. Familles et individualisation,* t. 2, Paris, L'Harmattan, p. 179-191.

Gérontologie et société (1983). « La vie associative et les plus de 50 ans », n° 26, Paris, FNG.

Le Borgne-Uguen, Françoise et Simone Pennec (2005). « L'exercice familial des mesures de protection juridique envers les parents âgés », *Revue française des affaires sociales,* n° 4, p. 55-80.

Le Garrec, Nicole (1980). *Plogoff. Des pierres contre des fusils,* Bretagne films, 2007, DVD, www.Bretagne-films.com.

Loiseau, Dominique (1996). *Femmes et militantismes,* Paris, L'Harmattan.

Pennec, Simone (2004). « Les solidarités de voisinage au féminin, des rôles entre proximité et distance », dans P. Pitaud (dir.), *Isolement et solitude des personnes âgées : l'environnement solidaire. Une perspective européenne,* Toulouse, Erès, p. 157-170.

Pennec, Simone (2005). « Le travail filial et la préservation des biens de famille », *Enfances, familles, générations,* n° 2, « La famille et l'argent », Québec, revue en ligne : http://www.erudit.org/revue/efg/2005/v/n2/010915ar.htm.

Pennec, Simone (2007). « Se battre contre la ruine de l'entreprise *versus* se ruiner la santé au travail : Des luttes sociales sexuées », dans Florence Douguet et Jorge Munoz (dir.), *Santé au travail et travail de santé,* Rennes, EHESP, p. 153-170.

Tabariès, Muriel et Viviane Tchernonog (2005). « Les femmes dans les associations. La non-mixité des bureaux, reflet de centres d'intérêt différents ou modalité d'accession aux responsabilités pour les femmes ? », *Revue internationale de l'économie sociale,* n° 297, p. 60-80.

TNS Sofres (2007). « Les causes d'engagement des femmes en 2007», *Actu études & Points de vue,* 21 mai, http://www.tns-sofres.com.

Annexe 1
Principales études mobilisées dans l'analyse des engagements

Douguet, F., en coll. avec S. Pennec (2002). *Solitude et isolement chez les personnes âgées de 75 ans et plus,* Brest, Sufcep-UBO, Coordination gérontologique Quimper.

Guichard-Claudic, Y., S. Pennec et L. Viry (2002). *Projets d'avenir et ambitions de carrière au masculin et au féminin. Le cas des étudiant-e-s inscrits à la préparation aux concours de catégorie A à l'IPAG de Brest,* DGAFP, Comité de pilotage pour l'égal accès des hommes et des femmes aux emplois supérieurs des fonctions publiques, Brest, ARS-Université de Bretagne occidentale.

Le Borgne-Uguen, F. et S. Pennec (2000). *L'adaptation de l'habitat chez des personnes (de plus de 60 ans) souffrant de maladies et de handicaps et vivant à domicile. Usages et interactions entre les personnes, les proches et les professionnels à travers les objets, les techniques et les aménagements,* Contrat MiRe et CNAV, Brest, ARS, Université de Bretagne occidentale, tomes 1 et 2.

Le Borgne-Uguen, F. et S. Pennec (dir.) (2004). *Les majeurs protégés et leur parenté. Frontières et articulations de l'échange familial,* Brest, ARS-Université de Bretagne occidentale, GIP Mission de recherche Droit et Justice-Union nationale des associations familiales. Synthèse en ligne : http://www.gip-recherche-justice.fr/recherches/syntheses.htm.

Pennec, S. (dir.), F. Le Borgne-Uguen, F. Douguet, Y. Guichard-Claudic et L. Ben Moussi (2000). *Construction sociale du parcours des âges à travers les temps de travail, de formation et de retraite,* vol. 1, *Formation, travail et passage à la retraite ;* vol. 2, *Hommes et femmes au travail, étapes et tournants de carrière ;* vol. 3, *Fin de carrière et passage à la retraite,* Programme CNRS Santé-Société, « Vieillissement individuel et sociétal », Brest, ARS, UBO.

Pennec, S. (dir.), F. Le Borgne-Uguen, en coll. avec Y. Guichard-Claudic (2002). *Ce que voisiner veut dire,* Brest, ARS, Université de Bretagne occidentale, Fondation de France.

Pennec, S. (dir.), en coll. avec F. Le Borgne-Uguen (2003). *Formes de voisinage et d'entourage en situation de handicaps*, Brest, ARS, Université de Bretagne occidentale, Fondation de France.

Pennec, S., en coll. avec F. Le Borgne-Uguen (2006). *Les fils dans le soutien envers les ascendants*, vol. 2, dans V. Caradec et S. Pennec et coll. (dir.), *Les réseaux d'aide aux personnes âgées dépendantes et leur dynamique*, Institut de la longévité et du vieillissement, Brest, ARS-UBO et Université Lille 3-GRACC.

Annexe 2
Populations d'enquête et méthodes

Les populations d'enquête

Les populations auprès desquelles nous avons collecté les données se situent pour la majorité d'entre elles au-delà du mitan de leur parcours de vie, soit dans le second temps de carrière ou en fin d'activité, soit en début de retraite ou dans le grand âge. Pour une plus faible partie des enquêtés, les transitions en jeu portent sur les perspectives d'entrée dans la vie active et dans la vie conjugale et familiale.

La recherche la plus étendue, en nombre d'individus rencontrés (450), a porté sur trois objets :

- les représentations des âges au travail et du processus du vieillir ;
- la gestion des capacités et des âges en entreprise ;
- les projets et activités formulés et/ou initiés pour la retraite.

La population globale comporte une majorité de femmes mais la répartition sexuée s'avère très différenciée selon les secteurs d'activité (le secteur social et de santé au féminin ; les chantiers navals, l'électricité, les transports urbains, au masculin).

Trois groupes d'âges peuvent y être distingués :

- un groupe a récemment dépassé le milieu prévisible de son temps d'activité professionnelle ;
- un autre groupe approche du passage à la retraite ;
- un troisième groupe vient d'en franchir le seuil.

Dans le cadre d'autres recherches, des personnes de ces groupes d'âge ont été rencontrées à propos de quatre sujets :

- les activités des retraités dans les organisations de personnes âgées (universités du 3e âge ; offices des retraités ; etc.) et dans des associations non spécifiques aux retraités ;
- les pratiques de voisinage et les réseaux relationnels des retraités, et les réseaux orientés vers les personnes plus âgées ;
- le soutien des membres de la famille envers les parents âgés ;
- les activités professionnelles et bénévoles des femmes dans les services aux personnes.

Dans l'ensemble de ces enquêtes, la part des femmes s'avère majeure, quelle que soit leur place au sein des interactions étudiées. Ces situations sont conformes aux données quantitatives connues : la longévité accrue des femmes, la forte prévalence des femmes de la parenté dans le soutien à la vieillesse, la présence quasi exclusivement féminine dans les emplois directs auprès des vieilles personnes.

Un autre corpus associé à cette analyse est constitué d'entretiens réalisés auprès de personnes plus jeunes qui suivent des formations universitaires, soit en fin de formation initiale pour les concours de la fonction publique (28), soit en formation continue au cours de leur activité professionnelle (120). Ces deux groupes, là aussi majoritairement féminins, nous ont permis de mieux saisir comment les projets de vie individuelle, familiale et sociale impliquent des ajustements entre des obligations, des choix et des contraintes.

Méthodes d'enquête

Les données dont il est fait usage sont constituées de plusieurs types de matériaux : des récits, des réponses à questionnaire et des observations. Toutes les recherches ont comporté la réalisation d'entretiens de longue durée, entretiens pour partie d'entre eux renouvelés deux ou trois fois. Une part des entretiens a été collectée auprès de plusieurs apparentés dans le cadre de monographies familiales et auprès de proches du voisinage lors de monographies de quartiers. Dans le cas des entretiens, la majorité se sont déroulés au domicile des personnes, hormis ceux qui concernent les professionnelles des services.

Ces recherches ont été menées principalement dans un département de l'Ouest de la France, sur une période d'une quinzaine d'années. Les entretiens retenus dans cette analyse ont eu lieu, pour les premiers dans les années 1993-1994 et pour les derniers en 2005-2006.

« Agir, changer les choses, c'est être dans la vie ! » : origine et sens de l'engagement chez des femmes aînées

Anne Quéniart et Michèle Charpentier

Introduction

Les aînées d'aujourd'hui appartiennent à une génération de femmes marquées par de grandes pionnières, les Idola Saint-Jean, Marie Gérin-Lajoie et Simonne Monet-Chartrand. Elles se sont aventurées à leur tour dans de nouveaux lieux, ont ouvert de multiples portes et endossé d'autres rôles, créant ainsi des modèles inédits de citoyennes engagées. Jusque-là définies exclusivement par leurs rôles familiaux de mère et d'épouse, elles ont investi de nouveaux espaces publics, comme salariées, bénévoles ou militantes. Nous sommes les héritiers et les héritières de ces femmes et pourtant, nous les connaissons peu. Quand on s'y intéresse, c'est pour insister sur les problèmes associés au fait d'être une femme et d'être âgée, qu'il s'agisse de veuvage, d'habitat en solo, de précarité financière ou d'institutionnalisation (Statistique Canada, 2007). Ainsi, les images véhiculées sont surtout négatives (Perrig-Chiello, 2001) – la « *"petite vieille" : menue, fragile, faible* » (Grenier et Hanley, 2007 : 213, notre traduction) –, contribuant à entretenir l'idée que les aînées sont passives et sans pouvoir dans la société. Certains chercheurs ont montré à cet égard que les problèmes vécus par les femmes vieillissantes, bien que réels, en viennent à occulter les aspects positifs de leur vie (Krekula, 2007 ; Chambers, 2004 ; Gibson, 1996).

Les données récentes sont d'ailleurs probantes : les aînées d'aujourd'hui, plus instruites, ayant eu moins d'enfants que leurs mères, possèdent plus de ressources et sont aussi dotées d'une espérance de vie accrue et d'une meilleure santé (Milan, 2007). C'est pourquoi le nouvel âge de la vie qu'est « la retraite au féminin » peut représenter une étape privilégiée pour s'engager, que ce soit auprès de ses proches, dans des associations, aux études ou dans la vie politique et démocratique (Pennec, 2007 et 2004 ; Moen et coll., 1997 ; Dorion et coll., 1998 ; Holstein, 1992 ; Haicault et Mazella, 1996). Plusieurs enquêtes à travers le monde (Magarian, 2003) montrent d'ailleurs que les personnes âgées, surtout les femmes, sont actives dans de multiples secteurs de la vie sociale[1], en plus de jouer un rôle déterminant dans les soins familiaux et le bénévolat (Warburton et McLaughlin, 2006). De plus, par la richesse et la diversité de leur expérience de vie, les aînées apportent beaucoup à leur entourage ainsi qu'à la société (Charpentier et Quéniart, 2007 et 2008 ; Pennec, 2004).

Héritières de ces séniores qui ont influencé nos trajectoires et nous inspirent encore comme femmes et comme chercheures, il nous semblait important de faire reconnaître leur contribution dans la sphère publique et c'est pourquoi nous sommes allées à la rencontre d'aînées engagées au sein de divers mouvements sociaux et partis politiques au Québec[2]. Par le bais d'entrevues qualitatives semi-structurées, nous avons donné la parole à 26 d'entre elles, afin de recueillir leur point de vue sur les origines et le sens de leur engagement social et politique. Qui sont ces femmes engagées ? Quelles causes les animent ? Quels lieux privilégient-elles ? Et surtout, pourquoi s'engagent-elles à 65 ans et même au-delà ? C'est à ces questions que nous répondrons dans ce texte après avoir rappelé les orientations théoriques de notre recherche et présenté les caractéristiques socio-économiques des femmes que nous avons interrogées.

1. À titre d'exemple, *l'Enquête canadienne sur le don, le bénévolat et la participation* réalisée en 2004 révèle que 59 % des 65 ans et plus sont membres d'une association.
2. Après une étude exploratoire auprès de deux membres du groupe les Mémés déchaînées, nous avons entrepris une recherche qualitative sur l'engagement social et politique des femmes aînées militant au sein de divers groupes, associations et partis politiques. Subventionnée par le Conseil de recherche en sciences humaines du Canada (CRSH, 2004-2007), cette recherche qualitative comportait trois volets visant à : examiner les pratiques concrètes d'engagement des femmes aînées et leurs significations (volet 1), les comparer à celles exercées par les jeunes militantes (volet 2), puis explorer le phénomène de transmission des valeurs d'engagement (volet 3). Ce texte concerne les données du premier volet.

L'engagement social des femmes dans une perspective féministe

> *D'un point de vue historique, la citoyenneté, et en particulier son aspect politique, est étroitement liée à la participation des individus dans la sphère publique... Ce n'est qu'en quittant la sphère privée que les femmes ont pu acquérir certains aspects de la citoyenneté.* (Walby, 2000)

Les analyses féministes ont permis de montrer que le genre conditionne l'expérience du vieillissement et les rapports des femmes au social et au politique (Ray, 1999 ; Estes, 2001 ; Powell, 2001). Les écrits relatifs à la spécificité féminine du vieillissement mettent d'ailleurs en évidence que les conditions socio-économiques des femmes aînées sont directement reliées à celles qui ont prévalu toute leur vie. Être une femme aînée au Québec signifie très souvent vivre seule et pauvrement. Sur le plan politique, l'histoire des femmes a longtemps été marquée par leur exclusion de la sphère publique. Mentionnons à titre d'exemple qu'à l'Assemblée nationale elles représentaient 30 % de la députation en 2003 et seulement 25 % en 2007[3]. Cependant, leur exclusion ne signifie pas que les femmes se soient privées d'exercer des activités politiques. Leur participation politique pourrait bien s'être déroulée « *dans des espaces traditionnellement pensés comme non politiques, par exemple les mouvements sociaux* » (Tremblay, 1999 : 4), le mouvement communautaire ou encore les instances locales (garderies, écoles, etc.). Or, dans la société, on reconnaît encore très peu ces formes de participation que nous nommons ici pratiques d'engagement.

Rappelons à cet égard que l'engagement est un concept aux ramifications théoriques larges et aux frontières floues. En sciences sociales, il est souvent accolé à l'adjectif « politique » et est synonyme de passage à l'acte ; il renvoie à une activité politique, qu'il s'agisse de voter, de participer à des manifestations ou de militer au sein d'un groupe (parti, syndicat, association). L'engagement implique donc un agir pour la collectivité (Perrineau, 1994 ; Chazel, 1986) ; il se présente comme une dimension de la citoyenneté active (Weinstock, 2000). Depuis une trentaine d'années, les formes de l'engagement se sont modifiées parallèlement aux transformations du politique. L'engagement est de moins en moins associé à des formes organisées de participation politique, moins lié à l'adhésion à de grandes idéologies (marxisme, féminisme, etc.). Il est plus « distancié » (Ion, 1997), laisse plus de place « *aux singularités de la parole individuelle* », au

3. *L'Actualité*, janvier 2009, p. 16.

statut de l'être comme « *être engagé* » (Ion, 2005 : 27). Néanmoins, il reste un acte de participation tourné vers la communauté (Ferrand-Bechmann, 1992), qui s'oppose aux attitudes de retrait, d'indifférence et de désengagement.

Cette participation peut prendre plusieurs formes. Tout d'abord, ce peut être l'engagement bénévole, défini comme « *l'ensemble du travail non rémunéré et effectué dans une visée altruiste* » (Gagnon et coll., 2004 : 49), que ce soit dans un groupe, une association ou au sein de la famille, ce que Pennec (2004) nomme l'engagement de proximité. L'engagement peut aussi être militant et s'inscrire dans une visée de changement social et politique, que ce soit au sein d'un parti, d'un syndicat ou de groupes de défense des droits. Il nous a semblé important de privilégier une telle approche ouverte de l'engagement dans la mesure où, chez les aînées, ces formes d'engagement sont souvent liées, imbriquées, la frontière entre engagement de proximité et engagement politique étant même parfois plus ou moins claire[4].

Portrait des aînées rencontrées

Les femmes que nous avons rencontrées sont âgées de 65 à 87 ans, la moyenne se situant à 70 ans. Les deux tiers d'entre elles vivent seules, dont la moitié avec des revenus très modestes, reflétant bien la situation des aînés en général. Là où elles se distinguent des autres, c'est dans leur trajectoire de vie. Une majorité d'entre elles (17/24) a étudié à l'université, ce qui était peu fréquent à leur époque et confirme la corrélation relevée dans d'autres recherches, entre engagement politique et scolarité élevée (Putman, 2001 ; Lasby, 2004). Elles ont également ceci de spécifique par rapport aux autres femmes de leur génération que leur parcours témoigne de liens étroits avec le domaine des arts et de la création, un des seuls univers « d'avant-garde » à être ouvert aux femmes dans les années 1950 et 1960, aux côtés de milieux plus traditionnels comme l'éducation et les soins infirmiers. Autre fait surprenant, malgré une époque peu propice au travail féminin, ces militantes aînées ont toutes occupé plusieurs emplois rémunérés ; enseignante, mais aussi designer et animatrice. De plus, elles sont à l'origine de plusieurs innovations sociales, comme la création

4. Frey (2003) a à cet égard fait la démonstration du « glissement » possible entre différentes formes de participation citoyenne locale, entre engagement de proximité et engagement politique.

de garderies populaires, la mise sur pied d'une coopérative d'habitation, la reconnaissance des femmes dans le milieu collégial, etc.

Aux origines de l'engagement : la famille, mais aussi la vie et ses épreuves

Une famille et un entourage inspirants et encourageants

[Ce qui explique que je suis engagée] *c'est probablement la façon dont j'ai été élevée, dont j'ai été façonnée.* (Mme N)

Plusieurs études sur l'engagement et le militantisme ont mis en lumière le rôle des parents dans les opinions politiques de leurs enfants et dans leur propension à s'impliquer, c'est-à-dire l'effet de la socialisation politique (Muxel, 2001 ; Quéniart et Jacques, 2004). Dans le cas de nos répondantes, ce fut différent puisque l'époque se prêtait peu à l'expression d'opinions politiques de la part des femmes. Cependant, leurs trajectoires ont été marquées par certaines valeurs et modèles positifs transmis par leurs pères mais aussi par leurs mères. Ces dernières, bien qu'elles aient toutes été des « femmes à la maison », n'en étaient pas moins actives en dehors de la sphère domestique. Elles s'impliquaient notamment auprès des plus démunis et dans diverses causes sociales, et ce, souvent sous l'égide de la religion catholique.

> *Je pense que ma mère, à sa façon, avec ce qu'elle était, elle essayait de s'engager dans sa paroisse, faire des actions pour aider les familles déshéritées, pour visiter les malades. Pour elle, c'est une dimension très importante.* (Mme Q)
>
> *Ma mère était impliquée dans des organismes comme l'Âge d'or, la Croix-Rouge, ces choses-là. [...] Oui, ma mère m'a peut-être influencée parce que je la voyais aller dans certaines organisations, puis elle avait du nerf ! Et puis je pense que j'ai un petit peu hérité d'elle. De mon père, j'ai hérité, je pense, de la joie de vivre.* (Mme L)
>
> *Quand on reçoit beaucoup d'amour quand on est jeune et qu'on a l'occasion de s'ouvrir aux autres, il me semble qu'on est plus porté à donner. On a été élevé, beaucoup, nous... notre père surtout, avait un discours de justice sociale et il nous a assez martelé ça dans la tête [...] lui-même était un homme juste, et j'ai toujours frémi devant les injustices, alors je n'arrête pas de frémir, il y en a partout !* (Mme J)

Les trajectoires des aînées ont donc été marquées par certaines valeurs et modèles positifs d'implication sociale. Elles ont grandi dans des familles où l'entraide était une valeur primordiale, où il était quasi naturel de s'aider les uns les autres, surtout pour celles issues d'une famille nombreuse.

D'autres, sans qu'elles aient eu à proprement dit des modèles « militants » dans leur famille, racontent comment l'ouverture de leurs parents ou des membres de leur entourage à certaines valeurs (l'éducation pour tous, la liberté de penser) a eu une grande influence sur leur engagement ou sur leur façon d'être, sur leurs valeurs.

> *J'ai 66 ans, j'ai toujours été assez engagée [...]. Je viens d'une famille relativement traditionnelle – où par exemple ma mère était une mère au foyer et s'occupant de son mari et de ses enfants de façon assez traditionnelle, dynamique mais traditionnelle – mais où on avait des aspirations pour la fille que j'étais. Donc, j'ai fait des études supérieures et, déjà, au niveau du collège, pour moi il était clair dans ma tête que j'avais envie d'avoir une vie autonome.* (Mme B)

> *[...] ma mère, qui était ma grand-mère en réalité, parce que j'ai été adoptée par grand-maman, elle me donnait beaucoup de liberté, elle nous encourageait beaucoup à aller plus loin, à essayer de faire quelque chose. [...] Ma grand-mère, j'ai l'impression qu'aujourd'hui on l'aurait traitée de féministe ! Elle, il n'y a pas personne qui lui pilait sur les pieds. Elle, pour me faire instruire, elle est allée travailler dans les chantiers. Elle est allée faire la cuisine, parce qu'il fallait que je devienne pensionnaire.* (Mme N)

> *Quand j'étais jeune, j'ai grandi dans les années de McCarthy aux États-Unis et alors nous sommes entourés par des personnes qui sont allées en prison pour la politique libérale, pas vraiment socialiste ou communiste, mais j'ai des communistes dans ma famille, j'ai des socialistes dans ma famille. J'ai une tante qui m'a apporté toutes les choses, une des personnes des plus actives et des plus militantes, c'est ma tante qui est responsable pour ma connaissance politique.* (Mme M)

Seule une d'entre elles a vécu dans une atmosphère où les opinions politiques étaient véhiculées et transmises de façon plus directe.

> *Bon, je suis une femme de gauche. J'ai eu un père nationaliste et j'ai baigné dans le nationalisme. Quand j'étais petite, je rentrais dans les magasins et je disais : « Est-ce que vous parlez français ? » Si on me parlait pas français, bien j'habitais Outremont, je sortais du magasin.*

> *Tu sais, c'est dans ma nature. Ça effarouche, j'ai l'impression, souvent les aînés ça...* (Mme C)

L'indignation et la révolte devant les inégalités de sexe

> *Moi, je ne suis pas venue au monde pour laver des couches et rester à la maison.* (Mme B)

Toutes les aînées rencontrées ont intégré le marché du travail à un moment ou à un autre de leur vie. Plusieurs ont fait figure de pionnières, en étant, par exemple, les seules femmes dans un collège d'hommes ou, encore, pour l'une d'elles, pendant vingt ans la seule femme du département dans une université. Parfois, ces situations ont engendré des injustices, de la discrimination, et influencé, comme d'autres types d'expériences, leur désir d'engagement. Ainsi, le fait d'être moins bien rémunérées que leurs homologues masculins en a amené plusieurs à militer pour l'équité salariale, un sujet encore d'actualité des décennies plus tard.

> *Quand est venu le temps de ma rémunération, le directeur du collège m'a dit : « Mais vous, vous avez un mari qui vous fait vivre. Vous avez peut-être pas besoin de gagner comme les autres profs. » Donc, ça aussi c'est des choses qui forgent, si vous voulez, une forme d'engagement.* (Mme B)

Alors que la majorité des femmes de l'époque était confinée à la sphère domestique, l'expérience du marché du travail a donc permis à ces femmes d'apprendre, de développer leur leadership, et de s'ouvrir à d'autres réalités.

Par ailleurs, certaines expériences personnelles, vécues comme femmes durant la vie adulte, caractérisent et marquent les trajectoires d'engagement de plusieurs aînées. Ainsi, l'une d'elles a raconté comment le médecin lui avait refusé la contraception alors qu'elle était mariée et mère d'un enfant, sous prétexte « *qu'à 31 ans, tu n'as pas fait ta job et que tu n'as pas d'affaire à attendre pour avoir un deuxième enfant* » (Mme I). Sa prise de conscience face à la condition féminine s'en est trouvée renforcée, d'autant plus qu'à cette époque les femmes étaient déchirées entre le désir de ne plus avoir d'enfant, la contraception et la réprobation de l'Église. De plus, les rares femmes qui travaillaient perdaient souvent leur emploi lorsqu'elles étaient enceintes. Certains abus de pouvoir, dénoncés par les aînées, ont été à l'origine de leur prise de conscience des conditions de vie des femmes et de la volonté de les modifier, qu'il s'agisse de contraception, d'avortement, des conditions de travail, des garderies, etc.

La retraite : un moment idéal pour s'engager davantage

Pour plusieurs aînées, c'est en quittant le monde du travail que le temps « libre » est devenu un moment pour soi, permettant des projets plus personnels et la possibilité de s'engager davantage. En fait, pour ces femmes engagées, le retrait du marché du travail n'a jamais signifié une retraite au sens d'une « mort sociale » ; elles ont plutôt emprunté, comme ça avait toujours été le cas dans leur vie, le chemin d'une retraite de type « solidaire », pour reprendre l'expression de Guillemard (2002).

> *Lorsque j'ai pris ma retraite en 1996, je me cherchais un endroit pour aller faire de l'engagement. Je me rappelle la première journée quand j'ai pris ma retraite, par hasard, j'entends à la radio : « Maintenant que vais-je faire de tout ce temps que sera ma vie ? »* (Mme H)

> *J'ai pris ma retraite à 59 ans puis je me suis recyclée, je suis allée faire un certificat en interculturel à l'Université de Montréal. Et ça m'a toujours fascinée, c'est toujours venu me chercher. C'est donc à la retraite que j'ai recommencé.* (Mme J)

Ainsi, pour ces femmes, être à la retraite ne signifie pas « seulement » un investissement dans des activités de loisir : elles veulent continuer à être des citoyennes actives et non pas renoncer : « *J'ai toujours détesté le mot "retraité", parce que c'est comme si on était en retrait de la société, ce qui n'est pas vrai.* » (Mme J)

Des engagements multiples pour une diversité de causes

Lorsque nous leur avons demandé de nous parler de leurs pratiques d'engagement militant, toutes les aînées ont tenu d'abord à mentionner qu'elles avaient également de nombreux engagements de proximité, c'est-à-dire tournés vers leurs familles et leurs proches. Certaines d'entre elles prennent en effet soin à la fois d'un parent et d'un enfant adulte en difficulté ou d'un petit-enfant. En fait, comme l'a montré Pennec (2004), il y a chez plusieurs aînées un aller-retour et une influence réciproque entre les engagements privés ou de proximité et les engagements collectifs, les femmes utilisant souvent des compétences acquises dans la sphère familiale ou professionnelle.

À cet égard, comme le résume le tableau 1, nous les retrouvons dans de nombreux groupes aux causes tout aussi diverses que la santé des femmes, la justice sociale, la paix, la culture et le patrimoine, l'éducation, l'écologie, l'exclusion sociale. De plus, la majorité d'entre elles est active dans plus d'un groupe à la fois, pratiquant ce que l'on nomme la multi-appartenance associative (Ion, 1997), ce qui correspond tout à fait à leurs trajectoires de vie. En effet, l'engagement bénévole, social ou politique des aînées ne débute pas avec la retraite ou à 65 ans ; il date souvent de plusieurs années, voire du jeune âge (jeunesse étudiante catholique, scoutisme, etc.), et il s'est, pour la plupart d'entre elles, toujours juxtaposé à d'autres expériences bénévoles ou militantes, de même qu'à leurs expériences professionnelles.

Les femmes que nous avons rencontrées vont donc à l'encontre du préjugé voulant que les aînés ne revendiquent que pour leur propre groupe, que pour préserver leurs acquis, dans « *une sorte de ghettoïsation, à l'écart de toute solidarité avec le reste de la société* » (Roy, 1998 : 10). À titre d'exemple, plusieurs ont raconté que leur association avait pris position et s'était impliquée en rapport avec des questions touchant les jeunes familles et les enfants, notamment celle des garderies subventionnées par l'État québécois.

> *Des fois il y a des choses qui se passent, tu sais, comme quand on regarde les garderies, tout ça. Je trouve que même si on n'a plus d'enfants à notre charge, c'est important, c'est important pour les filles, pour nos descendants, les petits-enfants. Je pense qu'il faut donner notre opinion.* (Mme V)

D'autres, comme celles militant au sein des Mémés déchaînées, sont engagées pour promouvoir la paix, la justice sociale et l'environnement :

> *C'est une démarche qui va plus loin que la fameuse guerre avec des armes. C'est aussi d'avoir un comportement qui n'est pas guerrier [...], une ouverture aux autres et une valeur d'acceptation des différences [...]. La deuxième grande question [qui nous intéresse], c'est la justice sociale. Alors ça, c'est bien entendu que ça concerne tous les grands sujets : mondialisation, le sort fait aux femmes, l'exploitation des enfants, le travail des enfants, les salaires qui ne sont pas adéquats, l'iniquité salariale. Le troisième, bien c'est l'environnement. Alors c'est le respect de l'environnement, avec aussi les grands dossiers de l'heure.* (Louise-Édith Hébert et Anna-Louise Fontaine, les Mémés déchaînées[5])

5. Interview réalisé dans le cadre de l'étude exploratoire, voir la note 2.

Tableau 1

Les groupes au sein desquels les aînées s'impliquent

Nom	Âge	Objet du groupe
		Groupes de femmes
Mme A	65	Justice sociale, paix
Mme B	66	Femmes, politique
Mme I	70	Femmes, santé
Mme K	68	Mouvement des femmes
Mme M	65	Femmes, santé
Mme O	87	Femmes, syndicalisme
Mme V	68	Femmes, action sociale
		Groupes d'aînés
Mme C	75	Citoyenneté, aînés
Mme E	66	Défense des droits des retraités
Mme H	71	Éducation, entraide, loisirs
Mme J	74	Culture
Mme L	67	Retraités enseignement
Mme N	68	Retraités enseignement
Mme W	74	Retraités
		Groupes multi-âges et mixtes
Mme D	77	Défense des droits des locataires
Mme F	66	Éducation aux adultes
Mme G	67	Défense des droits des assistés sociaux
Mme P	73	Éducation et écologie
Mme Q	78	Culture et patrimoine
Mme R	74	Entr. familiale d'action catholique
Mme U	76	Défense des droits des assistés sociaux
		Partis politiques
Mme S	66	Parti libéral du Canada
Mme T	68	Parti québécois
Mme X	65	Action démocratique du Québec

D'autres encore, impliquées dans un regroupement d'aînés, ont aussi des intérêts divers et elles épousent plusieurs causes, même à l'intérieur de ce type de groupe. Par exemple, l'une d'elles, engagée dans une association de retraités de l'enseignement, y défend des dossiers liés à la condition féminine et à l'environnement et est « *impliquée dans toutes les causes sociales* » (Mme N). D'autres s'investissent en rapport avec la question de l'alimentation, celle de la sauvegarde du patrimoine, dans le droit au logement pour les plus démunis, pour la santé des femmes, etc. Les questions qui touchent les aînés – par exemple, l'hébergement en résidence ou les abus dont ils peuvent être victimes – préoccupent également plusieurs femmes sans qu'elles aient épousé cette cause, sans qu'elles ressentent l'urgence de s'y impliquer, à l'exception de deux militantes de partis politiques qui s'investissent dans un comité des aînés.

Que leurs regroupements soient nationaux ou locaux, il demeure que les aînées souhaitent plutôt s'engager pour des enjeux québécois ou canadiens. Cependant, l'ouverture sur le monde et la conscience des enjeux mondialisés en poussent certaines à créer des alliances avec des groupes internationaux, notamment Oxfam, ou encore à répondre à des appels au boycott.

> *La mondialisation est pour l'enrichissement des plus riches et pas pour les populations et c'est pour ça que j'ai fait partie des groupes qui ont tout fait pour s'opposer aux ententes. Beaucoup d'autres personnes croyaient que ça serait la prospérité pour nous, et maintenant, à mesure que les usines ferment parce qu'on fait faire le travail ailleurs à meilleur marché, on devient plus conscient que c'est une erreur, mais c'est trop tard maintenant, on peut résister, développer une résistance...* (Mme O)

Sur le plan des pratiques concrètes d'engagement dans leurs associations ou partis politiques respectifs, les femmes aînées occupent ou ont occupé des fonctions diverses, de téléphonistes à présidentes, trésorières, organisatrices, etc. De même, leurs modes d'action sont très variés : organisation de manifestations, participation à des réunions de concertation avec des élus, lettres aux journaux, contributions à des colloques, conférences, etc. Plusieurs ont exprimé leur fierté d'être capable de prendre la parole publiquement, ce qui n'est pas anodin pour des femmes qui appartiennent à une génération confinée à la sphère privée et familiale et conditionnée à se taire ou à être effacée. Enfin, ce qui peut étonner, c'est le temps qu'elles accordent à leurs diverses implications au sein des associations ou des groupes, soit un minimum d'une quinzaine d'heures par semaine, mais le plus souvent près de 30, et même 60 heures. Alors que cela va de soi pour elles, des amis leur disent « on ne te voit plus », « tu n'es jamais à la maison », et un tel engagement à leur âge soulève parfois un questionnement de la part de l'entourage.

> *Ceux dans le coin que j'ai rencontrés après, ils ont dit : « rendue à ton âge, 67 ans, tu aurais pu t'asseoir dessus ». J'ai dit : « Écoutez bien, tant que je vais être capable, je n'irai pas m'asseoir sur la galerie tout simplement pour papoter, je me suis toujours impliquée. »* (Mme G)

> *Au début, ils ont dû penser : « Maman va se divertir, maman se fait du bien. » Ils ont pu penser ça, mais devant l'envergure que ça a pris, ils voient bien maintenant que ce n'est pas juste pour se faire du bien, pour faire du bien aux autres aussi. [...] ils voient bien que c'est plus qu'une sortie, c'est de l'engagement.* (Mme H)

Loin de correspondre au stéréotype de la vieille qui tricote ou qui se berce sur son balcon, ces aînées peinent même parfois à trouver du temps pour elles, pour des loisirs non reliés à leur engagement. L'une d'elles s'est sentie obligée de se réserver une case horaire dans son agenda : « *Moi j'ai pris le jeudi, dans mon agenda c'est écrit MOI, alors je fais ce que je veux quand je veux.* » (Mme C). Plusieurs ont d'ailleurs raconté « *carburer au défi* », et ainsi avoir de la difficulté à dire non quand une nouvelle cause les intéresse ou « *parce que la demande est toujours là* ».

Pourquoi militer ?

Un désir de changer les choses collectivement

> *Moi, le pouvoir, ça m'intéresse pas, moi,*
> *ce qui m'intéresse, c'est faire quelque chose.* (Mme C)

Tout d'abord, même si elles ont différents parcours de vie et s'impliquent pour des causes et dans des groupes divers, les aînées que nous avons rencontrées s'entendent toutes pour dire que leur raison première pour militer est de pouvoir faire changer certaines choses. En effet, leur engagement est synonyme d'action, de capacité d'agir sur la société, c'est un pouvoir d'agir. Elles ont le sentiment que chaque bataille est importante et qu'il vaut donc la peine de défendre ce à quoi elles croient, de se battre pour changer les choses qui les révoltent, de participer à la transformation de la société.

> *On a deux choix vraiment, on peut s'impliquer pour changer des choses, ou on peut mettre le blindage en se disant : « Il y a trop à faire ! Impossible de changer les choses ! Je reste avec les choses qui m'intéressent. »* (Mme M)

> *Je suis engagée envers les femmes, la mission des femmes, la place des femmes [...] il faut que ça marche. Je veux m'impliquer [...]. Tu embarques dans le train, c'est ça être engagée. Pas attendre que d'autres le fassent : moi, je ne le ferai pas mais d'autres vont le faire ! La société c'est un peu ça. Il y a ceux qui sont dans le train puis ceux qui regardent passer le train.* (Mme H)

Si certaines des aînées que nous avons rencontrées sont actives dans les associations de retraités ou dans celles de loisirs du 3e âge, la majorité estiment que cela ne suffit pas. Pour elles, l'engagement militant doit aussi s'attaquer au fonctionnement même de la société, viser les inégalités ou les injustices, et c'est ce qui fait qu'elles militent au sein de divers groupes à portée politique.

> *Pour moi, la différence fondamentale c'est que le bénévole donne un service [...]. C'est très utile, j'en bénéficie, parce que je bénéficie du transport bénévole. Mais la militante veut changer les choses, et moi ça a toujours été mon objectif, ça a été de changer. Tu aides des individus, oui, mais en vue aussi de faire des changements sociaux.* (Mme I)

Elles veulent faire partie de celles qui contribuent à faire changer les choses, qui agissent pour trouver des solutions et résoudre des problèmes concrets.

> *Des fois on est un peu excessif, on voudrait changer le monde. Ce n'est pas évident, mais on travaille pareil dans ce sens-là. Si on peut le changer un petit peu, ça sera déjà ça, si on fait tous notre petite part, peut-être qu'on changera, il arrivera peut-être quelque chose qui changera dans le monde, je ne le sais pas.* (Mme L)

> *Moi j'ai beaucoup le goût de vivre et j'ai comme en moi toujours... je dirais l'espoir de trouver une solution à tout problème. Pour moi, il y a toujours une solution, alors je ne suis pas portée à capituler, à démissionner. J'ai toujours été portée à pousser plus loin, à aller plus loin et à poser un autre pourquoi et pourquoi...* (Mme R)

De plus, pour elles, le changement passe nécessairement par la mise en commun d'expériences, par la solidarité qui découle de la participation associative, et non pas par la seule action individuelle. Elles mettent de l'avant une vision collective du changement social.

> *C'est plus fort ! Je trouve qu'on a plus d'influence, je pourrais par exemple adopter une autre personne âgée qui a de la misère à marcher, et je trouve qu'il y a des gens qui sont merveilleux de le faire, je les admire beaucoup, beaucoup. Mais ce n'est pas mon genre, je suis plus grégaire, j'aime ça être avec du monde et puis échanger, et je trouve que pour faire avancer des idées, [...] je trouve que c'est nécessaire d'être dans un organisme qui milite, qui a un objectif social.* (Mme J)

> *On ne s'arrange plus tout seul aujourd'hui, ma chère. Non ! Moi je pense qu'on ne résoudra jamais la question de la pauvreté, on ne résoudra jamais la question de la justice si on ne travaille pas dans une collectivité. C'est important que je m'implique, parce que si j'y vais toute seule, je n'arrive à rien ! Tu comprends ?* (Mme D)

> *On vit en société, c'est ce que je prêche aussi depuis 40 ans, c'est qu'il n'y a pas de véritable changement social sans un changement individuel, social et politique.* (Mme I)

Un engagement vital, qui permet de se sentir utile et de s'accomplir

L'engagement, tu sais, c'est le tissu de ma vie. (Mme A)

L'engagement est pour les femmes aînées le moteur de leur vie, leur mode privilégié pour se réaliser et prendre leur place dans la société. Âgée de 71 ans, l'une d'elles rappelle la réalité des femmes de son époque, issues de familles nombreuses, et peu valorisées. Par conséquent, s'engager lui a permis d'avoir confiance en elle, en sa capacité d'apprendre, de réaliser des choses, notamment de s'exprimer en public.

> *L'engagement, ça apporte de savoir que tu es capable de faire des choses ! Et encore là, je reviens souvent à ma famille. Quand tu es la quatorzième d'une famille de 17 ! Tu n'as pas beaucoup de valeur, hein ! Tu es juste le numéro 14, et là 14, c'est loin ça. Tu t'aperçois que tu fais des petites choses et on te valorise. Petit à petit, j'ai été obligée de prendre la parole, moi ! Oui, c'est extraordinaire !* (Mme H)

Pour elles, l'engagement est devenu au fil des années non seulement un moyen de se sentir utile mais aussi un besoin ; il fait partie d'elles et de leur conception même de la vie en société.

> *C'est ma seconde nature ! Je ne pourrais jamais arrêter de lutter pour la justice sociale et ça continue, pour moi, c'est comme de l'oxygène.* (Mme K)

> *C'est ma vie, c'est vraiment ce qui me donne le sel de la vie, c'est sûr que j'ai ma famille, mais ils sont tous un peu organisés eux aussi. C'est le sel de ma vie. Je peux même dire que c'est le centre de ma vie, ce n'est pas parce que je ne m'entends pas bien avec mon mari, il n'y a pas de problème. Lui il a ses intérêts, moi j'ai les miens, et c'est très bien.* (Mme U)

Plusieurs parlent de leur volonté de ne pas rester « à la maison à ne rien faire », synonyme de repli, d'apitoiement, d'isolement, « de s'éteindre », tout le contraire de ce qu'elles recherchent et ont toujours recherché.

À cet égard, plusieurs ont tenu à donner leur point de vue sur la question de l'âge en lien avec le fait de continuer à être actives. De façon générale, les femmes impliquées dans les mouvements d'aînés semblent relativement à l'aise de s'identifier comme telles, développant parfois même un discours critique face à l'âgisme dans nos sociétés et aux stigmates de l'âge.

> *Moi je dis qu'il n'y a pas de différence d'âge. On dirait, quand on est à notre retraite, c'est drôle, il me semble qu'on est tous du même âge, on a tous la même... je ne sais pas, le même sens de la vie. La plupart ont beaucoup... – la plupart, presque tous ! – ils ont tous des petits-enfants, alors ça se rejoint avec l'histoire de leurs petits-enfants, tout ça.* (Mme L)

À l'opposé, les militantes du mouvement des femmes nous sont apparues très réfractaires aux étiquettes de personne âgée, d'aînée ou de retraitée, tenant à s'en dissocier et à se distancier aussi d'une implication auprès de « l'âge d'or ». Selon elles, cela stigmatise ces individus que l'on perçoit tout à coup comme moins actifs et peu dignes d'intérêt, tout le contraire de l'image qu'elles veulent projeter.

> *Arrêtez de dire ce mot-là, « aînée », « retraitée » ! Je ne me sens pas ni une aînée ni une retraitée. Pour moi, il y a un engagement permanent jusqu'à qu'on ne soit plus capable de le faire [...]. Pour moi, retraite, n'est pas un mot de mon vocabulaire [rire]. Je suis dans la vie.* (Mme B)

Je me suis essayée à travailler pour les personnes âgées, ça n'a pas marché. Je me suis essayée deux fois, les deux fois ça n'a pas marché. Je suis une personne âgée, j'ai 70 ans, mais je ne milite pas pour les personnes âgées, je ne suis pas bien, c'est trop conservateur pour moi. (Mme I)

En fait, la majorité des aînées, tous groupes confondus, tiennent à mentionner que leur engagement dépasse cette condition, cette identité ou ce statut d'aînée que leur confère leur âge, ainsi que ses synonymes, retraitée et âgée. Pour ces femmes, leur engagement va bien au-delà des frontières de l'âge et d'étapes de la vie. D'ailleurs, on l'a vu, il vient souvent de leur jeunesse.

Je ne me voyais pas aller jouer au golf, aller au cinéma, aller voir mes petits-enfants... Non ! J'ai toujours été engagée socialement, puis je me disais, je continue ! J'ai commencé à l'âge de 16 ans et je me disais : ça ne se peut pas qu'arrivé à 65 ans on renonce ! (Mme J)

Je vois beaucoup de gens de mon âge qui pensent à faire du jardinage, je ne sais pas comment ils font. Je ne les juge pas du tout, mais il y a tellement de lieux où on peut s'impliquer [...] pour transformer le monde ! (Mme K)

Ainsi, être à la retraite ne signifie pas pour ces femmes un retrait de la société ou un surinvestissement dans les loisirs personnels : elles veulent poursuivre leur engagement comme citoyennes sur le plan collectif, elles veulent continuer et non pas renoncer.

Apprendre, relever des défis

Ce n'est pas parce qu'on se sent impuissant qu'on ne peut rien faire. (Mme A)

Si l'engagement est aussi vital pour ces aînées, c'est parce qu'il leur permet de « rester jeunes », d'être « allumées », nous ont dit certaines, de faire des apprentissages et de relever des défis qui leur permettent de « rester dans le coup », de rompre avec l'image d'aînés dépassés par la nouveauté.

Regarde cette opportunité que j'ai ! Moi j'apprécie. Si tu es chez vous, tu n'as pas ça, tu t'éteins ! Il me semble que je me sens toujours allumée et là j'ai plein de choses à faire aujourd'hui. Je travaille comme ça, moi, j'ai travaillé comme ça toute ma vie. Mais ça garde jeune. Ah ! oui ! Et ça garde en santé physique et mentale. Ah ! oui ! ah ! oui ! (Mme H)

> *Quand il y a un défi à relever, moi je suis là. J'ai toujours été une femme de défi, puis prendre les décisions souvent sans réfléchir [rire]. Là où j'ai le moindrement de chance de faire changer des choses ou avancer, je suis incapable de dire non.* (Mme G)

Ainsi, malgré les différences de scolarité et d'éducation, elles ont en commun une soif d'apprendre, de s'informer et de se former. L'une d'elles, âgée de 78 ans, parle de cette curiosité comme d'une manière de demeurer vivante, et ne semble pas près de s'arrêter.

> *Moi je pense qu'on est vivant quand on apprend. À la minute où on ne peut plus apprendre, on ne vit plus. Donc, je suis contente parce que je me dis : tous les jours, j'apprends des choses nouvelles, tous les jours, je m'ouvre à des horizons nouveaux et, tant que c'est comme ça, je vis.* (Mme Q)

> *Moi, j'avais l'infatigable habileté de vouloir apprendre et mon but au parti, c'est d'apprendre, d'apprendre tout un monde nouveau.* (Mme T)

> *Ce que j'aime c'est de comprendre ce qui se passe. Peut-être qu'on est plus curieux quand on est engagé, on est plus curieux de savoir tout ça... Mais ça fait du bien, il faut que ça fasse boule de neige tous ces gestes-là si on veut que ça continue, s'il fallait que tout le monde laisse tomber !* (Mme V)

Elles disent ainsi être stimulées par le défi inhérent à la mise en place de projets. D'ailleurs, une fois que le travail est accompli, elles se cherchent aussitôt un autre défi à relever, une autre cause ou un autre groupe où s'engager.

Conclusion

Comme nous venons de le voir, l'engagement, pour les aînées que nous avons rencontrées, est l'affaire de toute une vie, il se poursuit pendant la vieillesse et en dépit des limitations qui y sont inhérentes. Toute leur vie durant, elles ont été de véritables pionnières dans plusieurs domaines, et ont contribué à ce que les générations suivantes aient un accès beaucoup plus aisé au marché du travail. Pour elles, être à la retraite ou être âgée n'a jamais signifié vivre en retrait de la société. Il ne faut pas croire cependant que leur volonté de s'engager ne rencontre pas d'obstacle, lié à la maladie ou encore lié à d'autres types d'engagements (aide à leurs proches, par exemple), aspects que nous n'avons pas abordés ici. Avec un pied moins solide ou bien à cause d'un traitement contre le cancer qui affaiblit, ou encore de l'aide à apporter à des parents très âgés, à un enfant dépressif ou à un petit-enfant handicapé, ces aînées ont certes connu et connaissent encore des freins à leur engagement. Mais ces événements de la vie et ces engagements de proximité souvent liés à la famille ont parfois aussi été des moteurs d'engagement social, et ils sont cohérents avec leur infatigable générosité et leur détermination à vouloir faire leur part.

Voir au-delà des stigmates de l'âge, au-delà des mots « vieillesse », « aînée », « personne âgée » ou « retraitée » pour découvrir qui elles sont, voilà ce que nous ont proposé ces femmes. Une majorité d'entre elles dénonce ces qualificatifs qui les ghettoïsent, les font apparaître comme moins femmes, moins actives ou moins dignes d'intérêt, tout le contraire de ce qu'elles sont. Et d'ailleurs, avec des horaires et des agendas aussi bien remplis que les leurs, impossible de les voir autrement que dynamiques et engagées. Elles sont passionnées, ont de nombreux rêves et sont pleines d'idées pour changer la société. Cette passion d'apprendre, ce désir d'évoluer constamment, elles veulent les transmettre à leur entourage et aux générations suivantes, tout comme les valeurs qu'elles défendent concernant l'engagement et la participation citoyenne pour une société plus juste et solidaire.

Bibliographie

Ballmer-Cao, T.-H., V. Mottier et L. Sgier (dir.) (2000). *Genre et politique. Débats et perspectives*, Paris, Gallimard.

Chambers, Pat (2004). « The Case for Critical Social Gerontology in Social Work Education and Older Women », *Social Work Education*, vol. 23, n° 6, p. 745-758.

Charpentier, Michèle (1995). *Condition féminine et vieillissement*, Montréal, Remue-ménage.

Charpentier, Michèle et Anne Quéniart (2004). « Les femmes aînées et l'engagement social : une analyse exploratoire du cas des Mémés déchaînées », *Lien social et politiques*, vol. 51, p. 135-144.

Charpentier, Michèle et Anne Quéniart (2007). « Elles persistent et signent. Trajectoires d'engagement social et politique des aînées au Québec », *Labrys. Études féministes*, n° 12, juillet/décembre [En ligne : http://www.unb.br/ih/his/gefem/labrys12/sumario12.htm].

Charpentier, Michèle et Anne Quéniart (2008). « Activism among Older Women in Quebec-Canada. Changing the World after 65 », *Journal of Women and Aging*, vol. 20, nº 3-4, p. 343-360.

Chazel, F. (1986). « Individualisme, mobilisation et action collective », dans P. Birnbaum et J. Leca (dir.), *Sur l'individualisme*, Paris, Presses de la Fondation des sciences politiques, p. 244-268.

Deschenaux, F. et S. Bourdon (avec la coll. de C. Baribeau) (2005). *Introduction à l'analyse qualitative informatisée à l'aide du logiciel QSR Nvivo 2.0*, Trois-Rivières, Association pour la recherche qualitative [www.recherche-qualitative.qc.ca/Nvivo_2.0.pdf – page consultée le 1er mai 2006].

Dorion, M., C. Fleuryet D. P. Leclerc (1998). « Que deviennent les nouveaux retraités de l'État ? », *Le gérontophile*, vol. 20, nº 4, p. 7-8.

Estes, C. L. (2001). « Sex and Gender in the Political Economy of Aging », dans C. L. Estes (dir.), *Social Policy and Aging : A Critical Perspective*, Berkeley, Sage, p. 119-125.

Ferrand-Bechmann, Dan (1992). *Bénévolat et solidarité*, Paris, Syros Alternatives.

Ferrand-Bechmann, Dan (2000). *Le métier de bénévole*, Paris, Anthropos.

Frey, S. (2003). « De l'engagement de proximité à l'engagement politique. Analyse du processus de "glissement" entre différentes formes de participation citoyenne locale », communication présentée au symposium *Engagement de proximité*, Brest, Université de Bretagne occidentale, 21 et 22 novembre.

Gagnon, E., A. Fortin, A. Ferland-Raymond et A. Mercier (2004). « Donner du sens. Trajectoires de bénévoles et communautés morales », *Lien social et politiques-RIAC*, vol. 51, p. 49-57.

Gibson, Diane (1996). « Broken Down by Age and Gender : "The Problem of Old Women" Redefined », *Gender and Society*, vol. 10, nº 4, p. 433-448.

Grenier, Amanda et Jill Hanley (2007). « Older Women and "Frailty". Aged, Gendered and Embodied Resistance », *Current Sociology*, vol. 55, nº 2, p. 211–228.

Guillemard, A.-M. (2002). « De la retraite mort sociale à la retraite solidaire », *Gérontologie et sociétés*, nº 102, p. 53-66.

Haicault, M. et S. Mazzella (1996). « Femmes et hommes retraités : des figures urbaines de mobilité circulante », *Recherches féministes*, vol. 9, nº 2, p. 137-146.

Holstein, M. (1992). « Productive Aging : A Feminist Critique », *Journal of Aging and Social Policy*, vol. 4, nº 3-4, p. 17-34.

Ion, Jacques (1997). *La fin des militants ?*, Paris, L'Atelier.

Ion, Jacques (2005). « Quand se transforment les modes d'engagement dans l'espace public », dans Valérie Becquet et Chantal De Linares (dir.), *Quand les jeunes s'engagent. Entre expérimentations et constructions identitaires*, Paris, L'Harmattan, p. 23-33.

Krekula, Clary (2007). « The Intersection of Age and Gender. Reworking Gender Theory and Social Gerontology », *Current Sociology*, vol. 55, n° 2, p. 155–171.

Ladrière, Jean (2002). « Engagement », *Encyclopédie Universalis*, tome 7, Paris, p. 291-294.

Lasby, D. (2004). *L'engagement bénévole au Canada : Motivations et obstacles*, Toronto, Centre canadien de philanthropie.

Magarian, A. (2003). « Les mouvements associatifs », *Gérontologie et société*, n° 106, p. 249-261.

Milan, A. (2005). « Volonté de participer : L'engagement politique chez les jeunes adultes », *Tendances sociales canadiennes*, Statistique Canada, n° 11-008, p. 2-7.

Moen, Phyllis, Mary Ann Erickson et Donna Dempster-McClain (1997). « Their Mother's Daughters ? The Intergenerational Transmission of Gender Attitudes in a World of Changing Roles », *Journal of Marriage and the Family*, vol. 59, n° 2, p. 281-293.

Muxel, Anne (1993). « Seuils d'entrée en politique : entre héritage et expérimentation », dans Antoine Cavalli et Olivier Galland (dir.), *L'allongement de la jeunesse*, Paris, Actes-Sud, p. 153-164.

Muxel, Anne (2001). *L'expérience politique des jeunes*, Paris, Presses de Sciences politiques.

Pennec, S. (2002). « Les politiques envers les personnes âgées dites dépendantes : providence des femmes et assignation à domicile », *Lien social et politiques*, n° 47, p. 129-142.

Pennec, S. (2004). « Les tensions entre engagements privés et engagements collectifs, des variations au cours du temps selon le genre et les groupes sociaux », *Lien social et politiques*, n° 51, p. 97-107.

Perrig-Chiello, Pascualina (2001). « Images sexuées de la vieillesse : entre stéréotypes sociaux et autodéfinition », *Retraite et société*, vol. 3, n° 34, p. 70-87.

Perrineau, Pascal (dir.) (1994). *Engagement politique. Déclin ou mutation ?*, Paris, Presses de la Fondation nationale des sciences politiques.

Powell, J. L. (2001). *Theorising Social Gerontology : The Case of Social Philosophies of Age* [http://sincronia.cucsh.udg.mx/powell.html – page consultée le 23 janvier 2005].

Putnam, R. (2001). *Bowling Alone : The Collapse and Revival of American Community*, New York, Simon & Schuster.

Quéniart, A. et J. Jacques (2004). *Apolitiques, les jeunes femmes ?*, Montréal, Remue-ménage.

Ray, R. E. (1999). « Researching to Transgress : The Need for Critical Feminism in Gerontology », *Women and Aging*, vol. 11, n° 2-3, p. 171-184.

Roy, J. (1998). *Les personnes âgées et les solidarités. La fin des mythes*, Sainte-Foy, Presses de l'Université Laval/IQRSC.

Tremblay, M. (1999). *Des femmes au Parlement : une stratégie féministe ?*, Montréal, Remue-ménage.

Tremblay, S. (2000). « Des silences qui en disent long : les conditions de vie des femmes âgées seules et pauvres », *Le gérontophile*, vol. 22, n° 1, 21-24.

Walby, S. 2000. « La citoyenneté est-elle sexuée ? », dans T.-H. Ballmer-Cao, V. Mottier et L. Sgier (dir.), *Genre et politique. Débats et perspectives*, Paris, Gallimard, p. 51-87.

Warburton, Jeni et Deirdre McLaughlin (2006). « Doing It from Your Heart : The Role of Older Women as Informal Volunteers », *Journal of Women & Aging*, vol. 18, n° 2, p. 55-72.

Weinstock, D. (2000). « La citoyenneté en mutation », dans Y. Boisvert, J. Hamel et M. Molgat (dir.), *Vivre la citoyenneté. Identité, appartenance et participation*, Montréal, Liber, p. 15-26.

Les grands-mères au centre des solidarités familiales

Claudine Attias-Donfut

Introduction

Au cours des dernières décennies, la famille s'est profondément transformée, le monde du travail et les temporalités professionnelles ont été bouleversés. Avec la « désinstitutionnalisation des parcours de vie », les âges de la vie ont été remodelés et sont devenus plus flexibles (Kohli, 1989; Guillemard, 1993; Gaullier, 1999). Plus que les hommes, dont les cours de vie sont principalement structurés par la « société du travail », comme la nomme Martin Kohli, les femmes ont été affectées dans leurs biographies par la double transformation du travail et de la famille. Naissance des enfants, rythmes scolaires, études et départ des enfants, naissance des petits-enfants, maladie des parents, perte des parents, du conjoint... ces phases de vie familiale se déroulent en interaction avec le développement souvent chaotique de la vie professionnelle.

Les femmes aujourd'hui septuagénaires ont débuté leur vie adulte de façon exceptionnellement standardisée, ayant eu un premier enfant à un jeune âge et le deuxième, souvent le dernier, de façon rapprochée. Elles ont quitté tôt le domicile parental et ont massivement investi le marché du travail pour la première fois dans l'histoire des femmes. À la génération suivante, les femmes ont retardé de façon spectaculaire la naissance du premier enfant et, dans la plupart des pays développés, une proportion croissante d'entre elles n'a pas eu d'enfant. Leurs vies, plus fortement déterminées par leurs carrières professionnelles, ne ressemblent pas à celles de leurs aînées. Les successives générations contemporaines de femmes présentent de forts contrastes, dans leurs parcours et dans la nature de leurs rapports intergénérationnels.

Le vieillissement des baby-boomers, qui est aujourd'hui l'objet de nombreuses études et de prévisions alarmistes en termes de dépenses sociales, semble devoir être différent de celui des générations antérieures, impliquant une plus grande autonomie économique, et une plus grande solitude, conséquence de la fragilité des unions.

Malgré les avancées immenses dans les conditions de travail des femmes, des inégalités demeurent dans l'accès à l'emploi et aux hautes responsabilités. Les femmes subissent plus souvent que les hommes le chômage, surtout à la cinquantaine. C'est aussi parmi elles que l'on trouve une plus forte tendance à la prolongation de l'activité après 60 ans, afin de compléter des durées de carrière insuffisantes pour bénéficier d'une retraite à taux plein. Plus nombreuses que les hommes à se retrouver seules, sans conjoint, dans leur transition à la retraite, elles en sont fragilisées économiquement, socialement et psychologiquement. Mais, et c'est là un des paradoxes du vieillissement féminin (Attias-Donfut, 2001), elles vivent bien plus longtemps, et la longue période de retraite leur offre des possibilités nouvelles pour se consacrer à des activités centrées sur l'expression de soi, signification que Joffre Dumazedier (1989) attribue au loisir. Au moment de la retraite, les femmes développent en effet leurs activités de loisir et leurs pratiques associatives, comme pour rattraper le temps perdu entre le travail et les charges domestiques (Attias-Donfut et coll., 1989). Si on considère avec Léopold Rosenmayr (2000) qu'une nouvelle culture du vieillissement se dessine et qu'elle se caractérise par une « liberté sur le tard », alors c'est surtout parmi les femmes qu'on en trouve les signes avant-coureurs.

Les femmes au centre des solidarités

S'occuper des autres fait partie du rôle traditionnel des femmes. L'avènement de la société multigénérationnelle a amplifié ce rôle, avec l'apparition d'une génération « pivot », qui apporte à la fois l'aide aux parents âgés, aux enfants et petits-enfants. Les hommes interviennent deux fois moins que les femmes et généralement pour des tâches différentes (moins centrées sur les activités domestiques et les soins personnels). Pourvoyeuses d'aide, les femmes en sont aussi les principales bénéficiaires. Selon une enquête réalisée en France en 1992 auprès de trois générations (Attias-Donfut, 1995 et 2000), les femmes âgées dépendantes sont aidées en premier lieu par d'autres femmes, dans 54 % des cas, et les hommes dans la même situation sont plus de 80 % à être aidés par des femmes.

De nombreux travaux sur les réseaux sociaux des personnes âgées ont mis en évidence la plus grande aptitude des femmes à bénéficier du support de la parentèle ou de l'entourage ainsi que le maillage intergénérationnel dans lequel elles sont insérées. On a parlé à ce propos de « matriarcat informel » ou de « matrilinéarité » (Segalen, 2006). Gunhild Hagestad a qualifié les femmes de « *gardiennes de la parentèle et surveillantes de la famille* » (1995 : 163). Les femmes développent leur compétence à créer et gérer des réseaux sociaux significatifs, dont elles retirent aussi un soutien efficace, en cas de besoin. C'est une des raisons de leur meilleure adaptation aux handicaps de la vieillesse, au veuvage[1] et à l'isolement résidentiel. Certains analystes y voient même une des causes de la plus grande longévité féminine.

Les échanges de services entre générations se différencient selon le sexe. Les hommes sont plus actifs dans l'échange financier, l'aide à l'aménagement du logement, le bricolage et le jardinage, domaines dans lesquels le ménage aide souvent. Pour les autres activités, travaux ménagers, soins aux plus âgés ou garde des petits-enfants, les proportions de femmes investies sont beaucoup plus importantes. Les activités partagées de façon à peu près égale par les deux conjoints sont surtout d'ordre administratif.

Qu'en est-il lors de l'arrivée des petits-enfants ? La différence entre les sexes se reproduit-elle ? Comment se répartissent les aides apportées aux parents d'un côté et celles aux enfants et aux petits-enfants de l'autre ? Comment s'opère l'arbitrage entre ces deux types d'aides intergénérationnelles ? Comparant les lignées à quatre générations (après la naissance des petits-enfants des pivots) aux lignées à trois générations (dont les pivots ne sont pas encore grands-parents), on constate des différences sensibles. Les aides apportées aux jeunes, que ce soit de la part des hommes ou des femmes, s'intensifient dès que l'enfant paraît.

À l'inverse, les parents âgés subissent une légère diminution des aides qui leur sont fournies. Mais cette diminution est globale et concerne l'ensemble des parents, en bonne ou en mauvaise santé. Si l'on considère uniquement les parents âgés dépendants, nécessitant une aide à la vie quotidienne, il n'y a alors plus d'arbitrage, surtout de la part des femmes. Celles qui apportent des aides importantes et régulières à leurs petits-enfants et les gardent d'une façon quasi hebdomadaire sont aussi celles qui apportent le plus souvent des aides à leurs parents âgés. Les soins

1. Les hommes ont en revanche plus de difficultés à faire face au veuvage, comme en témoigne le taux plus élevé de suicide parmi les veufs de plus de 75 ans, surtout au cours de l'année qui suit le décès de l'épouse.

aux enfants, aux petits-enfants et les soins aux parents âgés incombent aux mêmes personnes. Certaines dispensent leur aide à quatre générations à la fois. À l'image de ces divinités indiennes avec plusieurs bras, elles ont un bras pour chaque génération et pour chaque personne, et s'investissent à la fois auprès des parents et des enfants. La question de savoir qui, du parent âgé ou de l'enfant, doit être prioritaire pour recevoir un soutien ne se pose pas réellement. Lorsque les parents sont en bonne santé, ils reçoivent moins de support et peuvent même être enrôlés comme auxiliaires pour assister la descendance. Ils secondent ainsi leurs enfants devenus grands-parents et l'on peut observer par exemple que le nombre de visites des arrière-grands-parents aux enfants et petits-enfants est en augmentation. Mais lorsque les parents âgés se trouvent en situation de dépendance, ils continuent de recevoir une aide de la part de leurs enfants-pivots, que ces derniers soient ou non grands-parents.

On observe donc un cumul des aides aux jeunes et aux plus vieux de la part des femmes, plus que des hommes. Lorsque c'est un homme âgé qui nécessite une aide, l'épouse intervient très largement, la grande majorité des hommes ayant la chance d'avoir encore leur conjointe. Les fils ou un autre homme de l'entourage (gendre, neveu ou autre) n'interviennent que pour 14 % de l'aide requise, après les filles, belles-filles, ou d'autres femmes de l'entourage. Aux femmes âgées dépendantes, plus souvent veuves, l'aide est aussi fournie majoritairement par des femmes, mais le fils intervient plus souvent (pour 23 %, un autre homme de l'entourage pour 4 %). Les fils célibataires sont les plus investis auprès des mères, il leur arrive aussi de cohabiter de façon permanente avec les parents. Ce phénomène n'est pas rare, surtout en milieu rural, quand un enfant célibataire reste au domicile familial, vieillit avec ses parents et se retrouve finalement à la retraite avec des parents très âgés, surtout une mère, dont il prend soin.

Il reste que dans l'ensemble, les « aidants » sont composés de plus de deux tiers de femmes (27 % d'hommes). Le recours aux professionnels est plus fréquent quand ce sont les hommes qui ont en charge leurs parents. De plus, cette aide professionnelle, complémentaire de l'aide des enfants, varie selon que les enfants cohabitent ou non avec leurs parents. En l'absence de cohabitation, l'apport complémentaire d'une aide professionnelle s'élève à 41 % quand le fils intervient. Lorsque c'est la fille ou la belle-fille qui aide, ce chiffre s'abaisse à 28,6 %. En cas de cohabitation, le scénario est identique. Quand le fils cohabite, l'intervention d'une aide professionnelle est de l'ordre de 24 %. Lorsque c'est la fille, elle n'est que de 15 %.

On observe donc que lorsque les hommes aident un parent âgé, ils font beaucoup plus souvent appel à une aide professionnelle que les femmes.

Soulignons la forte féminisation non seulement des « aidants », mais aussi des « aidés ». Si les femmes fournissent la plus grande part du soutien, ce sont aussi d'autres femmes qui en sont les bénéficiaires majoritaires. Plusieurs raisons à cela. Les femmes vivent plus longtemps, elles se retrouvent plus souvent veuves et ont donc un besoin beaucoup plus massif d'aide. Non seulement elles vivent plus longtemps, mais, à âge égal, elles souffrent aussi davantage que les hommes de problèmes de santé, de solitude et de manque d'argent. Sur ces trois points, elles présentent des besoins beaucoup plus importants que les hommes. En conséquence, elles sont les premières destinataires de ces aides, en plus d'en être les principales dispensatrices.

Autre facteur important et moins évident, la réciprocité entre les générations. Les femmes s'entraident et entretiennent, tout au long de la vie, une dette entre elles. La relation mère-fille structure fortement les réseaux d'entraide. Les femmes prennent soin de leurs enfants, puis de leurs petits-enfants, tout en s'occupant de leurs parents, puis, quand elles deviennent plus vieilles, elles reçoivent à leur tour un soutien de leurs enfants, surtout de leurs filles et belles-filles, dans un cycle de réciprocités à la fois directes et indirectes. Prenons un exemple pour illustrer notre propos. Une femme de 50 ans rapporte que lorsqu'elle était plus jeune et ses enfants petits, sa mère l'a beaucoup aidée, lui permettant ainsi de pouvoir travailler. Sa mère est venue s'installer dans le même bâtiment et était toujours disponible, accueillant les enfants à la sortie de l'école, leur faisant faire leurs devoirs. Sa fille se sentait donc tout à fait libre et a pu poursuivre sa carrière grâce à l'aide importante de sa mère. Ensuite, les enfants partis, la grand-mère, qui avait centré toute sa vie autour d'eux, s'est retrouvée un peu isolée et un peu inutile. Sa fille, qui nous a confié : « *Je ne peux pas la laisser, elle m'a beaucoup aidée* », lui rend visite tous les dimanches. Mais cette obligation lui pèse, comme elle l'exprime :

> *Je m'occupe d'elle tous les dimanches. Mais c'est lourd parce que des fois, j'aimerais bien faire autre chose les dimanches. Une fois, mon fils m'a téléphoné pour proposer un petit voyage. Mais je n'ai pas pu. C'est très lourd, mais on n'a pas le choix.*

Bien que vécue comme un fardeau, la dette à l'égard de sa mère lui dicte cette obligation. Ce cas n'est pas isolé, il est même confirmé statistiquement par la corrélation positive, significative, entre le fait d'avoir aidé dans le passé un fils et surtout une fille et le fait de recevoir son aide par la suite. Ainsi est confirmée l'existence d'une réciprocité directe et différée dans le temps.

Autre forme de réciprocité, les personnes âgées qui se sont occupées de leurs parents, maintenant disparus, reçoivent le plus de soins de la part de leurs enfants. Il s'agit cette fois d'une réciprocité indirecte – « Je donne aux uns et je reçois un retour des autres » – par laquelle se transmettent les formes de solidarité à travers les générations. Ainsi se crée et se perpétue une culture familiale de solidarité, à travers les liens que nouent les générations entre elles à différents moments du cycle de vie. Ces solidarités réciproques n'excluent pas les conflits de générations, qui s'expriment notamment dans ce qu'une critique américaine, Marianne Hirsch (1989), appelle *matrophobia* pour qualifier les attaques des filles contre leurs mères. C'est aussi une forme de « matriphobie » que dénonce Suzanna Walters (1992) quand elle parle de la prévalence du *mother blame* dans notre culture. Les mouvements féministes n'échappent pas à l'ambivalence à l'égard de la « vieille garde ». Pour Diane Elam, les conflits de générations chez les femmes dans les milieux académiques sont attisés par une « misogynie féministe ». Elle montre d'ailleurs la nécessité structurelle de ces conflits dans « la relève de la garde », avec pour enjeu la transmission du combat ou son dépassement dans le « postféminisme » (Elam, 1997). Les relations intergénérationnelles se transforment néanmoins en même temps et dans le même sens que les rapports de sexe.

À la croisée des changements

Le véritable séisme que représentent les transformations récentes des statuts et des rôles des femmes ne va donc pas sans conflits ni complicités entre générations, que ce soit dans la famille ou dans la vie publique. L'étude sur trois générations, évoquée précédemment, portait à la fois sur les générations nées autour de 1940, leurs parents (nés entre 1910 et 1920) et leurs enfants (nés entre 1960 et 1970) ; elle a montré que la redéfinition des rapports entre générations a été plus radicale parmi les femmes que parmi les hommes (Attias-Donfut, 2000). La génération intermédiaire s'estime plus proche de ses enfants que de ses parents, tandis que la plus âgée se trouve au contraire plus proche de ses parents que de ses enfants. Les conflits qui ont opposé ces deux générations au cours des années 1960 ont créé entre elles une distance qui persiste dans le temps. Cette distance est plus grande parmi les femmes. Sans doute a-t-il été nécessaire pour les filles de rompre avec leurs mères et de cesser de s'identifier à elles pour qu'advienne la libération des femmes dans ces années décisives.

Cette même enquête a permis de recueillir les opinions des trois générations sur la question suivante : *Estimez-vous qu'il est plus important de préparer un fils qu'une fille à une carrière professionnelle ?* Les réponses positives diminuent très fortement d'une génération à l'autre, passant de 46 % parmi les plus âgés à 29 % dans la génération intermédiaire et à 13 % parmi les plus jeunes. Le plus remarquable est l'inversion des taux respectifs de réponses positives selon les sexes entre les deux générations aînées : alors que les femmes les plus âgées sont plus nombreuses que les hommes de leur génération à privilégier le fils, c'est l'inverse à la génération suivante, les femmes sont moins nombreuses que les hommes à le faire et considèrent en majorité que les parents doivent préparer autant le fils que la fille à une carrière professionnelle. La relation préférentielle mère-fils a fait place à une relation préférentielle mère-fille. Ce phénomène est confirmé par les aides concrètes que la mère apporte à sa fille pour la soutenir dans la poursuite de ses objectifs professionnels, par exemple en s'investissant plus fortement dans la garde des petits-enfants quand la jeune mère travaille, surtout quand celle-ci est en position de mobilité ascendante. Ce phénomène existe dans toutes les catégories professionnelles et a été étudié en particulier dans les milieux ouvriers (Terrail, 1995).

Il n'y a pas si longtemps, les femmes devaient conquérir leurs droits non seulement contre la résistance des hommes, mais aussi contre celle de leurs mères ou belles-mères. C'est toujours le cas dans les sociétés traditionnelles où les femmes âgées ont le rôle de gardiennes d'une tradition marquée par la domination masculine. On assiste aujourd'hui à une transformation historique des rapports entre générations féminines, avec l'émergence d'une solidarité inédite dans la conquête du savoir et du travail. Cette nouvelle forme de solidarité féminine intergénérationnelle, qui s'exerce dans différents domaines de la vie familiale, sociale et professionnelle, a de profondes incidences dont on n'a pas encore mesuré l'ampleur. Ces transformations irréversibles bouleversent les rapports entre générations et ont des implications directes sur les formes de reproduction sociale.

Les conséquences des transformations des rapports de sexe ne se font sentir pleinement qu'à l'échelle de la succession des générations. Celle qui occupe aujourd'hui la position de pivot dans les lignées multigénérationnelles a reçu au cours de sa jeunesse l'empreinte des normes sexuelles en vigueur à cette époque et, bien qu'elle les ait contestées par la suite, elle en a gardé la trace. En témoigne l'importance de l'investissement familial, domestique et professionnel des femmes autour de la soixantaine. Elles interviennent auprès des parents âgés quand la nécessité s'impose, malgré l'aide accrue qu'elles dispensent en même temps aux enfants et petits-enfants et malgré leur engagement dans le monde du travail. Les grands-parents, et surtout les grands-mères, contribuent aussi aux charges de la reproduction sociale en apportant un concours accru à l'éducation des enfants. Les femmes qui sont amenées à prendre la relève des générations actuelles de « jeunes grands-mères » font preuve d'un plus grand engagement dans la vie professionnelle, de plus d'individualisation et de refus des rapports traditionnels de genre. Cela va sans doute entraîner des changements plus radicaux à la fois dans la division des responsabilités entre la famille et l'État pour la prise en charge des personnes âgées comme des enfants et, au sein de la famille, dans la répartition selon les sexes de ces mêmes responsabilités. Les vieilles femmes sont actuellement pénalisées pour avoir partagé leur temps entre le travail et les tâches familiales ; leurs pensions de retraite sont plus faibles que celles des hommes ; leur situation à la retraite risque de se dégrader à l'avenir, selon les perspectives plutôt sombres de l'évolution des systèmes de retraite. Les nouvelles générations refusent de subir cette iniquité et posent des limites à leurs rôles et à leurs charges traditionnelles.

Cette tendance est confirmée dans une étude québécoise qui met en évidence la « dénaturalisation » des activités d'aide dans la famille (Guberman et Lavoie, 2008). Cette attitude s'observe surtout dans le soutien aux parents âgés dépendants. Si la norme solidaire continue de s'imposer aux enfants, ceux-ci considèrent que l'État et la collectivité doivent partager avec la famille la prise en charge des personnes âgées. Dans le domaine des soins et de l'éducation des enfants, les choses sont différentes en raison des enjeux qu'il comporte pour le travail des femmes. Les nouveaux besoins des familles mais également la plus longue durée de la vie ont conduit à faire évoluer le rôle des grands-parents. Ces derniers représentent aujourd'hui, dans la plupart des pays européens, de véritables relais pour les modes de garde des petits-enfants.

Des grands-mères omniprésentes

L'allongement de la vie, combiné à la chute de la fécondité transforment les structures familiales ; le nombre de générations qui coexistent augmente, de sorte que le modèle de la famille nombreuse à deux générations, s'étalant de manière horizontale, encore courant dans les années 1950, fait place à une famille resserrée mais allongée sur le plan vertical. L'état de grand-parent occupe maintenant entre le tiers et la moitié de la durée de vie d'une femme, et près de 25 années en moyenne dans la vie d'un individu, homme ou femme. En Europe, on estime qu'un cinquième de la population est composé de grands-parents. Certes, le recul prononcé de l'âge à la première naissance dans tous les pays européens repoussera d'autant l'âge à la grand-parentalité. Mais, même plus âgés, les nouveaux grands-parents restent et resteront « jeunes » plus longtemps, comme le montre le recul de l'âge de la survenue des incapacités, celui de la dépendance physique ou psychique, désormais reléguée au grand âge. Les grands-parents continueront donc d'être actifs et d'occuper une place en expansion dans la famille.

Si l'évolution démographique a contribué à donner à la grand-parentalité une importance nouvelle, elle exerce ses effets dans un contexte social et historique qui les amplifie. Le poids des grands-parents dans la famille ne se réduit pas à leur poids démographique et leur rôle ne date certes pas d'aujourd'hui. Il serait même à l'origine de l'humanité, si l'on en croit les hypothèses de biologistes et évolutionnistes qui explorent l'effet « grand-mère » : les femmes ménopausées auraient été une source de pouvoir sous-estimée dans notre héritage évolutif. Au temps des premiers hommes, les soins donnés par la grand-mère à la progéniture de sa fille auraient eu une action décisive pour la survie de l'espèce humaine, selon ces hypothèses. Pour revenir à des temps plus proches de nous, dans les périodes que décrit Vincent Gourdon (2001), la grand-parentalité heureuse et édifiante aux XVIIIe et XIXe siècles se situe du côté de la bourgeoisie, alors qu'une grande partie de la population rurale et ouvrière en ignore les bonheurs, faute de ressources. Tant que l'État-providence n'aura pas été instauré, seules les classes aisées jouiront du privilège de ces parents en plus, car on sait que dans les foyers ruraux, la bouche supplémentaire du vieillard était une charge dont on se serait bien passé.

La perspective historique rend plus saillantes encore les innovations contemporaines, parmi lesquelles l'instauration de l'État-providence. Si le milieu du XIXe siècle voit l'émergence d'une nouvelle figure du grand-parent, celle du « grand-parent gâteau », on peut, à entendre les jeunes grands-parents et à consulter la littérature qui s'est récemment développée à leur sujet, juger de son effacement depuis deux décennies. Très loin de la grand-mère coiffée d'un chignon et préparant des confitures et du grand-père imposant le respect des cheveux blancs, ils sont plutôt des compagnons de jeu, offrant une image d'insouciance et de liberté. Ils n'osent plus exprimer leur désaccord avec leurs enfants sur les modèles éducatifs – même si ces désaccords ne manquent pas –, chacun équilibrant autorité, tendresse et inculcation de l'autonomie. De tels changements majeurs sont liés à l'émergence du nouvel âge de la vieillesse, plus libre et mieux nantie, ainsi qu'aux effets de l'État-providence, qui fait des aïeux des pourvoyeurs potentiels et non des assistés. Et surtout, la figure du grand-parent aimant et aidant n'est plus circonscrite à la bourgeoisie aisée ; elle appartient à tous les milieux, ceux-là mêmes qui refusent que l'on touche à leur retraite.

Une récente enquête sociodémographique, situant les individus dans leur biographie familiale, résidentielle et sociale, confirme la force et la généralité du lien grand-parental, tout en relevant la fréquence des cas où des grands-parents ont élevé leurs petits-enfants dans un passé proche, et notamment à l'époque de la guerre 1939-1945 et de l'immédiat après-guerre (Bonvalet et Lelièvre, 2006), phénomène plus rare aujourd'hui. Cela confirme l'évolution solidaire de la fonction parentale et grand-parentale soulignée dans une précédente enquête (Attias-Donfut et Segalen, 2007[2]) : les parents d'aujourd'hui sont, plus qu'autrefois, les premiers éducateurs de leur progéniture, qu'ils confient bien plus rarement à élever à leurs parents ou à d'autres membres de la famille. Mais les grands-parents, tout en ayant un rôle second dans l'éducation, sont généralement plus présents auprès de l'ensemble des petits-enfants, dans une fonction essentielle de soutien affectif, moral et pratique. La contradiction entre le déclin du rôle éducatif des grands-parents, qui ne concernait qu'une minorité, et l'importance accrue de leur rôle de soutien n'est qu'apparente : elle est l'expression de la transformation qualitative du lien grand-parental. Celle-ci s'inscrit dans la mutation des formes familiales, du statut de la femme et des rapports de générations.

Le rôle des grands-mères dans la garde des enfants

La garde des petits-enfants en bas âge par les grands-parents, et surtout par la grand-mère, est très largement pratiquée dans la famille moderne. Elle est quasi généralisée quand elle intervient à un faible rythme, de

2. Cet ouvrage, *Grand-parents*, est construit à partir de l'enquête quantitative trigénérationnelle mentionnée précédemment, dont les premiers résultats ont été publiés dans Attias-Donfut (1995), complétés par une enquête qualitative réalisée en 1996.

façon régulière ou occasionnelle, ou pendant les vacances. La comparaison de trois générations successives en France a mis en évidence l'augmentation de l'alternance de la garde d'une génération à l'autre, phénomène d'autant plus remarquable que, durant cette période (allant des années 1930 aux années 1990), le développement des crèches et des écoles maternelles a été particulièrement important. Les jeunes grands-mères et grands-pères des années 1990 fournissent massivement ce service à leurs enfants (85 % des grands-mères et 75 % des grands-pères âgés de 49 à 53 ans) (Attias-Donfut et Segalen, 2007). Une forte minorité s'y investit davantage en assurant une garde hebdomadaire (38 % des femmes et 26 % des hommes). Les foyers les plus aidés sont ceux dans lesquels la mère est professionnellement active, surtout quand elle bénéficie d'une promotion sociale. Contrairement à l'aide financière octroyée aux enfants par les parents, qui s'adresse préférentiellement à ceux d'entre eux qui sont au chômage, en difficulté professionnelle ou en risque de descente dans l'échelle sociale, une aide régulière pour garder les petits-enfants est plus souvent apportée à ceux et à celles qui sont en situation d'ascension sociale. Elle représente un appui à la réalisation professionnelle de la mère. Ce type de garde étant le plus souvent assuré par la grand-mère, il exprime une solidarité féminine intergénérationnelle pour promouvoir la réussite professionnelle des jeunes femmes.

Ces comportements sont dans la foulée de l'évolution des attitudes féminines vers plus d'égalité entre les sexes. Ils contribuent à expliquer l'importance de l'investissement grand-maternel, malgré l'activité fréquente de la grand-mère[3] et en dépit de l'affirmation des normes d'indépendance entre générations. La qualité de la relation parents-enfants y contribue largement. Comme l'ont souligné Françoise Bloch et Monique Buisson (1998), confier son enfant à sa mère est une action à double signification : si elle apparaît comme une demande de service, une aide, c'est aussi un cadeau, un don qui est fait à la grand-mère. On en veut pour preuve les rivalités classiques entre les lignées pour recevoir les petits-enfants pendant les vacances.

3. Il n'y a pas de différence significative dans la fréquence de garde des petits-enfants par les grands-mères de moins de 65 ans selon qu'elles ont ou non un emploi, toutes choses égales par ailleurs, selon les données d'une enquête comparative européenne menée dans une quinzaine de pays en 2004 (enquête *SHARE, Survey on Health, Ageing and Retirement in Europe*, voir Attias-Donfut et Ogg, 2006).

Autre phénomène important qui a propulsé les grands-parents sur le devant de la scène familiale, les ruptures conjugales n'ont cessé d'augmenter depuis les années 1970. Dans ces circonstances, les grands-parents se trouvent en situation de recours, y compris par-delà le divorce – même conflictuel – des parents, et effectuent un puissant travail pour maintenir le lien entre les générations, donnant corps à la lignée.

Mais ici s'opère une différence entre les lignées paternelles et maternelles. S'il est évident que les grands-parents maternels vont soutenir leur fille, séparée de son partenaire, et ses enfants, il est remarquable de constater le maintien du lien avec les grands-parents paternels, celui-ci étant d'autant plus difficile qu'*« au fur et à mesure que le père refait sa vie, il s'éloigne des enfants de sa première compagne »* (Villeneuve-Gokalp, 1999 : 26). La force de la grand-maternité s'affirme alors en cultivant son lien à l'enfant, en passant au besoin par la médiation de la belle-fille-mère et non pas nécessairement par celle du fils-père (Cadolle, 2006) (à condition de s'abstenir de prendre parti pour le fils lors du divorce, par exemple), bien que la situation des grands-parents paternels soit liée à celle de la paternité, particulièrement fragilisée aujourd'hui. Au plan juridique, il importe de noter une modification sensible introduite par la loi du 4 mars 2002, qui prévoit dans son article 371-4, alinéa 1er : *« L'enfant a le droit d'entretenir des relations personnelles avec ses ascendants et seuls des motifs graves peuvent faire obstacle à ce droit.* [4] *»* En clair, il existe désormais une primauté du droit de l'enfant sur celui des parents. Le Code civil du Québec possède une disposition similaire qui reconnaît et protège le droit de visite des grands-parents, dans l'intérêt de l'enfant.

Quand c'est le couple grand-parental qui divorce, le risque d'éloignement par rapport aux petits-enfants est plus sensible, surtout quand le grand-parent a fondé un nouveau couple, la nouvelle lignée venant en concurrence avec celle issue du couple précédent. L'intensité des relations, en termes de fréquence des contacts, est plus importante avec les enfants communs du nouveau couple qu'avec les enfants et petits-enfants issus d'unions précédentes. Dans tous les cas, les femmes sont meilleures gardiennes des liens intergénérationnels que les hommes, même si hommes et femmes suivent la même tendance à se recentrer sur le nouveau couple et ses enfants et petits-enfants communs. Les relations avec la génération ascendante se relâchent aussi, sous l'effet de la concurrence avec

4. Cabinet Laroque et Binet associés, cité dans Attias-Donfut et Segalen (2007).

les nouvelles lignées introduites par cette nouvelle alliance. Mais, bien qu'affaiblis par les séparations et recompositions conjugales, les liens intergénérationnels résistent dans l'ensemble. La filiation demeure l'axe de stabilité de la construction familiale. En cas de défaillance des parents, les grands-parents se substituent à ceux-ci pour l'éducation à plein temps des enfants, phénomène croissant aux États-Unis, où il a été souvent étudié (Uhlenberger, 2001). Il n'est pas rare non plus en France ni ailleurs, quand surviennent des situations problématiques : maladie, mort des parents ou maternité précoce, comportements marginaux des parents...

Les rôles respectifs des grands-mères et des grands-pères

Les recompositions familiales s'accompagnent d'un certain relâchement des liens. Les enfants que le couple grand-parental n'a pas eus ensemble bénéficient moins souvent de la garde que les enfants du couple (66 % contre 83 %). Cette différence entre les enfants est plus prononcée de la part du grand-père, qui, lorsqu'il a eu des enfants d'une précédente union, est peu investi auprès des petits-enfants qui en sont issus, tandis qu'il est davantage engagé auprès de ceux que sa conjointe a eus d'une autre union : la descendance de la femme prend le pas sur celle de l'homme. Les grands-pères, plus que les grands-mères, inscrivent leur rôle dans le cadre du couple qu'ils forment avec la grand-mère et le situent dans la continuité familiale. Leur présence aux côtés de la grand-mère apporte une plus forte assise institutionnelle à la fonction. Représentant les aïeux fondateurs, l'unité qu'ils forment avec la grand-mère incarne le lien de famille entre les petits-enfants, frères et sœurs ou cousins et cousines. Ils facilitent d'autant plus l'établissement de tels liens intragénérationnels qu'ils ne sont pas l'enjeu de rivalités au sein des fratries, ou beaucoup moins que les parents.

Alain de Mijolla souligne que les grands-parents sont « *les seuls à pouvoir imposer silence et respect aux parents tout puissants de l'enfant, les seuls à raconter les hauts faits ou les bêtises de ces mêmes parents, rappelant que ceux-ci furent jadis aussi des enfants et nourrissant ainsi l'enquête que chacun de nous mène sur ses origines* » (2000 : 110). Ils ont une place essentielle, relayée par les parents, dans l'univers psychique des petits-enfants. Ils sont objets d'identification, consciente ou non. Il est rare en effet que l'évocation d'un aïeul ne s'accompagne pas d'une confidence sur tel ou tel point commun avec lui, que ce soit dans son caractère, son physique, ses goûts ou ses intérêts. Les grands-parents font partie des « *visiteurs du moi* [5] », ces figures d'identification que l'on appelle inconsciemment à la rescousse pour conforter une histoire personnelle parfois fragile. Alain de Mijolla rappelle ces paroles de Freud, dans sa lettre à Jones, le 8 mars 1920, à l'occasion de la naissance de son petit-fils : « *Cher Jones, Ravi d'avoir des nouvelles de votre famille. Le grand-père doit renaître dans le petit-fils, comme vous le savez*[6]. »

Grands-pères et grands-mères peuvent exercer dans la pratique des rôles similaires, mais ils se distinguent indéniablement dans l'imaginaire de leurs petits-enfants et à travers les souvenirs qu'ils vont imprimer en eux pour la vie, des souvenirs clairement sexués. Longtemps après qu'ils ont disparu, ils continuent à vivre et à évoluer dans des zones distinctes de la mémoire de ces petits-enfants devenus adultes : au grand-père sont associés des éléments de l'histoire sociale, à la grand-mère ceux de l'histoire familiale, dans une division sexuelle caricaturale de la fonction de témoignage. Lui est décrit dans son travail, ses engagements, ses actions et hauts faits (s'il y a lieu), elle est mise en scène dans la maison, la cuisine, autour du linge... parfois, mais plus rarement, dans les champs. Décrits à travers leurs personnalités ou des traits de caractère, grands-mères et grands-pères peuvent être également qualifiés de forts ou d'autoritaires, ou de personnalités marquantes, mais ils règnent toujours sur des domaines différents, la grand-mère dans le domaine privé, familial, le grand-père à l'extérieur ou à la frontière public/privé.

Les filiations paternelles et maternelles redoublent la différence grand-père/grand-mère. Bien que les sociétés occidentales reconnaissent une parenté bilatérale, ce qui donne théoriquement aux quatre grands-parents la même importance, la transmission exclusive du nom par le père revient à la reconnaissance symbolique d'une seule lignée, et inscrit dans l'ordre du social le grand-père paternel, tandis que le grand-père maternel se situe davantage du côté de l'intime. La plus grande liberté de transmettre le nom de la mère (qui est toujours celui du grand-père, mais maternel) va modifier quelque peu la hiérarchie des lignées, mais sans doute pas (ou pas encore) celle des sexes, dont la différence, inscrite au fondement même de la pensée sociale (Héritier, 1997) imprègne si fortement l'évocation des ancêtres.

5. Selon l'expression d'Alain de Mijolla (1996).
6. Sigmund Freud, *Correspondance complète 1908-1939* (PUF, 1998), cité par A. de Mijolla (2000 : 109).

Conclusion

En conclusion, les nouveaux visages de la grand-parentalité tiennent autant aux bouleversements de la filiation, et de la famille plus généralement, traversée de multiples ruptures, qu'à des améliorations importantes des modes de vie, de la durée de vie ou de la qualité des relations intergénérationnelles dans la famille. C'est sur leur présence active et solidaire que repose principalement le maintien de la vivacité des formes familiales et de la vitalité des liens de parenté. Investis de la lourde charge de garantir la continuité familiale, les grands-parents seront-ils capables de maintenir leur rôle auprès des générations futures, élevées dans des familles de plus en plus dissociées ou éclatées ?

Les grands-mères, au centre et au cœur des solidarités familiales, sont en première ligne dans ces situations de crise. Elles subissent une pression accrue alors qu'elles risquent elles-mêmes d'être fragilisées par leur vieillissement. Leur fonction est essentielle, elle déborde le cadre familial et concerne la transmission intergénérationnelle au sein de la société. L'espace de la famille est en effet le principal lieu de contacts et d'interactions entre toutes les générations. Les sociétés modernes offrent peu d'autres occasions de communication entre générations, une séparation selon les groupes d'âge ayant cours dans la plupart des institutions, y compris dans l'espace urbain. Les grands-parents sont aussi ceux qui médiatisent le lien de l'ensemble de la lignée avec les arrière-grands-parents, figure familiale qui se généralise, trait caractéristique de la modernité.

Avec le recul de l'âge de la dépendance, les arrière-grands-parents, qui sont en grande majorité des arrière-grands-mères, peuvent être d'actifs contributeurs dans les échanges intrafamiliaux. Cette bonne forme n'est pas étonnante, alors qu'on accède au titre de bisaïeul à des âges variables, le plus souvent en étant septuagénaire. Si ces bisaïeux sont davantage perçus comme des symboles que comme des acteurs de la vie familiale, c'est sans doute en raison de l'ombre portée par les grands-parents, qui ont pris la relève et qui vont les soutenir en cas de besoin. Les grands-parents, et surtout les grands-mères, ont alors un véritable rôle de pivot de la famille et de la filiation, entre d'un côté leurs parents et, de l'autre, leurs enfants et petits-enfants.

Bibliographie

Attias-Donfut, C. (dir.) (1995). *Les solidarités entre générations*, Paris, Nathan.

Attias-Donfut, C. (2000). « Rapports de générations. Transferts intrafamiliaux et dynamique macro-sociale », *Revue française de sociologie*, vol. 4, nº 4, p. 643-684.

Attias-Donfut, C. (2001). « Sexe et vieillissement », dans Thierry Blöss (dir.), *La dialectique des rapports hommes-femmes*, Paris, PUF, p. 197-215.

Attias-Donfut, C. et J. Ogg (2006). « Garde des petits-enfants et emploi des grands-mères », présentation au séminaire SHARE/INSEE *Les plus de 50 ans en Europe : Premiers résultats de l'enquête SHARE*, Paris, 11 mai.

Attias-Donfut, C., S. Renaut et A. Rozenkier (1989). « L'irruption du temps libre », dans P. Paillat (dir.), *Passages de la vie active à la retraite*, Paris, PUF, p. 127-158.

Attias-Donfut, C. et M. Segalen (2007) [1998]. *Grands-parents. La famille à travers les générations*, 2e éd. augmentée, Paris, Odile Jacob.

Bloch, F. et M. Buisson (1998). *La garde des enfants. Une affaire de femmes*, Paris, L'Harmattan.

Bonvalet, C. et E. Lelièvre (2006). *Publications choisies autour de l'enquête « Biographies et entourage »*, document de travail de l'INED, nº 134.

Cadolle, S. (2006). « Réseaux familiaux recomposés : l'asymétrie entre côté maternel et paternel pour le soutien aux jeunes », dans A. Fine et A. Martial (dir.), *La valeur des liens. Hommes, femmes et comptes familiaux*, Toulouse, Presses universitaires de Toulouse.

de Mijolla, A. (1996). *Les visiteurs du moi, fantasmes d'identification*, Paris, Belles Lettres.

de Mijolla, A. (2000) « Les grands-parents dans la préhistoire du complexe d'Œdipe », dans S. Bouyer, M. C. Mietkiewicz et B. Schneider (dir.), *Histoire(s) de grands-parents*, Paris, L'Harmattan, p. 109-115.

Dumazedier, J. (1989). *La révolution culturelle du temps libre*, Paris, Méridiens Klincksieck

Elam, D. (1997). « Sisters Are Doing It to Themselves », *Generations. Academic Feminism in Dialogue*, Minneapolis, University of Minnesota Press, p. 50-68.

Gaullier, X. (1999). *Les temps de la vie : Emploi et retraite*, Paris, Esprit.

Gourdon, V. (2001). *Histoire des grands-parents*, Paris, Perrin.

Guberman, N. et J.-P. Lavoie (2008). « Babyboomers and the "Denaturalization" of Care », communication présentée au colloque *Intergenerational Transfers and Support and Their Linkages to Health and Well Being of Elders and Family Carers : New Agendas for Research and Policy*, Israël, Université d'Haifa, 29-31 octobre.

Guillemard, A.-M. (1993). « Emploi, protection sociale et cycle de vie : Résultats d'une comparaison internationale des dispositifs de sortie anticipée d'activité », *Sociologie du travail*, nº 3, p. 257-284.

Hagestad, G. (1995) « La négociation de l'aide. Jeux croisés entre familles, sexe et politique sociale », dans C. Attias-Donfut (dir.), *Les solidarités entre générations*, Paris, Nathan, p. 157-168.

Héritier, F. (1997). *Masculin/féminin, la pensée de la différence*, Paris, Odile Jacob.

Hirsch, M. (1989). *The Mother-Daughter Plot : Narrative, Psychoanalysis, Feminism*, Bloomington, Indiana University Press.

Kohli, M. (1989). « Le cours de vie comme institution sociale », dans F. Godard et F. de Coninck (dir.), *Biographie et cycle de vie*, Cahiers du Cercom n° 5.

Rosenmayr, L. (2000). The Culture of Ageing », communication présentée à la conférence de la Société allemande de gérontologie, Nuremberg, 18-20 octobre.

Segalen, M. (2006). *Sociologie de la famille*, 6e rééd., Paris, Armand Colin.

Terrail, J.-P. (1995). *La dynamique des générations. Action individuelle et changement social (1968-1993)*, Paris, L'Harmattan.

Uhlenberg, P. (2001). « Élever ses petits-enfants », dans C. Attias-Donfut et M. Segalen (dir.), *Autrement*, n° 210, *Le siècle des grands-parents*, p. 218-224.

Villeneuve-Gokalp, C. (1999). « La double famille des enfants de parents séparés », *Population*, vol. 1, p. 9-36.

Walters, S. D. (1992). *Lives Together, Worlds Apart. Mothers and Daughters in Popular Culture*, Berkeley, University of California Press.

Travailleuses âgées du XXe siècle : à l'aune du temps, du genre et d'une perspective internationale

Aline Charles

Au carrefour de l'histoire des femmes, de l'histoire du travail et de l'histoire de la vieillesse au XXe siècle, peu d'historiens et peu d'historiennes se côtoient. Sans être tout à fait désert, ce carrefour demeure peu fréquenté et les rares qui s'y aventurent le traversent rapidement, sans trop s'y attarder. Il est en effet facile de passer outre et de laisser les travailleuses âgées dans l'angle mort de l'histoire. À cela, une raison, surtout, est invoquée : leurs effectifs clairsemés sur le marché de l'emploi durant tout le XXe siècle. Pourtant, d'autres évolutions y contribuent tout autant au cours de cette période. Si les études féministes ont bien montré que le travail ne se réduit pas à l'emploi, ce dernier n'en devient pas moins un mode prédominant d'organisation sociale au moment même où il se fait de moins en moins compatible avec la vieillesse sous la poussée d'une retraite conquérante (Kohli, 2005). Se popularisent alors une conception du travail restreinte à l'emploi et une vieillesse définie par « l'inactivité ». Pour toutes ces raisons, on en sait étonnamment peu sur les travailleuses âgées dans l'histoire en général, et dans le Québec ou le Canada du XXe siècle en particulier.

À cela s'ajoute la manière dont historiens et historiennes ont découpé leurs objets de recherche. Longtemps, l'histoire de la vieillesse s'est intéressée au vieillir en négligeant le genre. Ses études sur la retraite, le déclin de l'emploi, l'institutionnalisation ou la transmission du patrimoine concernaient en fait des hommes âgés dont les compagnes ne se profilaient qu'en arrière-plan, sortes d'ombres chinoises sans relief ni épaisseur. Longtemps aussi, l'histoire des femmes s'est focalisée sur le genre en oubliant le vieillir. Ses analyses sur l'éducation, la division sexuelle du travail, la maternité ou le féminisme étaient en fait peuplées de filles et de femmes éternellement jeunes, dont la vieillesse n'apparaissait qu'en pointillés au bout d'un cycle de vie laissé en suspens. L'histoire de la vieillesse développait donc des problématiques essentiellement masculines tandis que l'histoire des femmes élaborait des questionnements visant surtout les plus jeunes (Charles, 1999). Aujourd'hui, portés par l'intérêt (et les inquiétudes) que suscitent un vieillissement démographique et une féminisation de la vieillesse qui ne se démentent pas, les deux champs convergent davantage, des interfaces se dessinent de plus en plus entre le vieillir et le genre (Achenbaum, 2001 ; Christie, 2007 ; Davies, 2003 ; Dillon, 2008 ; Ratcliffe et Piette, 2007 ; Struthers 2004). Mais le mouvement est encore récent et les travailleuses âgées attirent toujours très peu l'attention (Charles, 2007).

Chacune de leur côté, l'histoire de la vieillesse et l'histoire des femmes ont néanmoins dégagé plusieurs pistes. Toutes deux confèrent ainsi une portée profondément sociale à des marqueurs longtemps jugés strictement biologiques : le nombre d'années vécues et le sexe. La première affirme que l'âge forge des constructions sociales en perpétuel réassemblage plutôt que des donnés (Bourdelais et Gourdon, 2006 ; Caradec, 2005 ; Charles, 2007 ; Feller, 2005 ; Pilon, 1990). Elle souligne qu'être vieux recouvre des pratiques, des représentations et des interactions très mobiles dans le temps et l'espace. Elle précise qu'avoir 65 ans en 1900 ou en 2000 induit des réalités socio-économiques diverses autant que des conditions physiologiques différentes. De son côté, la seconde allègue que le sexe et le genre façonnent eux aussi très peu d'absolus. Elle affirme qu'ils façonnent surtout des comportements, des rôles et des conceptions très sensibles au temps qui passe et au contexte géographique considéré. Et elle ajoute qu'être femme ou homme structure des rapports sociaux, de pouvoir notamment, qui imprègnent l'ensemble des perceptions et des comportements humains au fil de leurs infinies variations (Thébaud, 2007 ; Thistle, 2006).

De l'amalgame de ces deux courants, découle un principe selon lequel la vieillesse peut être considérée comme une construction à la fois sociale et sexuée. C'est ce principe qui sera utilisé ici. Il devrait permettre d'éclairer un peu mieux les rapports à l'emploi des femmes âgées au XXe siècle, ne serait-ce qu'en donnant un sens à leur présence si effacée dans un marché du travail qui n'a pas toujours exclu ni les personnes âgées ni les femmes.

Cette analyse démarrera au Québec et au Canada pour, très vite, en dépasser les frontières. L'un et l'autre ne sont pas des espaces clos, pas plus qu'ils ne représentent des cas particuliers. C'est à l'échelle occidentale que se généralise cette vieillesse conçue comme une phase vécue hors travail. Le mouvement s'opère à une telle échelle et acquiert une telle force, une telle visibilité, qu'il prend presque valeur d'évidence. Pour une sociologue comme Anne-Marie Guillemard, la comparaison internationale devient alors la seule stratégie capable de « dénaturaliser » la notion d'âge dans ses rapports à l'emploi (Guillemard, 2003 : 14). Le présent article répond à cet appel en faveur d'une perspective transnationale, tout en proposant d'en élargir le principe. Après tout, scruter les évolutions du passé qui confèrent aux liens entre âge et emploi ce caractère de normalité si difficile à ébranler aujourd'hui et s'intéresser aux femmes si longtemps laissées en marge de ces transformations, constituent, aussi, de puissants outils pour questionner les apparentes évidences.

Bref, allier perspective historique, prise en compte des femmes et perspective internationale devrait éclairer cette construction sociale du XXe siècle qui fait de plus en plus coïncider la vieillesse et « l'inactivité » à travers tout l'Occident, et même au-delà. Cela devrait aussi contribuer à donner une certaine épaisseur historique à ces travailleuses âgées peu nombreuses, certes, mais néanmoins révélatrices d'une restructuration en profondeur des rapports entre genre, âge et emploi.

Québécoises et Canadiennes âgées face à l'emploi : d'une incompatibilité à l'autre

Au Québec et au Canada, comme ailleurs en Occident, c'est au XXe siècle qu'être vieux devient plus que jamais synonyme d'être retraité, et donc, de ne plus occuper d'emploi. Avoir 60-65 ans et quitter le marché du travail en échange d'une pension composent les principaux pôles de cette définition qui se généralise alors et prédomine encore aujourd'hui. Ce qui ne constituait aux XVIIIe et XIXe siècles qu'un moyen parmi d'autres de composer avec le vieillir au travail s'impose alors avec une force inusitée. D'autres pratiques persisteront ou émergeront, mais aucune n'aura de portée comparable, aucune ne constituera la pierre angulaire des mesures prises en matière de vieillesse, aucune ne rivalisera en termes de personnes touchées, d'appareils bureaucratiques mis en place, de sommes investies et de consensus social réalisé.

Associer vieillesse, seuil d'âge précis et retrait du marché du travail instaure une rupture fondamentale. La chose ne va pas de soi et n'a pas toujours été. Dans le Haut et le Bas-Canada du XIXe siècle, les agriculteurs sont dits « vieux » lorsqu'ils cèdent leurs biens à un héritier, mais ce moment signale le ralentissement plus que la fin de leur vie active (McDonald, 2002 : 16-18). Dans le Halifax des années 1920, les hommes entrent en vieillesse non pas lorsqu'ils arrêtent de travailler, mais lorsqu'ils dévalent, un barreau après l'autre, la hiérarchie des emplois qualifiés (Morton, 1995 : 53). Dans la Colombie-Britannique d'avant la Dépression, l'entretien des routes et des rues constitue une sorte de bassin d'emplois occupé par les hommes dits « vieux », quel que soit leur date de naissance et leur âge chronologique[1] (Davies, 2003 : 28-29). Dans le Québec des années 1950, les hôpitaux réduisent le salaire des employés « trop âgés », sans les remercier pour autant (Charles, 2007 : 182-183).

C'est ce continuum entre vieillesse et emploi qui se brise peu à peu au XXe siècle sous la pression d'une retraite triomphante. L'évolution se fait surtout sentir à partir des années 1920, et encore plus à partir des années 1950. Trois éléments, à la fois distincts et liés, convergent alors pour édifier la vieillesse-retraite moderne (Charles, 2007). Le seuil de 65 ans se popularise d'autant plus qu'il marque à la fois l'obtention d'une pension et la fin de l'emploi. Les pensions de retraite se multiplient d'autant plus qu'elles autorisent les départs – forcés ou volontaires – au sein d'une main-d'œuvre désormais jugée trop âgée pour occuper un emploi. La fin de la vie active devient d'autant plus « normale » à 65 ans que cet âge donne droit à une pension. Cette formule qui combine seuil d'âge, pension et inactivité fait donc consensus, gagne la plupart des milieux, séduit la plupart des acteurs sociaux. États et employeurs y voient un outil idéal pour augmenter la productivité, diminuer le chômage et rajeunir la main-d'œuvre en imposant des limites à l'emploi à 65 ans, voire 60 ans. Personnel et syndicats y trouvent le moyen d'assurer en fin de vie un « repos mérité » en fonction du nombre d'années de service et d'ancienneté. Organismes sociaux, familles et groupes du 3e âge l'estiment garante d'une vieillesse plus autonome, de relations intergénérationnelles plus sereines. Entreprises de services, industrie des loisirs et compagnies d'assurances apprécient grandement son rôle dans l'ouverture de nouveaux marchés à l'heure où la consommation se développe tous azimuts. L'impulsion combinée de ces courants est telle que la retraite finit par définir la vieillesse comme une phase de vie « inactive », c'est-à-dire qui se vit hors du marché du travail.

1. Couramment utilisée dans les études traitant de l'âge, cette expression réfère au nombre d'années vécues par un individu. Elle établit ainsi une distinction avec les autres sens du mot « âge » : les phases de vie (jeunesse, maturité, etc.), l'âge biologique (condition physiologique, vieillissement précoce ou différentiel), etc.

Désormais, vieillesse et emploi sont nettement dissociés, clairement jugés incompatibles. Au Québec et au Canada, d'une entreprise à l'autre, d'un secteur à l'autre, les travailleurs dits âgés quittent massivement le marché du travail. Statistiques fragiles et définitions changeantes de « l'activité » défient toute prétention à l'exactitude ou à l'exhaustivité absolues sur de longues périodes, mais les chiffres disponibles sont catégoriques. Les taux d'activité masculins après 65 ans chutent de presque 60 % en 1921 à moins de 14 % en 2001 et c'est tout juste s'ils se relèvent en 2006 (graphique 1). Le plongeon paraît d'autant plus spectaculaire que le taux d'activité général des hommes demeure au-dessus du seuil des 70 %, même s'il faiblit à quelques reprises (graphique 1).

Graphique 1

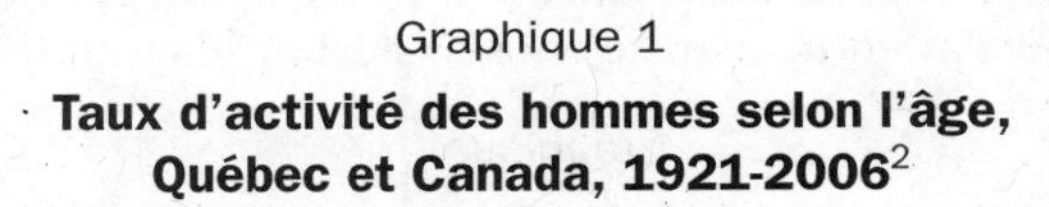

Taux d'activité des hommes selon l'âge, Québec et Canada, 1921-2006[2]

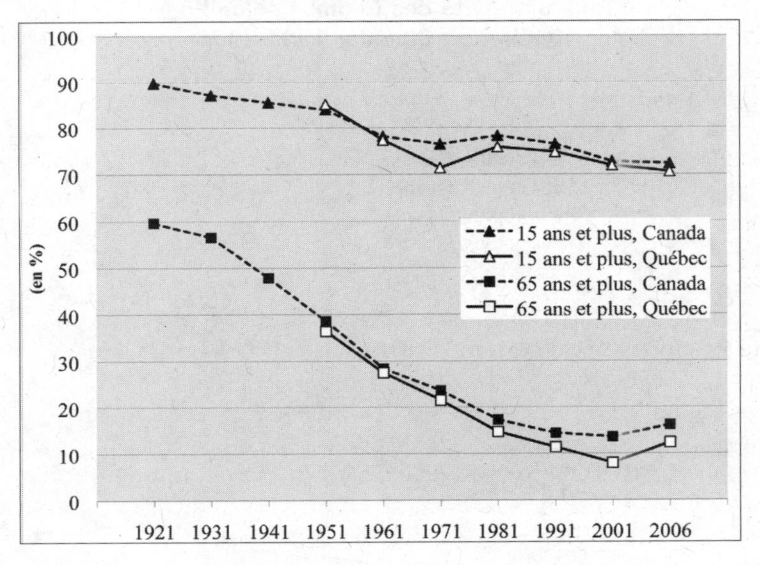

Sources : Statistique Canada (1999) *Statistiques historiques du Canada* (n° cat. 11-516-XIF, tabl. D 107-122); *Recensements du Canada* de 1971 (n° cat. 94-701, vol. 3, part. 1, tabl. 2), de 1981 (n° cat. 93-965, vol. 2, tabl. 1), de 1991 (cat. 93-324, tabl. 1), de 2001 (n° cat. 97F0012XCB2001007) et de 2006 (http://www12.statcan.ca/francais/census06, page consultée le 3 février 2009).

2. Pour ce graphique et les suivants, le calcul des taux d'activité canadiens concerne les 14 ans et plus de 1921 à 1941, les 15 ans et plus à partir de 1951.

Mais où se situent les femmes dans les évolutions qui viennent d'être tracées ? Cette chute étourdissante des taux d'activité après 65 ans, ce retrait massif du marché du travail pour cause d'âge avancé décrivent, en fait, des évolutions essentiellement masculines. L'histoire de la participation des femmes âgées à l'emploi, elle, est tout autre.

Peu de Québécoises et de Canadiennes âgées occupent un emploi tout au long du XXe siècle. Au lieu de sommets relativement élevés, c'est la modestie têtue des taux d'activité qui frappe. Au lieu de changements spectaculaires, c'est la quasi-immobilité des courbes sur huit longues décennies qui fascine. Les chiffres campent obstinément sous la barre des 10 % de 1921 à 2006, s'élevant à peine dans les années 1960 et 1970 pour retomber d'autant et remonter encore à peine après 2001 (graphique 2). Or, on aurait pu s'attendre à autre chose. C'est après tout la période où le

Graphique 2

Taux d'activité des femmes selon l'âge, Québec et Canada, 1921-2006

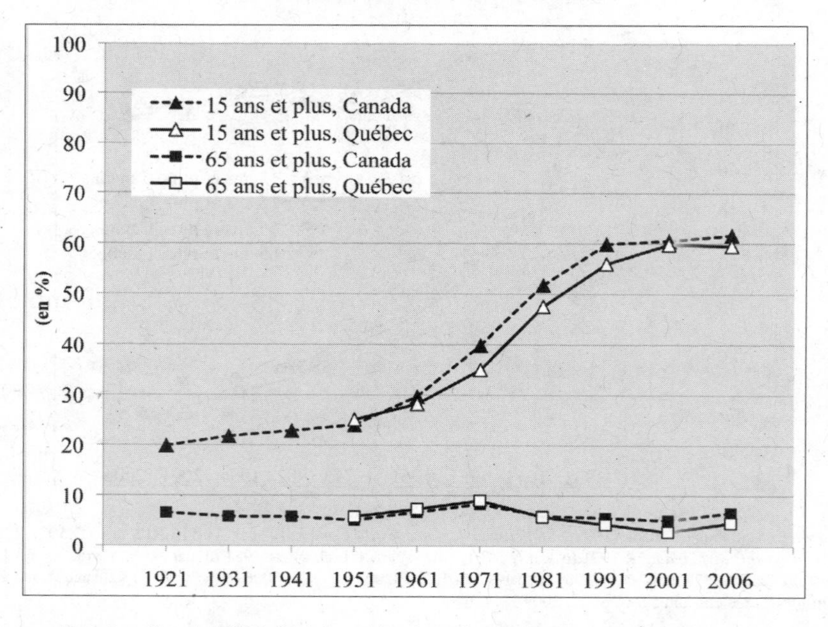

Sources : Statistique Canada (1999). *Statistiques historiques du Canada* (n° cat. 11-516-XIF, tabl. D 107-122) ; *Recensements du Canada* de 1971 (n° cat. 94-701, vol. 3, part. 1, tabl. 2), de 1981 (n° cat. 93-965, vol. 2, tabl. 1), de 1991 (cat. 93-324, tabl. 1), de 2001 (n° cat. 97F0012XCB2001007) et de 2006 (http://www12.statcan.ca/francais/census06, page consultée le 3 février 2009).

marché du travail se féminise au pas accéléré, le moment où les femmes en âge d'occuper un emploi l'investissent par bonds rapides et successifs : elles y sont d'abord près de 25 % en 1951, puis 50 % en 1981, et enfin 60 % en 2006 (graphique 2).

Cantonnée au bas des graphiques, sans pics ni relief très marqués, on peut comprendre que la courbe des travailleuses âgées attire peu l'attention. On peut aussi comprendre qu'elle soit éclipsée par le retrait massif des hommes âgés et par l'irruption en force des femmes sur le marché du travail, beaucoup plus voyants. Aussi insignifiante qu'elle paraisse, cette courbe reflète pourtant un marché du travail qui se réorganise de fond en comble en fonction du sexe et de l'âge.

Dans la première moitié du XXe siècle, les Québécoises et les Canadiennes qui occupent un emploi après 65 ans sont très minoritaires, mais c'est aussi le cas de leurs pareilles plus jeunes : à cette époque où domine le modèle du pourvoyeur masculin, le travail rémunéré constitue la sphère d'activité privilégiée des hommes, qu'ils soient jeunes ou vieux. C'est alors le sexe, avant l'âge, qui en détermine l'accès. Dans la deuxième moitié du XXe siècle par contre, les femmes âgées sont toujours aussi peu nombreuses sur le marché de l'emploi, mais les travailleuses plus jeunes s'y pressent maintenant en rangs serrés en y affirmant leur droit de cité : à cette heure où la retraite se popularise et où l'emploi se féminise, le travail rémunéré devient surtout le fait des moins de 65 ans, qu'il s'agisse d'hommes ou de femmes. C'est désormais l'âge, avant le sexe, qui en conditionne l'accès. Bien sûr, quelle que soit la période considérée, être femme ou être âgé constituent généralement des handicaps, mais leur impact n'en varie pas moins avec le temps. Bref, une fois situé dans le contexte des transformations qui modifient les rapports entre sexe, âge et emploi dans le Québec et le Canada du XXe siècle, le cas apparemment anodin des travailleuses âgées prend du relief pour révéler des phénomènes plus globaux. Parce qu'elles poussent en sens contraire, ces deux lames de fond maintiennent les femmes âgées hors du marché du travail et laissent croire que rien n'a changé pour elles durant toute la période. Mais cette immobilité n'est qu'apparente. Leurs effectifs obstinément réduits s'expliquent plutôt par une incompatibilité affirmée entre emploi et sexe féminin, d'abord, par une incompatibilité déclarée entre emploi et âge avancé, ensuite. Elles passent ainsi d'une incompatibilité à l'autre...

Placer maintenant côte à côte les taux d'activité féminins et masculins pour le Québec et le Canada du XXe siècle éclaire encore sous un autre jour l'évolution des rapports entre emploi, sexe et âge (graphiques 3 et 4). On voit alors, d'une part, les hommes de 65 ans et plus retrouver leurs consœurs à l'extérieur du marché du travail et, d'autre part, les femmes de 15 ans et plus rattraper leurs confrères sur le marché du travail. Cela montre bien comment la vieillesse féminine, qui s'était essentiellement déroulée hors de l'emploi tout au long du XXe siècle, se fait peu à peu rejoindre par la vieillesse des hommes. Cela révèle aussi à quel point la féminisation de la vie « active » et la masculinisation de la vieillesse « inactive » réorganisent de concert le marché du travail, à la fois contraires et miroirs l'une de l'autre. Et cela indique, enfin, comment ces deux mouvements uniformisent sensiblement les parcours de vie, amenant femmes et hommes à se côtoyer de plus en plus, sur le marché du travail durant leur jeunesse et leur vie adulte, hors de l'emploi durant leur vieillesse.

Graphique 3

Taux d'activité selon le sexe et l'âge, Québec, 1921-2001

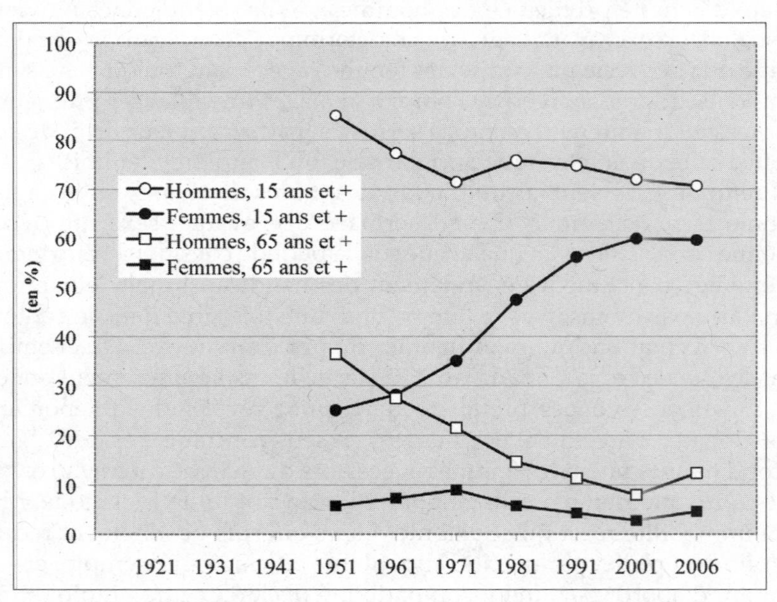

Sources : Statistique Canada (1999). *Statistiques historiques du Canada* (n° cat. 11-516-XIF, tabl. D 107-122) ; *Recensements du Canada* de 1971 (n° cat. 94-701, vol. 3, part. 1, tabl. 2), de 1981 (n° cat. 93-965, vol. 2, tabl. 1), de 1991 (cat. 93-324, tabl. 1), de 2001 (n° cat. 97F0012XCB2001007) et de 2006 (http://www12.statcan.ca/francais/census06, page consultée le 3 février 2009).

Graphique 4
Taux d'activité selon le sexe et l'âge, Canada, 1921-2001

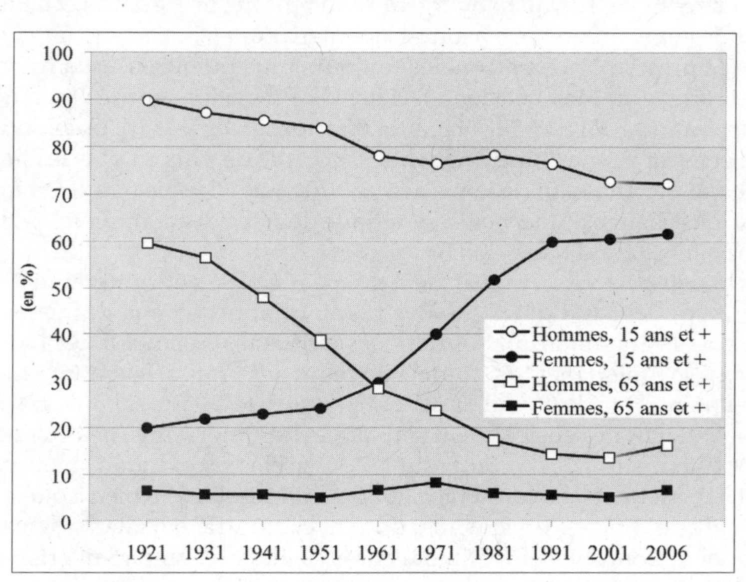

Sources : Statistique Canada (1999). *Statistiques historiques du Canada* (nº cat. 11-516-XIF, tabl. D 107-122) ; *Recensements du Canada* de 1971 (nº cat. 94-701, vol. 3, part. 1, tabl. 2), de 1981 (nº cat. 93-965, vol. 2, tabl. 1), de 1991 (cat. 93-324, tabl. 1), de 2001 (nº cat. 97F0012XCB2001007) et de 2006 (http://www12.statcan.ca/francais/census06, page consultée le 3 février 2009).

Femmes âgées et emploi : une perspective internationale

Cette conception d'une vieillesse hors travail, sorte d'envers de l'emploi, n'est donc ni évidente ni naturelle ni si massive qu'on le dit. La tester à l'aune du genre montre déjà qu'elle laisse dans l'ombre une pleine moitié de la population québécoise et canadienne en âge d'occuper un emploi : les femmes. La situer dans une perspective historique questionne en outre le caractère de normalité qui lui est un peu trop vite attribué aujourd'hui : chiffres et graphiques montrent qu'elle ne s'impose qu'au XXe siècle, pas avant. Mais porter l'analyse à l'échelle internationale confirme encore la nature changeante des rapports entre âge, genre et emploi.

Selon des rythmes divers, avec des intensités variables, cette vieillesse conçue comme une phase vécue hors travail se généralise en effet à travers tout l'Occident et même au-delà. Règlements de retraite obligatoire à âge fixe, politiques de pensions et aspirations populaires au repos après une vie de travail convergent et se renforcent à grande échelle. La main-d'œuvre américaine aspire à un « âge d'or » voué aux loisirs tandis que des prescriptions patronales toujours plus nombreuses la forcent à se retirer et que des pensions facilitent la transition vers « l'inactivité » (Achenbaum, 2001 : 31-32 ; Haber et Gratton, 1993 : 144). L'opinion française et européenne, voire occidentale, accepte de plus en plus les limites d'âge qui dictent la fin de la vie active à 70, puis 65, puis 60 ans ou même avant, en échange d'une vieillesse-retraite délivrée des contraintes de l'emploi (Feller, 2005 ; Thane, 2005).

Un peu partout ainsi, par-delà données éparses et comptabilisations différentes, les taux d'activité des hommes après 65 ans fléchissent ou s'écroulent (graphique 5). Pourtant, les trajectoires d'emploi des Japonais âgés qui se prolongent très au-delà de celles des Français démontrent bien à quel point l'âge de travailler varie d'une société à l'autre. Pourtant aussi, les taux d'activité sensiblement similaires des Américains, des Québécois et des Canadiens âgés durant tout le XXe siècle (graphique 1) mais nettement supérieurs à celui des Français après 1971 indiquent bien à quel point les « cultures d'âge » fluctuent au sein du cadre strictement occidental[3]. À quel point, donc, l'incompatibilité entre vieillesse et emploi n'a rien d'un absolu intemporel et universel.

Mettre en évidence la participation des femmes au marché du travail constitue ici encore un moyen efficace d'aller au-delà des évidences apparentes. Si les trajectoires des Suédoises et des Américaines âgées demeurent presque aussi discrètes que celles des Canadiennes et des Québécoises observées au graphique 2, d'autres se démarquent nettement. Le taux d'activité des Françaises après 65 ans dépasse 23 % et 27 % au tout début du XXe siècle, ce qui est relativement élevé (graphique 6). Celui des Japonaises, à l'autre bout du monde et quelques décennies plus tard, atteint 18 % et 23 % dans les années 1930 et 1940, ce qui n'est pas non plus négligeable.

Le poids des incompatibilités évoquées plus haut, entre femmes et emploi d'abord, entre personnes âgées et emploi ensuite, varie donc à l'échelle internationale. Et sous cet éclairage, la courbe toute discrète et immobile des travailleuses âgées au Québec et au Canada perd encore un peu de ce côté inexorable et « normal » qu'on lui prête aujourd'hui.

---

3. A.-M. Guillemard avance d'ailleurs qu'une « *culture de la sortie précoce* » serait propre à l'Europe continentale (Guillemard, 2004 : 34).

Bien sûr, tous les taux d'activité féminins après 65 ans restent modestes par rapport aux chiffres masculins correspondants. Bien sûr aussi, toutes les courbes féminines affichent une stabilité tranquille pendant que leurs pendants masculins témoignent d'évolutions beaucoup plus percutantes. Et le tout reflète bien la force d'un modèle qui freine ou limite à grande échelle la participation des femmes âgées au marché du travail. Mais la présence de minorités parfois importantes de travailleuses âgées, les écarts parfois notables qui séparent les différents taux d'activité féminins au début du XXe siècle et les similitudes entre les deux sexes qui s'accentuent partout après 1950 montrent aussi qu'un tel modèle n'a pas le même poids en tout lieu et en tout temps.

Graphique 5

Taux d'activité masculins après 65 ans, divers pays, 2000-2006

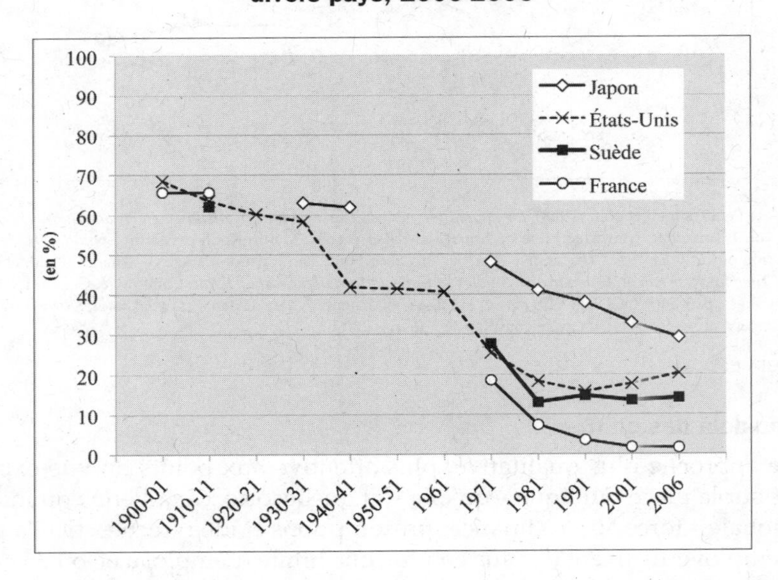

Sources : Paul Bairoch et coll. (1968), *La population active et sa structure, Statistiques internationales rétrospectives*, vol. 1. Bruxelles, Université Libre de Bruxelles ; Klaus Jacobs, Martin Kohli et Martin Rhein (1991), « The Evolution of Early Exit : A Comparative Analysis of Labor Force Participation Patterns », dans M. Kohli et coll. (dir.), *Time for Retirement. Comparative Studies of Early Exit from the Labor Force*, Cambridge, Cambridge University Press, p. 38-40 ; OCDE, « LFS par sexe et âge – indicateurs », base de données *OECD.Stat. Extracts* (http://webnet.oecd.org/wbos/?lang=fr, page consultée le 3 février 2009).

Graphique 6

Taux d'activité féminins après 65 ans, divers pays, 1900-2006

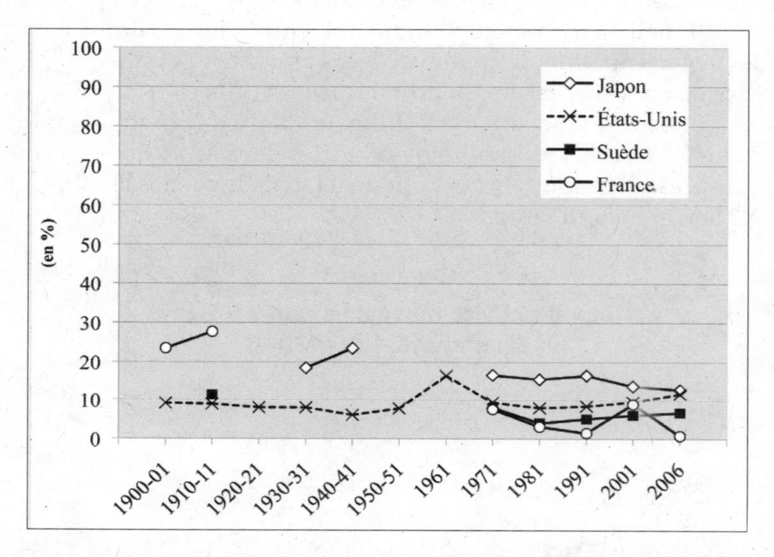

Sources : Paul Bairoch et coll. (1968), *La population active et sa structure, Statistiques internationales rétrospectives*, vol. 1. Bruxelles, Université Libre de Bruxelles ; Klaus Jacobs, Martin Kohli et Martin Rhein (1991), « The Evolution of Early Exit : A Comparative Analysis of Labor Force Participation Patterns », dans M. Kohli et coll. (dir.), *Time for Retirement. Comparative Studies of Early Exit from the Labor Force*, Cambridge, Cambridge University Press, p. 38-40 ; OCDE, « LFS par sexe et âge – indicateurs », base de données *OECD.Stat. Extracts* (http://webnet.oecd.org/wbos/?lang=fr, page consultée le 3 février 2009).

Et au-delà des chiffres...

Une approche plus qualitative, plus attentive aux points de vue exprimés sur la place publique – qu'elle soit québécoise, canadienne ou internationale – force aussi à nuancer présomptions et idées reçues. On l'a vu, les employeurs fixent de plus en plus une limite d'emploi à 60 ou 65 ans, limite au-delà de laquelle les individus sont déclarés trop vieux, quelles que soient leurs capacités. Très tôt pourtant, des cris d'alarme retentissent et des objections s'élèvent, signalant ainsi que cette incompatibilité forgée entre vieillesse et emploi fait débat, qu'elle pose problème, qu'elle ne va pas de soi.

Au Québec et au Canada, des journalistes la déplorent, des syndicats la critiquent, des organismes gouvernementaux la combattent. Dès 1929, un quotidien montréalais s'inquiète à la une en ces termes :

> *À la ville, dans l'industrie qui absorbe le plus gros des énergies, il y a une limite d'âge, sinon formulée en blanc et en noir, du moins établie en fait. Et cette limite d'âge tend constamment à s'abaisser. Combien de fois avons-nous entendu des hommes relativement jeunes encore se plaindre de ne pouvoir trouver place dans les ateliers ou sur les chantiers ?* (Omer Héroux, *Le Devoir*, 28 février 1929, p. 1)

Mais les inquiétudes se manifestent surtout après la Deuxième Guerre mondiale. Le ministère du Travail fédéral juge le problème suffisamment grave pour lancer dans les années 1950 une vaste campagne en faveur de l'emploi des « travailleurs âgés » partout au Canada. Il commandite un film au titre évocateur (*Date de naissance*, 1950), crée des comités, mène des enquêtes, publie des brochures, commande au Service national de placement de réagir[4]. Pendant ce temps, des travailleuses sociales, des infirmières et des médecins québécois décrient les « stéréotypes » qui établissent un lien automatique entre vieillesse et inefficacité, dénoncent la retraite obligatoire qui rejette des individus hors du marché du travail sur la base de leur seule date de naissance (Charles, 2004).

Le mouvement dépasse, là encore, les seuls cas du Québec et du Canada. Dans les années 1930, l'Union soviétique de Staline incite fortement les travailleurs à conserver un emploi le plus longtemps possible (Thane, 2005 : 274). Après la Deuxième Guerre mondiale, le Bureau international du travail encourage le maintien en emploi des plus âgés dans une économie mondiale en pleine effervescence parce qu'il craint une pénurie de main-d'œuvre due aux faibles taux de natalité des années 1930 et 1940 (Thane, 2005 : 277). À partir des années 1950, des enquêtes et des recherches aux quatre coins de l'Occident condamnent de plus en plus vivement les « préjugés » qui associent vieillir et décliner, vieillesse et inactivité, âge et incapacité (Burnay, 2004 ; Jacobs et coll., 1991 : 42-43).

4. Les publications du ministère du Travail du Canada des années 1950 et 1960 en font état. Voir notamment : *Gazette du travail*, vol. 59, nº 10, 1959 ; Canada – ministère du Travail (1957), « Régimes de pension et emploi des travailleurs âgés », *Deux minutes de faits sur le placement*, nº 175, Ottawa, Imprimeur de la Reine ; Commission d'assurance-chômage (1959), *Quand est-on vraiment vieux ? Une étude sur le problème des travailleurs âgés*, Ottawa, Imprimeur de la Reine ; Canada – ministère du Travail (1960), *Causeries... sur le problème du travailleur âgé*, Ottawa, Imprimeur de la Reine.

Les possibilités d'emploi des femmes âgées ou vieillissantes préoccupent alors assez peu les différents acteurs impliqués. Les hommes sont identifiés comme les principales victimes d'un marché du travail qui rejette la vieillesse et qui, en outre, la fait débuter de plus en plus tôt. Ici et là tout de même, des féministes et des philanthropes, surtout, des instances gouvernementales et des travailleuses sociales, parfois, n'attendent pas les dernières décennies du XXe siècle pour se soucier des travailleuses âgées. De la Première Guerre mondiale jusqu'aux années 1950, des organismes torontois s'efforcent d'embaucher les femmes de 50 à 90 ans, spécifiquement[5]. En 1940, une section du Provincial Council of Women of Ontario soulève le problème des femmes de 60 à 70 ans dites trop vieilles pour travailler et trop jeunes pour toucher la pension fédérale versée aux démunis des deux sexes[6]. En 1959, la Commission d'assurance-chômage du Canada évoque le « droit naturel » des Canadiens et des Canadiennes à gagner leur vie[7].

Les chiffres exposés plus haut montrent que de telles prises de position demeurent minoritaires et qu'elles rament à contre-courant de tendances plus puissantes. Pourtant, les objections émises contre la vieillesse « inactive » dans les années 1930, 1940 et 1950 participent probablement d'un courant qui prendra de la vigueur avec le temps, alors même que la retraite s'impose partout. C'est en effet à partir de la fin des années 1960 que des mesures juridiques fixent des limites très concrètes à cette retraite hégémonique. On voit par exemple les États-Unis voter en 1967 une loi interdisant toute discrimination d'âge en emploi (Macnicol, 2006 : 207-260). On voit aussi en 1982 le Québec abolir la retraite obligatoire[8] et le Canada adopter une charte des droits et libertés interdisant toute discrimination en fonction de l'âge, à l'intérieur de certaines limites (Burque, 2007). Si de telles mesures ne visent pas spécifiquement les femmes, elles les concernent au même chef que les hommes. Si elles semblent n'avoir eu

5. Jean Good (1947), « The Forgotten Third », *The Social Worker*, vol. 15, n° 3, p. 19-22 ; Sidney Katz (1955), « Sheltered Employment for Older People », *Canadian Welfare*, vol. 31, n° 1, p. 38-41 ; Jean Good (1957), « L'âge est un avantage », *Bien-être social canadien*, vol. 9, n° 3, p. 68-72.
6. Provincial Council of Women of Ontario, *Annual Meetings Files*, 1940, p. 2 (Archives publiques de l'Ontario, F 798-2-13, boîte MU 2346). De 1927 (1936 au Québec) à 1951, le gouvernement fédéral verse une petite pension aux citoyens et citoyennes de 70 ans et plus qui peuvent prouver leur pauvreté.
7. Commission d'assurance-chômage (1959), *Quand est-on vraiment vieux ?, op. cit.*, p. 2.
8. *Loi sur l'abolition de la retraite obligatoire et modifiant certaines dispositions législatives*, Lois du Québec, 1982, chapitre 12.

que peu d'impact sur les taux d'activité après 65 ans, qui fléchissent inexorablement ou stagnent imperturbablement, peut-être n'en annoncent-elles pas moins un retour du balancier. Aujourd'hui en effet, le modèle d'une « vieillesse active » se généralise, favorisant l'emploi après 65 ans et retardant la retraite. Sous l'impulsion de plus en plus vigoureuse des gouvernements, avec le soutien de plus en plus ferme des organismes internationaux, le principe gagne d'ailleurs en force au Québec, au Canada et un peu partout à travers le monde (Townson, 2006). L'idée n'est pas neuve, on l'a vu, mais elle pose encore autrement les rapports entre âge, sexe et emploi...

Bibliographie

Achenbaum, Andrew W. (2001). « Productive Aging in Historical Perspective », dans N. Morrow-Howell et coll. (dir.), *Productive Aging. Concepts and Challenges*, Baltimore, Johns Hopkins University Press, p. 19-36.

Bourdelais, Patrice et Vincent Gourdon (2006). « Demographic Categories Revisited. Age Categories and the Age of the Categories », dans C. Sauvain-Dugerdil, H. Leridon et N. Mascie-Taylor (dir.), *Human Clocks. The Bio-Cultural Meanings of Age*, Berne, Peter Lang, p. 245-271.

Burnay, Nathalie (2004). « Les stéréotypes sociaux à l'égard des travailleurs âgés : panorama de 50 ans de recherche », *Gérontologie et société : âge et travail*, n° 111, p. 157-170.

Burque, Tanaquil (2007). « Un éclairage du droit québécois », *Retraite et société*, vol. 51, n° 2, p. 77-101.

Caradec, Vincent (2005). « "Seniors" et "personnes âgées". Réflexion sur les modes de catégorisation de la vieillesse », dans F. Cribier et É. Feller (dir.), *Regards croisés sur la protection sociale de la vieillesse*, Paris, Comité d'histoire de la sécurité sociale, Cahier d'histoire de la sécurité sociale n° 1, p. 313-326.

Charles, Aline (1999). « Histoire des femmes et histoire de la vieillesse : un rendez-vous à prendre », *Sextant*, n° 12, p. 135-164.

Charles, Aline (2004). « Grise ou verte, la vieillesse ? Experts et dernier âge au Québec, 1945-1960 », dans F. Saillant, M. Clément et C. Gaucher (dir.), *Identités, vulnérabilités, communautés*, Québec, Nota Bene, p. 267-282.

Charles, Aline (2007). *Quand devient-on vieille ? Femmes, âge et travail au Québec, 1940-1980*, Québec, Presses de l'Université Laval.

Christie, Nancy (2007). « Strangers in the Family : Work, Gender, and the Origins of Old Age Homes », *Journal of Family History*, vol. 32, n° 4, p. 371-391.

Davies, Megan J. (2003). *Into the House of Old. A History of Residential Care in British Columbia*, Montréal, McGill-Queen's University Press.

Dillon, Lisa (2008). *The Shady Side of Fifty. Age and Old Age in Late Victorian Canada and the United States*, Montréal/Kingston, McGill-Queen's University Press.

Feller, Élise (2005). *Histoire de la vieillesse en France 1900-1960. Du vieillard au retraité*, Paris, Seli Arslan.

Guillemard, Anne-Marie (2003). *L'âge de l'emploi. Les sociétés à l'épreuve du vieillissement*, Paris, Armand Colin.

Guillemard, Anne-Marie (2004). « L'emploi des seniors. Les enseignements de l'Europe du nord et du Japon », *Gérontologie et société : âge et travail*, n° 111, p. 29-44.

Haber, Carole et Brian Gratton (1993). *Old Age and the Search for Security : An American Social History*, Bloomington, Indiana University Press.

Jacobs, Klaus, Martin Kohli et Martin Rhein (1991). « The Evolution of Early Exit : A Comparative Analysis of Labor Force Participation Patterns », dans M. Kohli et coll., *Time for Retirement. Comparative Studies of Early Exit from the Labor Force*, Cambridge, Cambridge University Press, p. 36-66.

Kohli, Martin (1995). « La présence de l'histoire », dans C. Attias-Donfut (dir.), *Solidarités entre générations : vieillesse, familles et État*, Paris, Nathan, p. 245-258.

Macnicol, John (2006). *Age Discrimination : An Historical and Contemporary Analysis*, Cambridge/New York, Cambridge University Press.

McDonald, Lynn (2002). *The Invisible Retirement of Women. SEDAP Research Paper n° 69*, Hamilton, Social and Economic Dimensions of Aging Population (SEDAP), McMaster University.

Morton, Suzanne (1995). « Elderly Men and Women », *Ideal Surroundings. Domestic Life in a Working-Class Suburb in the 1920s*, Toronto, University of Toronto Press, p. 51-66.

Pilon, Alain (1990). « La vieillesse : reflet d'une construction sociale du monde », *Nouvelles pratiques sociales au Québec*, vol. 3, n° 2, p. 141-156.

Ratcliffe, Barrie M. et Christine Piette (2007). « Vivre la vieillesse : femmes pauvres et exclusion », *Vivre la ville. Les classes populaires à Paris (1re moitié du XIXe siècle)*, Paris, Boutique de l'histoire, p. 225-256.

Struthers, James (2004). « Grizzled Old Men and Lonely Widows. Constructing the Single Elderly as a Social Problem in Canada's Welfare State, 1945-1967 », dans N. Christie et M. Gauvreau (dir.), *Mapping the Margins. The Family and Social Discipline in Canada, 1700-1975*, Montréal/Kingston, McGill-Queen's University Press, p. 349-382.

Thane, Pat (2005). « The 20th Century », dans P. Thane (dir.), *A History of Old Age*, Los Angeles, Paul J. Getty Museum, p. 263-302.

Thébaud, Françoise (2007). *Écrire l'histoire des femmes et du genre*, 2e éd. revue et augmentée, Fontenay-aux-Roses, ENS éditions Fontenay Saint-Cloud.

Thistle, Susan (2006). *From Marriage to the Market. The Transformation of Women's Lives and Work*, Berkeley, University of California Press.

Townson, Monica (2006). *Growing Older, Working Longer*, Ottawa, Canadian Center for Policy Alternatives.

Les femmes âgées et l'égalité économique

Ruth Rose

Il y a un mythe qui circule aujourd'hui voulant que puisque les femmes ont intégré les universités et le marché du travail massivement, il ne reste plus d'inégalités au niveau économique et qu'il n'est plus nécessaire de prévoir des mesures spéciales afin de les aider à obtenir la parité avec les hommes. Le but de ce texte est de dessiner un portrait de la situation économique des femmes et des hommes âgés, de projeter la situation économique des femmes âgées de 18 à 59 ans lorsqu'elles prendront leur retraite et de commenter les tendances politiques et économiques concernant les régimes de retraite.

Nous allons voir qu'il reste encore un nombre significatif de femmes âgées qui vivent la pauvreté ou la quasi-pauvreté à « l'âge d'or » et qu'en moyenne leurs revenus de sources autres que la sécurité de la vieillesse sont substantiellement inférieurs à ceux des hommes. Nous allons également voir que, même si les écarts par rapport aux hommes vont continuer à baisser dans les prochaines décennies, les femmes aujourd'hui âgées de 18 à 25 ans risquent de se retrouver à la retraite avec des revenus toujours plus faibles que ceux des hommes. Finalement, nous verrons que les propositions de réforme des régimes publics de retraite risquent d'avoir pour effet de contrecarrer les progrès des femmes dans leurs efforts pour s'assurer un revenu convenable à la retraite, et aussi d'appauvrir les hommes.

Les régimes publics de retraite canadiens

Au Canada, il y a trois volets publics du système de sécurité à la retraite : la Pension de la sécurité de la vieillesse, le Supplément de revenu garanti (et ses pendants, les allocations de survivant et de conjoint) et, finalement, les régimes de pensions de Canada et de rentes du Québec. À cause de la faiblesse de ces régimes comparativement à ceux de l'Europe, une grande partie de la classe moyenne vit la pauvreté ou la quasi-pauvreté à la retraite.

La Pension de la sécurité de la vieillesse (PSV) et le Supplément de revenu garanti (SRG)

La PSV est une prestation quasi universelle de 6 204 $ par année (en 2009) payable à toutes les personnes de plus de 65 ans qui ont résidé au Canada depuis au moins 40 ans (pension partielle si la résidence a été d'au moins 10 ans). Toutefois, les individus dont le revenu annuel dépasse 66 335 $ en 2009 doivent rembourser 15 % de la différence entre leur revenu et ce seuil[1].

Le SRG est une prestation sélective qui vise les plus pauvres. Une personne seule de plus de 65 ans recevra un maximum de 7 830 $ (en 2009) et une personne ayant un conjoint 5 171 $. Donc, la PSV combinée au SRG fournit un revenu minimum annuel garanti de 14 033 $ aux personnes âgées seules et de 22 749 $ aux couples.

En complément, les veuves ou veufs âgés de 60 à 64 ans ont droit à une Allocation de survivant d'un maximum de 12 608 $. Pour leur part, les personnes âgées de 60 à 64 ans et conjointes d'un bénéficiaire de la PSV ont droit à une Allocation de conjoint d'un maximum de 11 374 $, ce qui permet à un couple composé d'une personne âgée de 60 à 64 ans et d'une personne de 65 ans et plus d'atteindre un minimum de 22 749 $, comme les couples composés de deux personnes de plus de 65 ans. Les célibataires, personnes divorcées ou un couple de personnes âgées de 60 à 64 ans ne sont pas admissibles aux programmes complémentaires.

Puisque le SRG vise les personnes pauvres, il est réduit de 50 % de tout revenu autre que la PSV que reçoit le bénéficiaire. Les allocations de survivant et de conjoint sont réduites à un taux de 75 %.

1. Ces informations proviennent du site Internet de Service Canada.

Liste des sigles

CRI :	Compte de retraite immobilisé
FERR :	Fonds enregistré de revenu de retraite
FRV :	Fonds de retraite viager
MGA :	Maximum des gains admissibles (du Régime de rentes du Québec)
PSV :	Pension de la sécurité de la vieillesse
RCR :	Régime complémentaire de retraite
REER :	Régime enregistré d'épargne-retraite
RPA :	Régime de pension agréé
RPC :	Régime de pensions du Canada
RRQ :	Régime de rentes du Québec
SFR-API :	Seuil de faible revenu après impôt
SFR-AVI :	Seuil de faible revenu avant impôt
SRG :	Supplément de revenu garanti

Le Régime de rentes du Québec (RRQ)

Le Régime de rentes du Québec (RRQ) et le Régime de pensions du Canada (RPC) sont des régimes d'assurance dont l'objectif est de remplacer environ 23 % du revenu d'emploi moyen de carrière (corrigé pour tenir compte de l'inflation). Il est financé par les cotisations des personnes actives. À terme[2], il faut avoir cotisé pendant au moins 40 ans et avoir célébré son 65e anniversaire pour recevoir une pleine rente. En 2009, la rente maximum était de 10 905 $.

À partir du 60e anniversaire, on peut demander une rente réduite de 6 % par année (0,5 % par mois) qui reste avant le 65e anniversaire. De façon symétrique, si l'on demande la rente après le 65e anniversaire, celle-ci est augmentée de 6 % par année écoulée à partir de cette date. Au Québec, en 2006, 59,6 % des nouveaux bénéficiaires masculins et 70,0 % des femmes n'avaient que 60 ans au moment de demander leur pension. Parmi les hommes 23,0 % ont attendu leur 65e anniversaire, comparativement à 15,3 % des femmes. En d'autres mots, la vaste majorité des Québécoises et des Québécois prennent une retraite anticipée et, en conséquence, reçoivent beaucoup moins que la rente RRQ maximum (Régie des rentes du Québec, 2008 : 59).

---

2. Puisque le régime a commencé en 1966, il atteindra sa maturité seulement en 2013. D'ici là, le critère pour recevoir une pleine rente est le fait d'avoir cotisé pendant au moins 85 % de la période comprise entre 1966 et la date de la retraite.

Puisque 50 % de la rente RRQ est déduit du SRG, le maximum que peut recevoir une personne seule qui prend sa retraite à 65 ans des régimes publics est de 19 486 $ en 2009, ce qui se compare au seuil de faible revenu avant impôt (SFR-AVI) de 22 767 $ pour une grande ville. Le maximum pour un couple dont un membre reçoit la rente RRQ maximum et l'autre aucune prestation est de 28 202 $; celui d'un couple dont les deux membres ont droit à la rente maximum est de 34 217 $, ce qui se compare au SFR-AVI de 28 337 $ pour deux personnes.

Pour obtenir la rente maximum, une personne doit avoir cotisé au niveau du maximum des gains admissibles (MGA) pendant près de 40 ans. Cette personne doit donc avoir eu un revenu d'au moins 44 900 $ en 2008, l'année avant sa retraite. Les régimes publics de retraite remplacent moins de 43 % du revenu d'emploi dans le cas d'une personne seule ayant gagné le MGA toute sa vie et 38 % dans le cas d'un couple.

On considère que, pour maintenir son niveau de vie, il faut un revenu de retraite égal à au moins 70 % du revenu d'avant la retraite. On doit donc constater que non seulement les régimes publics de retraite au Canada ne permettent pas à la majorité de Canadiens de maintenir leur niveau de vie après la retraite mais aussi qu'ils n'assurent même pas à la plupart d'entre eux un revenu égal au seuil de pauvreté.

Les régimes complémentaires de retraite (RCR)

Puisque les régimes publics sont inadéquats, la classe moyenne doit compter sur des régimes complémentaires de retraite et l'épargne personnelle, notamment des placements dans des REER. Les RCR, généralement fournis par un employeur, ne sont pas accessibles à la majorité de la population et constituent souvent un leurre. En 2005, 40,0 % des travailleurs rémunérés (en baisse par rapport à un sommet de 51,3 % en 1991) et 43,0 % des travailleuses (par rapport à un sommet de 47,4 % en 1992) participaient à un RCR. Près de 52 % de ces personnes travaillent dans le secteur public, ce qui explique pourquoi le taux est un peu plus élevé pour les femmes (RRQ, 2008a : 46-49). Toutefois, le nombre de participants représente seulement 31,2 % de la population masculine âgée de 18 à 59 ans et 30,8 % de celle des femmes[3].

3. Selon nos calculs. Ces pourcentages représentent toutefois une surestimation parce qu'une partie des personnes participant à un RCR sont âgées de 60 ans ou plus.

Par ailleurs, 90 % des participants à un RCR sont couverts par un régime à prestations déterminées, c'est-à-dire un régime qui promet une rente viagère après la retraite et pour lequel l'employeur est responsable des déficits ; 10 % sont couverts par un régime à cotisations déterminées, c'est-à-dire un plan où leurs cotisations et celles de leur employeur sont investies dans un fonds similaire à un REER qui sert à acheter une rente au moment de la retraite.

Même les RCR à prestations déterminées n'offrent pas de bonnes rentes à la plupart de leurs bénéficiaires. Par exemple, si une personne change d'employeur à 45 ans après 20 ans de service, elle aura droit à une pension partielle à la retraite, mais celle-ci sera basée sur son salaire à 45 ans (avec une certaine indexation en fonction de la hausse du coût de la vie) mais ne tiendra pas compte des augmentations de salaire qu'elle aura reçues par la suite. Si cette personne change d'employeur plusieurs fois au cours de sa vie, surtout si certains de ses employeurs n'offrent pas de régime de retraite, sa pension équivaudra à beaucoup moins que 70 % de son revenu d'avant la retraite.

Parmi les régimes sous la surveillance de la Régie des rentes du Québec (excluant notamment les régimes du secteur public), 68,1 % n'offraient aucun ajustement automatique de la rente après la retraite pour tenir compte de la hausse du coût de la vie ; seulement 3,5 % offraient une indexation complète et 28,4 % offraient une indexation partielle (RRQ, 2008a : 35). Après 20 ans d'inflation à 2 %, une rente non indexée aura perdu le tiers de sa valeur. Si l'inflation est plus élevée ou si la personne vit plus longtemps, les pertes seront plus élevées.

Depuis la crise boursière du début des années 2000, plusieurs grandes et petites compagnies dont United Airlines, Stelco et les trois géants de l'automobile ont fait faillite ou sont menacés de la faillite en grande partie à cause des déficits énormes de leurs régimes de pension. De plus en plus de compagnies mettent un terme à leur régime ou le convertissent en un régime à cotisations déterminées, transférant ainsi tout le risque aux employés. La nouvelle crise boursière de l'automne 2008, encore plus profonde que les précédentes, ne peut qu'accélérer cette tendance[4].

4. Agence France-Presse, « Retraite : la crise se dessine aux États-Unis », *Le Devoir*, 30 mai 2005, p. B1 ; *Les affaires*, « Retraite : 2000 milliards envolés en fumée », 7 octobre 2009 ; Sylvain Cypel, « Création d'un fonds de retraite et de couverture santé géré par le syndicat », *Le Monde*, 28 septembre 2007, p. 4.

Les Régimes enregistrés d'épargne-retraite (REER)

Les deux paliers de gouvernement exemptent de l'impôt jusqu'à 18 % des gains d'un contribuable investis dans un REER afin de lui permettre d'accumuler de l'épargne pour sa retraite[5]. Ces cotisations sont également assujetties à un maximum de 20 000 $ en 2008, qui augmentera à 22 000 $ en 2010. Les montants retirés du REER sont imposables, à un taux censément plus faible qu'avant la retraite.

En 2005, environ 60 % de la population âgée de 60 ans ou plus recevait un revenu d'un RCR ou d'un REER (Barrette et coll., 2008 : 12). Moins du tiers de la population âgée de 18 à 64 ans a profité de l'avantage fiscal cette même année. En fait, seuls les contribuables très riches en profitent pleinement : en 2005, 12 % des contribuables ayant un revenu supérieur à 60 000 $ ont profité de presque 60 % des avantages fiscaux qui découlent des REER[6]. Un plafond de 11 000 $ serait suffisant pour permettre à 88 % des contribuables, qui ont un revenu inférieur à 60 000 $, de placer 18 % de leur revenu dans ce régime d'épargne.

Les REER ont aussi le désavantage de mettre tout le fardeau du risque sur l'individu, de coûter très cher en frais d'administration et de donner presque toujours des rendements plus faibles que ceux des régimes collectifs. Entre 1999 et 2005, le rendement moyen des REER et d'autres véhicules d'épargne-retraite individuels (FERR, CRI ou FRV) n'était que de 2,0 %, inférieur de 0,4 % au taux d'inflation. En comparaison, les caisses des RCR ont gagné 6,8 % en moyenne (Barrette et coll., 2008 : 20). Les crises financières répétées, particulièrement celle de 2008-2009, peuvent détruire des années d'épargne du jour au lendemain.

Bref, seule une minorité de personnes peuvent compter sur un RCR ou un REER pour bien compléter leur revenu à la retraite.

Les revenus des femmes à la retraite

Le tableau 1 dresse un portrait des revenus des femmes et des hommes vieillissants comparativement à ceux des personnes plus jeunes.

5. La valeur des cotisations du contribuable et de son employeur à un RCR (calculée selon une formule complexe) est déduite du 18 % pour déterminer le facteur d'équivalence et donc le montant qu'une personne peut investir chaque année.
6. Selon nos calculs, à partir de ministère des Finances et ministère du Revenu (2008 : tableau 4).

1) À tous les âges, les revenus des femmes sont inférieurs à ceux des hommes

Pour l'ensemble des contribuables de moins de 65 ans, les revenus des femmes représentent 62,9 % de ceux des hommes, à peu près la même proportion que pour les 65 ans et plus, soit 62,0 %. Toutefois, c'est dans les groupes d'âge de 55 à 64 ans que les ratios de revenu femmes/hommes sont les plus faibles (52,6 % pour les 55 à 59 ans et 49,9 % pour les 60 à 64 ans). D'une part, le salaire moyen des femmes est moindre que celui des hommes et, d'autre part, les femmes ont tendance à se retirer du marché du travail plus tôt (ou n'ont jamais été sur le marché du travail).

2) Les hommes et les femmes subissent une baisse de revenu importante à la retraite

Le revenu moyen des hommes de 65 ans et plus représente 82,3 % de celui des hommes de moins de 65 ans, alors que le chiffre comparable est de 81,1 % pour les femmes. Pour saisir l'ampleur des écarts, notons que les femmes de 65 ans et plus reçoivent 20 790 $ en moyenne, soit 51,0 % du montant de 40 725 $ reçu par les hommes de moins de 65 ans. Les femmes âgées subissent donc à la fois les effets de leur revenu inférieur au cours de la vie active et la baisse des revenus qui survient à la retraite.

3) Plus que les hommes, les femmes comptent sur les régimes de retraite publics

La PSV et le SRG représentent 36,2 % des revenus des femmes de 65 ans et plus, mais seulement 20,3 % de ceux des hommes du même groupe d'âge.

Le RRQ compte pour 18,8 % des revenus des femmes de plus de 65 ans et pour 18,4 % de ceux ces hommes. Pourtant, les femmes ne reçoivent que 3 917 $ de cette source, comparativement à 6 164 $ reçus par les hommes, reflétant ainsi leurs salaires inférieurs au cours de la vie active.

4) Les femmes ont moins de pensions de régimes privés et d'épargne-retraite que les hommes

Également, à cause de leur revenu plus faible au cours de la période d'activité, les femmes peuvent moins compter sur les régimes de pension privés ou sur les revenus des REER que les hommes. Les femmes de 60 à 64 ans retirent 5 766 $ de ces sources, à peine la moitié des 10 680 $ que reçoivent les hommes. Les femmes de plus de 65 ans reçoivent encore

Tableau 1

Revenus moyens selon la source, le groupe d'âge et le sexe, Québec, 2005[1]

Source des revenus	55 à 59 ans		60 à 64 ans		65 ans et plus		< 65 ans	
	H	F	H	F	H	F	H	F
Contribuables (N)	247 481	245 592	197 326	199 588	454 238	591 227	2 412 058	2 374 406
Revenu d'emploi	31 877 $	16 384 $	17 253 $	6 885 $	2 889 $	669 $	31 509 $	19 839 $
Revenu d'entreprise	3 765 $	1 111 $	3 031 $	687 $	922 $	114 $	2 561 $	1 285 $
Total revenu d'activité	35 642 $	17 495 $	20 284 $	7 572 $	3 811 $	783 $	34 070 $	21 124 $
PSV	0 $	0 $	0 $	0 $	5 275 $	5 348 $	0 $	0 $
SRG-Alloc. conj. et surv.[2]	0 $	0 $	290 $	468 $	1 552 $	2 192 $	24 $	39 $
Rente RRQ/RPC[3]	485 $	773 $	3 845 $	3 407 $	6 164 $	3 917 $	430 $	478 $
Total revenu retraite public	485 $	773 $	4 135 $	3 875 $	12 991 $	11 457 $	454 $	517 $
RPA, REER, FERR[4]	5 633 $	3 520 $	10 680 $	5 766 $	10 495 $	4 832 $	1 594 $	932 $
Revenu de patrimoine[5]	4 661 $	2 090 $	5 754 $	2 553 $	5 489 $	3 251 $	2 463 $	1 110 $
Autres transferts publics[6]	2 043 $	1 294 $	1 750 $	1 128 $	143 $	59 $	1 261 $	1 199 $
Autres revenus[7]	1 705 $	1 200 $	1 662 $	1 182 $	593 $	408 $	884 $	753 $
REVENU TOTAL avant impôt	50 169 $	26 372 $	44 266 $	22 077 $	33 522 $	20 790 $	40 725 $	25 635 $
Rapport F/H	52,6 %		49,9 %		62,0 %		62,9 %	
% du revenu des < 65 ans	123,2 %	102,9 %	108,7 %	86,1 %	82,3 %	81,1 %	100,0 %	100,0 %

Source : Données compilées à partir de ministère des Finances et ministère du Revenu, *Statistiques fiscales des particuliers, Année d'imposition 2005*, Gouvernement du Québec, 2008, tableau 3. Les totaux et sous-totaux peuvent ne pas être égaux à la somme des composantes à cause d'erreurs d'arrondissement.

1. La plupart des contribuables, y compris les plus pauvres et les conjoints sans revenu propre, remplissent une déclaration d'impôt afin d'être admissibles aux divers crédits d'impôt remboursables, dont le SRG. Ces statistiques reflètent donc assez bien les revenus de l'ensemble de la population.
2. Les statistiques fiscales ne nous permettent pas de distinguer les « suppléments fédéraux » (SRG, allocations de conjoint ou de survivant payables seulement aux personnes âgées d'au moins 60 ans et principalement aux femmes) des « autres indemnités de remplacement de revenu » (prestations de la CSST, de la Société de l'assurance automobile, etc.). Nous avons donc fait une estimation de la répartition de ces montants en fonction du groupe d'âge et du sexe.
3. Cette ligne comprend, outre les rentes de retraite, les rentes d'invalidité (pour les moins de 65 ans), de conjoint survivant, d'orphelin et de décès.
4. RPA = Régime de pension agréé, soit les régimes offerts par les employeurs, aussi appelé régime complémentaire de retraite (RCR).

   REER = Régime enregistré d'épargne-retraite ; il s'agit des montants retirés pendant l'année, lesquels sont imposables.

   FERR = Fonds enregistré de revenu de retraite ; normalement, à la retraite, les personnes convertissent leurs REER ou certains fonds de pension dans un FERR.
5. Le revenu du patrimoine comprend les dividendes (ajustées pour refléter les dividendes réelles plutôt qu'imposables), les intérêts, les revenus nets de location et les gains en capital imposables multipliés par deux (puisque seule la moitié des gains en capital est imposable).
6. Les autres transferts publics comprennent les prestations d'assurance-emploi, l'aide de dernier recours et les indemnités de la CSST, de la SAAQ et d'autres régimes d'assurance publics ou privés (voir la note 2). Ils ne comprennent pas les prestations pour enfants ni les crédits d'impôt remboursables (pour la TPS, la TVQ, l'impôt foncier, l'aidant naturel, etc.) puisque ceux-ci ne sont pas imposables.
7. Ces revenus comprennent les pensions alimentaires imposables (surtout celles pour conjoints, puisque la plupart des pensions alimentaires pour enfants ne sont pas imposables), les bourses d'études (mais pas les prêts) et divers autres revenus.

moins, soit 4 832 $, alors que les hommes de ce groupe peuvent compter sur 10 495 $.

5) Les revenus de patrimoine des femmes sont inférieurs à ceux des hommes

De façon peu étonnante, les revenus découlant du patrimoine sont plus élevés chez les personnes âgées que chez les autres contribuables, et cela, déjà dans le groupe des 55 à 59 ans. Chez les personnes âgées de 55 à 64 ans, le revenu de patrimoine des femmes représente moins de la moitié de celui des hommes. Chez les 65 ans et plus, le ratio est un peu plus élevé : 59,2 % (3 251 $ pour les femmes et 5 489 $ pour les hommes), à cause du grand nombre de veuves qui héritent du patrimoine de leur conjoint.

L'incidence de la pauvreté chez les personnes âgées

Le graphique 1 montre l'incidence de « faible revenu après impôt » (la mesure de pauvreté la plus souvent utilisée) chez les personnes âgées au Québec. Le taux chez les femmes seules a diminué de 29,3 % en 1990 à 16,1 % en 2006, avec toutefois des hausses et des baisses d'une année à l'autre. Chez les hommes seuls, le taux a atteint un creux de 11 % en 1994, 1995 et 2004, mais a remonté à 14,0 % en 2006[7].

Chez les couples âgés, l'incidence de faible revenu est inférieure à 4 % pour toutes les années et inférieure à 2 % depuis 2004. Notons toutefois que le seuil de faible revenu établi par Statistique Canada reconnaît peu de besoins essentiels au deuxième membre d'un ménage. En 2006, le seuil de faible revenu après impôt dans une ville de 500 000 personnes et plus était de 17 570 $ pour une personne et de 21 384 $ pour deux personnes alors que la PSV et le SRG fournissaient un revenu minimum (avant impôt) de 20 983 $.

Au cours des dernières années, plusieurs hausses du SRG, ainsi que la maturation du Régime de rentes du Québec et la croissance de la participation des femmes au marché du travail ont eu pour effet de réduire la pauvreté mesurée des personnes âgées. N'empêche qu'un grand nombre d'aînés, surtout des femmes seules, vivent dans la quasi-pauvreté avec un revenu très proche des seuils de faible revenu établis par Statistique Canada.

7. Les données pour les hommes seuls et les couples âgés peuvent fluctuer beaucoup parce que les échantillons sont petits.

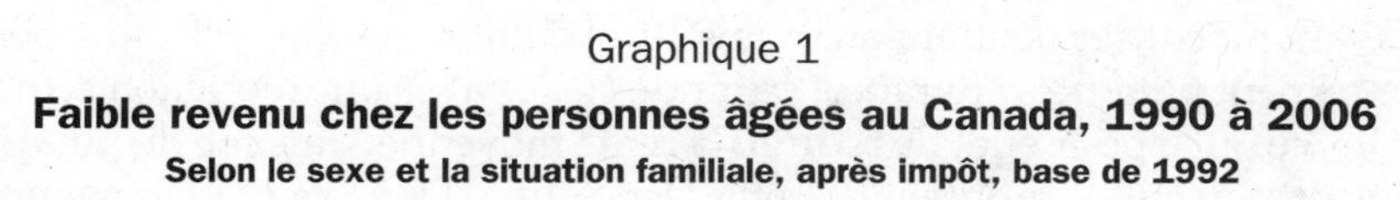

Graphique 1

Faible revenu chez les personnes âgées au Canada, 1990 à 2006

Selon le sexe et la situation familiale, après impôt, base de 1992

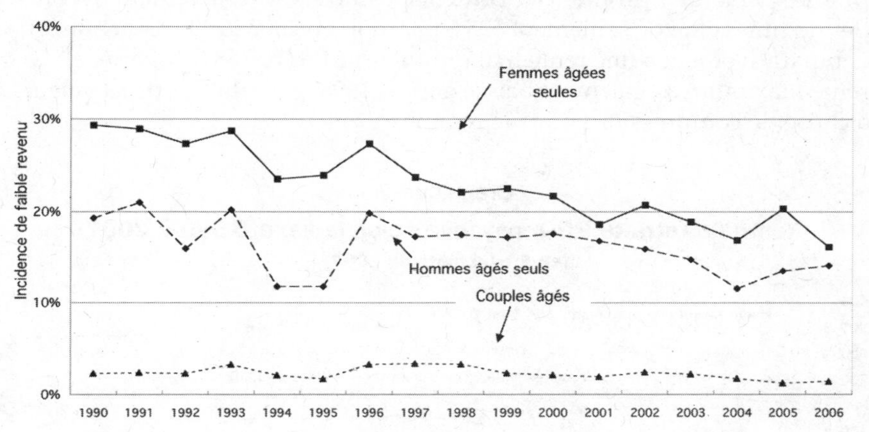

Source : Statistique Canada, *Le revenu au Canada*, 75-202 au catalogue.

Que présage l'avenir ?

On peut avoir une bonne idée de ce que l'avenir réserve aux femmes âgées en examinant les tendances relatives à leur droit à des rentes de retraite du RRQ. Ces rentes sont basées sur les salaires gagnés au cours de la vie active et reflètent donc la hausse de la participation des femmes au marché du travail ainsi qu'un certain rétrécissement des écarts salariaux entre les femmes et les hommes. Les pensions des RCR, les revenus de REER et de patrimoine risquent d'évoluer dans le même sens.

La situation actuelle

Le graphique 2 montre, en dollars constants de 2007, l'évolution des rentes de retraite RRQ moyennes des femmes et des hommes de 1980 à 2007, en comparaison avec la rente maximum payable à 65 ans. On voit que la rente mensuelle des hommes a augmenté de 369 $ en 1980 à 565 $ en 1994, reflétant principalement la maturation du régime. En fait, de 1967 à 1975, les nouveaux bénéficiaires ne recevaient qu'une partie de la rente, n'ayant pu cotiser pendant au moins 10 ans. Enfin, depuis 1984, une personne peut prendre sa retraite à partir de 60 ans avec une réduction actuarielle, ce qui a pour effet de réduire la rente moyenne, puisque de plus en plus de personnes profitent de cette disposition. Donc, la rente moyenne des hommes était de seulement 525 $ par mois en 2007 (6 300 $ par année), comparativement à une rente maximum de 864 $ (10 368 $ par année). La rente maximum a également baissé depuis 1998, perdant 5 % de sa valeur à cause de compressions dans le régime.

Graphique 2

Rente de retraite RRQ moyenne selon le sexe, 1980 à 2007

(en $ constants de 2007)

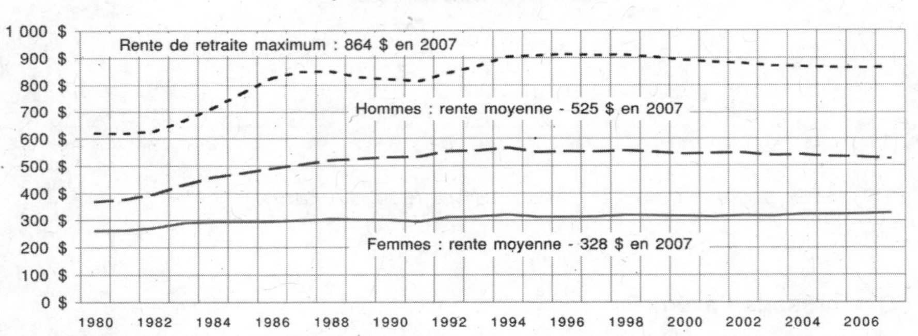

Source : Régie des rentes du Québec (2007), *Régime de rentes du Québec*, statistiques de l'année 2006.

La rente moyenne des femmes est passée de 252 $ en 1980 à 322 $ en 1994 et est restée relativement constante par la suite, atteignant 328 $ par mois en 2007 (3 936 $). Ces mouvements reflètent à la fois les mêmes tendances qui affectent les rentes des hommes et la participation accrue des femmes au marché du travail ainsi que l'amélioration de leurs salaires. On note toutefois que ce 328 $ représente seulement 62,5 % de la rente moyenne des hommes et 38 % de la rente maximum.

En 1980, 19,3 % des femmes et 67,8 % des hommes recevaient une rente de retraite. En 2006, 94,2 % des hommes en recevaient, un pourcentage qui est resté assez stable depuis une dizaine d'années. Par contre, seulement 68,6 % des femmes sont bénéficiaires d'une rente de retraite à leur nom, quoique ce pourcentage continue d'augmenter à chaque année (RRQ, 2007 : 58).

Bref, le Régime de rentes du Québec offre une pension assez faible à la vaste majorité des Québécois et une pension encore plus faible à un nombre plus restreint de Québécoises.

Une projection vers l'avenir

Le graphique 3 montre, selon le groupe d'âge, le pourcentage des hommes et des femmes qui ont cotisé au RRQ en 2005 ainsi que le ratio femmes-hommes des gains admissibles qui servent à établir la cotisation.

Graphique 3

Cotisants au RRQ selon l'âge et le sexe et ratio des gains admissibles moyens F/H, 2005

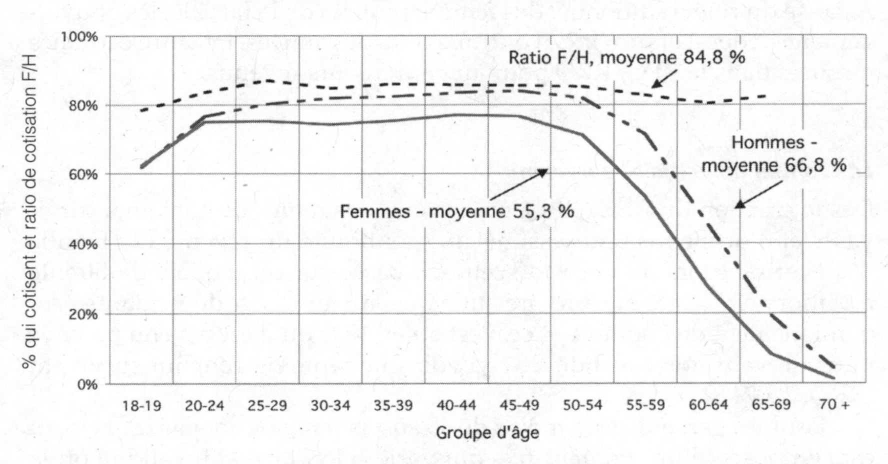

Source : Régie des rentes du Québec (2007), *Régime de rentes du Québec*, statistiques de l'année 2006.

Chez les jeunes de 18-19 ans, environ 62 % des deux sexes cotisent au RRQ, parce que bon nombre d'entre eux sont encore aux études. Dans le groupe des 20-24 ans aussi, il y a peu de différence selon le sexe : 76,6 % des hommes et 75 % des femmes cotisent. Par contre, chez les hommes âgés de 25 à 54 ans, le pourcentage des cotisants augmente à plus de 80 %, alors que le taux chez les femmes se stabilise autour de 75 %. En d'autres mots, ce sont encore les femmes dans la fleur de l'âge qui se retirent du marché du travail pour un certain temps afin de s'occuper des enfants. Les femmes ont également tendance à prendre leur retraite plus tôt : les écarts au niveau de la participation au RRQ sont les plus grands entre 55 et 64 ans.

Le graphique 3 montre également qu'à tous les âges, même chez les jeunes, les femmes cotisent sur un salaire inférieur d'environ 15 % à celui des hommes. Ainsi, selon cette tendance, une femme âgée aujourd'hui de 25 ans se retrouverait à la retraite à 65 ans avec une rente inférieure de 30 % à celle d'un homme du même âge puisqu'elle aurait cotisé moins d'années à partir d'un salaire moindre. Les écarts tendent à se rétrécir, mais à un rythme très lent.

Les mesures destinées spécifiquement aux femmes

À cause du rôle traditionnel des femmes auprès de la famille, les gouvernements fédéral et provincial ont, au cours des années, instauré certaines mesures dans le RPC/RRQ pour améliorer leurs revenus.

Les rentes de conjoint survivant

Dès la création du RPC/RRQ, on a prévu des rentes de conjoints survivants et d'orphelins pour assurer une continuité du revenu à la famille d'un cotisant lors du décès de celui-ci. Basée sur un modèle de famille traditionnelle, cette mesure présume que la femme est dépendante économiquement de l'homme et ce n'est qu'en 1975 qu'il est devenu possible pour un veuf non invalide de recevoir une rente de conjoint survivant (RRQ, 2007 : 8).

Pour les personnes de moins de 65 ans, la rente de conjoint survivant est composée d'un montant fixe qui varie selon l'âge, l'invalidité ou la présence d'un enfant à charge, plus 37,5 % de la rente de retraite accumulée du décédé. Il faut que le conjoint décédé ait contribué au RRQ pendant au moins 10 ans ou le tiers de sa période de cotisation (minimum 3 ans). La rente d'orphelin (et d'enfant d'une personne invalide) est un montant fixe : 67,95 $ par mois ou 815 $ par année en 2009. Dans le RPC, la rente d'orphelin est trois fois plus élevée, mais la rente de conjoint survivant est moindre pour les veufs et veuves de moins de 65 ans.

Pour un conjoint survivant de 65 ans et plus, la rente est de 60 % de celle du décédé et il n'y a pas de composante fixe étant donné que les bénéficiaires sont admissibles à la PSV et au SRG. Lorsqu'une personne a également droit à une rente de retraite, deux formules de combinaison sont possibles :

- 60 % de sa propre rente plus 60 % de la rente du conjoint décédé ;
- 100 % de sa propre rente plus 37,5 % de la rente du conjoint décédé.

Si les deux rentes sont à peu près égales ou si la rente de retraite du survivant est beaucoup plus importante, la deuxième formule procure plus de revenu (ce qui est le cas pour la plupart des veufs). Si la rente de retraite du décédé est beaucoup plus élevée que celle du survivant, c'est la première formule qui prime (ce qui est le cas pour la majorité des veuves). La rente combinée ne peut pas dépasser le montant maximal de la rente de retraite.

Le tableau 2 montre la répartition des bénéficiaires d'une rente RRQ, âgés de 60 ans et plus, ainsi que le montant moyen reçu selon que la personne reçoit seulement une rente de retraite, seulement une rente de conjoint survivant ou une rente combinée.

Tableau 2

Rentes de retraite et de conjoint survivant selon le sexe et le groupe d'âge : répartition des bénéficiaires et montant moyen reçu, Québec 2006

	Rente de retraite seulement		Rente de conjoint survivant seulement		Rente combinée	
	H	F	H	F	H	F
% des personnes recevant une rente RRQ						
60-64 ans	95,3 %	84,6 %	1,7 %	5,7 %	3,0 %	9,7 %
65 ans +	94,4 %	57,8 %	0,0 %	15,6 %	5,6 %	26,6 %
Montant moyen mensuel						
60-64 ans	450,29 $	308,66 $	525,04 $	645,68 $	1 010,84 $	915,71 $
65 ans +	537,67 $	322,12 $	75,37 $	302,86 $	683,59 $	542,20 $
Ratio de la rente moyenne des femmes comparée à celle des hommes						
60-64 ans	69 %		123 %		91 %	
65 ans +	60 %		402 %		79 %	

Source : Régie des rentes du Québec (2007), *Régime de rentes du Québec, Statistiques de l'année 2006.*

Le nombre d'hommes qui reçoivent uniquement une rente de conjoint survivant est négligeable, tandis que 5,7 % des femmes âgées de 60 à 64 ans et 15,6 % des 65 ans ou plus sont dans cette situation. Un peu plus d'hommes reçoivent une rente combinée : 3,0 % des 60-64 ans et 5,6 % des 65 ans et plus. Les proportions comparables chez les femmes sont de 9,7 % et de 26,6 % respectivement.

En ce qui concerne les montants, les rentes de retraite des hommes priment dans tous les cas. Chez les personnes âgées de 60 à 64 ans, la rente de retraite mensuelle des femmes n'est que de 308,66 $ ou 69 % des 450,29 $ que reçoivent les hommes. Par contre, les femmes bénéficiaires d'une rente de conjoint survivant seulement reçoivent plus que les hommes : 645,68 $ comparativement à 525,04 $, parce que cette rente est basée sur les crédits accumulés de leur mari décédé alors que celle des veufs est fonction de la rente d'une femme. La rente combinée des femmes était de 915,71 $, très proche du maximum (de 990,50 $ à 1 193,50 $ selon l'âge à la retraite) ; toutefois, elle ne représente que 91 % de la rente combinée des hommes (1 010,84 $).

Chez les personnes âgées de 65 ans ou plus, les rentes de retraite sont plus élevées, surtout pour les hommes, mais les rentes de conjoint survivant sont plus modestes parce qu'il n'y a plus de composante fixe. La rente de retraite des femmes (322,12 $) représente 60 % de celle des hommes (537,67 $). Les femmes qui reçoivent seulement une rente de conjoint survivant reçoivent un peu moins (302,86 $) alors que les hommes dans cette situation (moins de 1/10 de 1 %) ne reçoivent que 75,37 $. Comme chez les plus jeunes retraitées, la rente combinée des femmes (542,20 $) est moins généreuse que celle des hommes (683,59 $).

Bref, la rente de conjoint survivant est très importante pour les femmes qui se retrouvent veuves à la retraite, mais ne leur permet toujours pas de rattraper les rentes de retraite des hommes.

L'exclusion des années passées auprès de jeunes enfants

Depuis 1977, les personnes, presque exclusivement des femmes, peuvent exclure du calcul de leur rente les années où leurs gains cotisés étaient inférieurs à la moyenne de carrière en raison de la présence d'un enfant de moins de 7 ans (attestée par l'octroi d'une prestation familiale pour l'enfant).

En moyenne, les cotisantes de 2005 ont cotisé pendant 30,1 ans entre les âges de 18 et 60 ans alors qu'il faut 35,7 années pour obtenir une pleine rente. Donc, la possibilité d'exclure certaines années pendant que les enfants sont jeunes permet à un grand nombre de mères de famille d'améliorer leurs rentes de retraite. Le chiffre comparable pour les hommes est de 33,3 années, ce qui signifie que le problème des années sans cotisations est moins important pour eux.

Le partage des crédits de rente en cas de séparation ou de divorce

Entre 1977 et 1989, il était possible pour une personne qui divorçait de demander que les crédits de rente accumulés par les deux partenaires au cours du mariage soient partagés en parts égales. Depuis 1989, le partage s'effectue automatiquement à moins que le jugement de divorce (ou un acte notarié de renonciation) stipule le contraire (RRQ, 2007 : 6-7). Le partage s'applique également aux crédits des régimes complémentaires de retraite et aux REER (ou d'autres véhicules d'épargne-retraite). La règle s'applique également en cas de dissolution d'une union civile. Toutefois, un conjoint de fait n'a pas de droits sur les crédits de pension de son ex-partenaire à moins d'une entente spécifiée soit dans le contrat d'union de fait soit lors de la séparation[8].

En 2006, sur 17 151 divorces, séparations légales ou annulations de mariage, seulement 6 905 cas (40,3 %) ont donné lieu à un partage des crédits. En moyenne, les femmes ont obtenu 6,0 années de crédits (années perdues par leurs ex-maris). Dans les 20 % de cas où les hommes ont bénéficié du partage, le gain moyen était de 0,5 années. Entre 1997 et 2006, le nombre d'années de crédits gagnés par les femmes qui divorcent a diminué de 6,9 à 6,0, ce qui indique que les écarts de salaire entre les femmes et les hommes se rétrécissent (RRQ, 2007 : 31 à 33).

Les débats politiques sur les régimes de retraite

De plus en plus, on entend trois types de discours qui risquent d'entraîner une diminution du revenu des futurs retraités, et ce, davantage pour les femmes que pour les hommes.

8. Notons, par ailleurs, que les conjoints de fait ont droit à une rente de conjoint survivant en cas de décès à condition d'avoir vécu maritalement ensemble pendant au moins trois ans, ou pendant un an si un enfant est né de l'union (ou adopté), et dans la mesure où la personne décédée n'était pas légalement mariée à une autre personne.

En 2003, le gouvernement du Québec a fait circuler un document de consultation dans lequel il proposait plusieurs compressions dans le Régime de rentes du Québec ainsi qu'une augmentation du taux de cotisation (RRQ, 2003). Ce document a donné lieu à une modification législative (projet de loi 68, 2008) qui a eu pour effet d'accroître légèrement les rentes des personnes qui retournent au travail après avoir demandé une rente RRQ ou qui désirent combiner une rente d'un régime privé ou public avec un revenu de travail à temps partiel. En juin 2008, le gouvernement a diffusé un nouveau document de consultation qui reprend essentiellement les mêmes propositions (RRQ, 2008b).

Les régimes publics de retraite coûtent trop cher ; les gens doivent compter davantage sur leurs propres ressources

Au Canada, les régimes publics de retraite n'ont jamais été conçus pour assurer une continuité de revenu suffisante (70 % du revenu d'avant la retraite) aux citoyens et citoyennes à revenu moyen ou élevé. Au cours des années, la principale amélioration a été une augmentation du SRG, surtout pour les personnes sans conjoint, ce qui a eu pour effet d'accroître le revenu minimum à la retraite, mais sans aider pour autant la majorité des personnes âgées.

Par contre, il y a eu des coupes significatives au RRQ en 1998 : auparavant, la rente de retraite était basée sur la moyenne du maximum des gains admissibles des trois années précédentes. Aujourd'hui, elle est basée sur les cinq dernières années, ce qui a donné lieu à une réduction de la rente maximum de 5 %.

Dans ses deux documents de consultation, le gouvernement du Québec propose essentiellement d'exiger 40 années de cotisation pour obtenir une pleine rente. Actuellement, une personne peut retrancher 15 % des années à cotisation faible ou nulle entre son 18e anniversaire et le moment où elle demande sa rente de retraite. L'exigence est donc de 36 ans de cotisation pour les personnes qui prennent leur retraite à 60 ans et 40 ans seulement pour celles qui attendent leur 65e anniversaire avant de demander leur rente.

Pour justifier ces coupes, le gouvernement prétend que les gens doivent se responsabiliser en adhérant à un régime complémentaire de retraite (RCR) ou en investissant dans un REER. Pourtant, nous avons vu que moins du tiers des adultes âgés de 18 à 59 ans participaient à un RCR en 2005 et que ce pourcentage diminue depuis le début des années 1990.

De plus, une minorité des personnes ayant cotisé à un RCR au cours de leur vie touchent une pleine rente à la retraite en raison des changements d'employeur.

Quant aux REER, en 2005, seulement 31 % de la population âgée de 18 à 64 ans y a investi, et la cotisation moyenne représentait moins de 4 % du revenu pour la grande majorité des contribuables. De plus, on se rappelle que l'indice TSX de la Bourse de Toronto a perdu plus de 40 % de sa valeur en l'espace de quelques semaines au cours de l'automne 2008. La volatilité des marchés financiers et les crises répétées sont dévastatrices non seulement pour l'épargne-retraite des individus mais aussi pour les caisses des RCR, incluant celle du secteur public qui est gérée par la Caisse de dépôt et placement du Québec.

Les régimes publics sont financés par répartition plutôt que par capitalisation. Cela veut dire que les pensions sont payées par les impôts et cotisations des personnes actives. La solvabilité des gouvernements et la prospérité économique sont garantes de la solvabilité des régimes publics, alors qu'il n'y a pas de garanties pour les régimes privés et les REER.

Le vieillissement de la population met en danger les régimes publics de retraite

Il est vrai que partout dans le monde industrialisé, le faible taux des naissances et l'accroissement de l'espérance de vie font augmenter la proportion de la population de 60 ans et plus et, donc, le nombre de personnes qui sont dépendantes des régimes de retraite. Il est également vrai que le vieillissement se produit plus rapidement au Québec qu'aux États-Unis, dans la plupart des autres provinces canadiennes et même dans certains pays européens (RRQ, 2003 : 12-14).

Toutefois, ce phénomène affecte autant les régimes privés que les régimes publics. La capacité d'une société d'offrir un revenu décent à ses aînés dépend du nombre de personnes qui travaillent activement et de la prospérité économique générale. Essayer de régler un problème de déséquilibre démographique en transférant le fardeau des pensions du secteur public au secteur privé ne change en rien la donnée fondamentale. Cela a pour seul effet d'accroître l'insécurité financière et la pauvreté d'un grand nombre de personnes à la retraite.

Par contre, accroître le taux d'emploi de la population, particulièrement des jeunes, des femmes et des personnes âgées de 55 à 69 ans, peut avoir un impact significatif sur le rapport entre le nombre de personnes pensionnées et le nombre de personnes actives. Au cours des années 1980 et 1990, le taux de chômage au Québec a fluctué entre 9,3 % et 14,2 % et a même atteint 22,6 % chez les 15 à 24 ans (CANSIM, tableau 282-0002). En 2007, le taux général était de 7,2 % et celui des jeunes de 12,5 %, alors que les employeurs commençaient à se plaindre d'une pénurie de main-d'œuvre.

Au lieu de pénaliser les personnes qui prennent leur retraite avant 65 ans, le gouvernement et les employeurs devraient plutôt chercher à créer des incitatifs au maintien en emploi à l'intérieur des régimes publics et privés de retraite, comme l'a fait le projet de loi 68. La structure actuelle du RRQ a pour effet de décourager le travail à temps partiel en fin de carrière, parce qu'une année à cotisation faible fait baisser la moyenne de carrière qui sert à établir la rente. Il faudrait donc trouver un mécanisme qui permettrait de bonifier la rente lorsqu'une personne continue de travailler à temps partiel après avoir demandé sa rente. Les deux documents de consultation du gouvernement québécois prétendent offrir un tel mécanisme, mais, en réalité, les mesures proposées pénaliseraient la grande majorité des personnes qui prennent leur retraite avant 65 ans et bénéficieraient à très peu de gens. En d'autres mots, on propose le bâton sans la carotte.

Il n'est plus nécessaire de prévoir des mesures spéciales pour les femmes

Selon le document de consultation de 2008 du gouvernement du Québec, « *[d]e plus en plus, les deux conjoints contribuent au soutien financier du ménage* ». Il note également « *une modification du partage traditionnel des rôles* » et le fait que les « *unions sont moins stables qu'auparavant* » (RRQ, 2008b : 37). Utilisant ce prétexte, il propose, à l'instar du document de 2003, de réduire la rente de conjoint survivant.

Le document de 2003 proposait de limiter à trois ans la rente pour les survivants pas encore à la retraite au moment du décès de leur conjoint tout en les augmentant d'un maximum d'environ 50 %. De plus, on transférerait 60 % des crédits de rente du décédé au compte du survivant afin de compenser le fait qu'il n'y aurait pas de rente de conjoint survivant après la retraite. Le document de 2008, réagissant aux inquiétudes exprimées entre autres par des groupes de femmes, propose de limiter à 10 ans la rente de conjoint survivant pour les moins de 65 ans tout en gardant le transfert de 60 % des crédits de rente du décédé, ce qui est loin de représenter l'équivalent de la rente de conjoint survivant.

Pour les personnes qui ont 65 ans au moment du décès du conjoint, on propose une rente de conjoint survivant de 60 % de la rente de retraite du décédé (sans diminution de sa propre rente, comme c'est le cas actuellement) mais calculée sur une base différente. D'après les estimations du RRQ, cela entraînerait une baisse de l'ordre de 19 % pour 28 % des bénéficiaires d'une rente de conjoint survivant seulement et pas de changement pour environ 71 %. Chez les bénéficiaires d'une rente combinée, environ 28 % subiraient une baisse de l'ordre de 10 %, alors que 59 % recevraient une rente bonifiée de 10 % en moyenne (RRQ, 2008b : 40).

Il est à noter qu'en quelque sorte c'est l'ensemble des cotisants qui subventionnent les rentes de conjoint survivant puisque, contrairement à la plupart des RCR, le cotisant n'a pas à assumer une diminution de sa propre rente afin d'assurer une continuation de revenu à son survivant. On peut se demander s'il est justifié d'accorder cette subvention au seul motif que le survivant a vécu en couple. À l'origine, cette subvention visait à s'assurer que les femmes qui, afin de s'occuper des enfants, n'avaient pas d'emploi ou travaillaient à temps partiel ne soient pas complètement démunies. Mais aujourd'hui beaucoup de couples mariés (ou en union de fait) n'ont pas d'enfants, et les enfants d'un cotisant décédé vivent souvent avec son ex-conjointe qui n'aura pas droit à une rente de conjoint survivant.

Les deux documents de consultation proposent de porter la rente d'orphelin de 66 $ à 209 $ par mois (dollars de 2008), soit le niveau payable dans le Régime de pensions du Canada. Une telle amélioration répondrait mieux à l'objectif d'assurer un revenu décent aux veuves (ou veufs) qui ont la charge d'enfants et remplacerait, en quelque sorte, la pension alimentaire que le cotisant décédé aurait payée si au lieu du décès il y avait eu rupture de l'union. Toutefois, cette rente d'orphelin bonifiée ne devrait pas être déduite de la prestation d'aide sociale du conjoint survivant le cas échéant et devrait être payable pour l'enfant jusqu'à l'âge de 25 ans s'il est encore aux études, comme c'est le cas dans le reste du Canada.

Il serait également loisible de remplacer l'exclusion des années à faible cotisation en raison de la présence d'un enfant par des crédits automatiques à un taux de 60 % du maximum des gains admissibles, par exemple. Cela aiderait réellement les personnes, surtout les mères monoparentales, qui réduisent leurs activités rémunératrices pour s'occuper de jeunes enfants.

Finalement, il y a peut-être lieu de restreindre les rentes de conjoint survivant, surtout pour les personnes qui n'ont jamais eu d'enfants. Toutefois, il faudrait préserver les droits acquis des femmes plus âgées qui ont connu une dépendance financière à cause des enfants et du contexte de l'époque.

En conclusion

Le système de retraite du Québec et du Canada est peu généreux : les taux de pauvreté ont beaucoup diminué au cours des années, mais le revenu d'un grand nombre de retraités dépasse de très peu le seuil de faible revenu. L'accroissement du taux d'activité des femmes et l'amélioration de leurs salaires ont pour effet de réduire les écarts de revenus de retraite par rapport aux hommes, quoiqu'une partie de cette réduction soit due à la détérioration des revenus des hommes plutôt qu'à une augmentation de ceux des femmes.

La dégringolade des marchés financiers dans lesquels sont investis les actifs des RCR et l'épargne-retraite, conjuguée à des coupes passées et pressenties dans le RRQ, risque d'appauvrir la grande majorité des futurs retraités. De plus, les gains des femmes sur le plan de l'égalité économique risquent d'être érodés par l'élimination des mesures qui tiennent compte de leurs responsabilités familiales.

Seul un renforcement des régimes publics de retraite, combiné à une lutte sérieuse contre le chômage et des mesures incitatives afin de prolonger la vie active, permettrait d'éviter une recrudescence de la pauvreté chez les personnes âgées. Il faudrait également renforcer les mesures qui visent à tenir compte des responsabilités familiales si l'on veut poursuivre la réduction des écarts de revenu entre les femmes et les hommes.

Bibliographie

Barrette, Guillaume, Geneviève Chabot et Georges Langis (2008). *Les revenus de retraite au Québec : Déterminants de la situation actuelle et projection jusqu'en 2035*, Régie des rentes du Québec.

Ministère des Finances et ministère du Revenu (2008). *Statistiques fiscales des particuliers. Année d'imposition 2005*, Gouvernement du Québec.

Projet de loi n° 68, Loi modifiant la Loi sur les régimes complémentaires de retraite, la Loi sur le Régime de rentes du Québec et d'autres dispositions législatives, présenté par

Sam Hamad, ministre de l'Emploi et de la Solidarité sociale, Éditeur officiel du Québec. Sanction 20 juin 2008.

Régie des rentes du Québec (2003). *Adapter le Régime de rentes aux nouvelles réalités du Québec*, document de consultation.

Régie des rentes du Québec (2007). *Régime de rentes du Québec, Statistiques de l'année 2006.*

Régie des rentes du Québec (2008a). *Régimes complémentaires de retraite, Statistiques de l'année 2005.*

Régie des rentes du Québec (2008b). *Vers un Régime de rentes du Québec renforcé et plus équitable*, document de consultation.

Femmes âgées et fragilité : leur résistance face aux pratiques du système de la santé et des services sociaux

Amanda Grenier

Traduit de l'anglais par Isabelle Marchand

La plupart des recherches et les pratiques actuelles auprès des personnes âgées nous conduisent à croire que la fragilité – aussi appelée « dépendance », « vulnérabilité » ou « perte d'autonomie » au Québec – est un état que l'on peut identifier objectivement, mesurer et utiliser efficacement afin d'allouer les ressources nécessaires aux personnes âgées considérées « à risque ». Or, les récits et les expériences des femmes âgées démontrent à quel point ces modes de compréhension prédominants peuvent ne pas correspondre à leurs interprétations. Le présent chapitre expose les perceptions entretenues par les femmes âgées à propos de la fragilité dans le contexte de pratiques institutionnelles qui les considèrent d'emblée comme étant frêles. Plus particulièrement, il révèle de quelle façon les femmes âgées rejettent cette notion de fragilité, telle que comprise dans les pratiques sociales courantes, et met l'accent sur leur propre conception de la fragilité, laquelle s'exprime plutôt en termes de vulnérabilité et d'expériences difficiles vécues sur le plan émotif. Du même coup, leurs témoignages révèlent des formes complexes d'adaptation et de résistance qui les aident à donner un sens à leurs expériences liées à cette phase « avancée » de la vie.

Les conceptions dominantes de la fragilité

Dans les pratiques dominantes, l'étude de la notion de la fragilité relève majoritairement du champ de la santé et de la médecine clinique (Bortz,

1993, 1997 et 2002 ; Fried et coll., 2001 ; Rockwood et coll., 1994 et 1996). Dans ce domaine, quantité d'écrits se focalisent sur les indices de fragilité et les interventions à déployer dans une perspective biomédicale et clinique, ainsi que sur la planification des services en regard du vieillissement de la population, et ce, dans un contexte de rationalisation des ressources. De façon générale, la fragilité, telle que décrite dans ce corpus, évoque un sentiment de faiblesse physique, résultant de limitations d'ordre médical, physique ou social (Rockwood et coll., 1994 et 1996), de même qu'un risque accru de morbidité, de mortalité ou encore de perte d'autonomie (Morley et coll., 2002 ; Schmaltz et coll., 2005).

En l'occurrence, la documentation scientifique et médicale appréhende la fragilité comme un problème ou un trouble. D'une part, la fragilité est désignée comme étant une incapacité due à l'âge à réagir adéquatement au stress (Rockwood et coll., 1994 ; Bowsher et coll., 1993 ; Campbell et Buchner, 1997) et, d'autre part, comme un construit multidimensionnel vérifiable et quantifiable par des indicateurs tels que la présence de deux ou de plusieurs problèmes médicaux ou fonctionnels (Fried et coll., 2001 ; Fried et Watson, 1999 ; Hamerman, 1999 ; Rockwood et coll., 1996 ; Strawbridge et coll., 1998). Également, les écrits médicaux cherchent principalement à déterminer si la fragilité est le résultat d'un déclin naturel, comme le processus de vieillissement (Michel, 2001), d'une maladie (Bortz, 1993 et 2002) ou des effets du mode de vie (Bortz, 2002). Ils s'intéressent aussi à l'équilibre entre la santé et l'incapacité (Raphael et coll., 1995 ; Rockwood et coll., 1994).

De plus, si la plupart des comptes-rendus médicaux portent principalement sur les déficits ou les incapacités liés au corps, notamment par l'entremise d'indicateurs de la performance (Brown et coll., 2000 ; Markle-Reid et Browne, 2003 ; Studenski et coll., 2004), d'autres s'attardent plutôt aux composantes physiques (par exemple, la nutrition, la mobilité, etc.) et mentales (la personnalité, l'émotivité, etc.) de la fragilité, et certains élargissent même leur portée en prenant en compte les influences sociales telles que le soutien familial, le revenu et la scolarité (Rockwood et coll., 1994 et 1996), les facteurs environnementaux (Raphael et coll., 1995) et les variables expérientielles (Bowsher et coll., 1993 ; Michel, 2001). En outre, dans un contexte de soins, la notion de fragilité fait référence aux personnes âgées « à risque » ou ayant un profil particulier, par exemple, les personnes âgées de 85 ans ou plus ayant été hospitalisées à quelques reprises.

Au-delà de cette préoccupation pour définir la fragilité et ses causes, la documentation médicale stipule que ce concept est pertinent sur le plan clinique. En effet, les cliniciens affirment pouvoir aisément distinguer une personne âgée jugée frêle d'une autre qui ne l'est pas et d'être ainsi en mesure d'identifier les risques associés à la fragilité tels que l'hospitalisation, les chutes, une capacité moindre d'accomplir les activités de la vie quotidienne (Fried et Watson, 1999 ; Fried et coll., 2001). En d'autres mots, les recherches cliniques sur la fragilité portent surtout sur la prédiction des risques ; elles cherchent à préciser les interventions cliniques afin d'éviter les conséquences indésirables, voire coûteuses – comme le montrent certaines recherches sur l'évaluation des coûts dans le domaine de la santé et des services sociaux (Jones et coll., 2004). Par exemple, la fragilité a été utilisée pour prédire le recours aux services de soins de longue durée, pour cibler les interventions ainsi que pour réduire les coûts de traitement et les frais administratifs (Branch et coll., 1988 ; Brody et coll., 2002 ; Rubenstein et coll., 1984).

Ces écrits s'attardent aussi aux expériences de vie des personnes âgées afin de détecter les facteurs augmentant les risques de blessures physiques, de mobilité et de fonctionnement réduits, de comorbidité (Campbell et Buchner, 1997 ; Rockwood et coll., 1994 et 1996) et de décès (Brody et coll., 2002 ; Morley et coll., 2002). De plus, ils établissent un lien causal avec les coûts financiers : les diminutions physiques contribuent à hausser les demandes de soins et à la « surutilisation » des services de santé (Hamerman, 1999). Par conséquent, la fragilité en est venue à être considérée comme un indicateur, parmi d'autres, pour évaluer les probabilités de décès, d'admission en centre d'hébergement et de soins de longue durée, d'utilisation des services et des coûts inhérents. Ce sont ces modes de compréhension biomédicaux et cliniques de la fragilité qui sont de plus en plus au cœur des pratiques en matière de soins à domicile au Québec.

La fragilité et les pratiques de soins à domicile

À l'instar des études et pratiques cliniques s'intéressant à la fragilité, l'organisation des services publics de soins à domicile au Québec illustre également une pratique consistant à utiliser ce concept pour évaluer l'admissibilité aux programmes et l'attribution de services. Dans la pratique, des évaluateurs divisent les sujets en deux groupes, « les frêles/en perte d'autonomie » et les « non-frêles », afin de faciliter ou d'empêcher, selon le cas, l'accès aux services. Autrement dit, les pratiques d'évaluation mettent en jeu des distinctions entre le corps non fonctionnel et le corps fonctionnel pour dispenser les services aux personnes présentant le plus grand risque. La catégorisation ainsi effectuée différencie les besoins selon un état objectivé du corps et modèle l'attribution des services en fonction des diverses catégories susmentionnées.

Au Québec, des professionnels multidisciplinaires, dits aussi gestionnaires de cas, utilisent un outil d'évaluation normalisé, connu sous le nom d'« outil multiclientèle », pour évaluer ces états observables en regard de la notion de risque, soit l'incapacité fonctionnelle et la « perte d'autonomie » et ainsi créer des distinctions entre les divers besoins relevant ou non de la santé publique (Régie régionale de la santé et des services sociaux de Montréal-Centre, 2002). L'évaluation est axée sur les problèmes de mobilité (auxquels la plus haute priorité est accordée), l'âge avancé, les difficultés liées à l'accomplissement des soins personnels, les déficiences dans les aptitudes à la vie quotidienne, les chutes, l'hospitalisation, les états médicaux instables, la médication, la malnutrition, la dimension cognitive, la situation familiale ou sociale et la situation financière[1]. Les personnes qui se voient assigner le statut de « frêles » demeurent admissibles à des services publics de soins à domicile, et les autres ne le sont pas. Même si seules les personnes à risque sont admissibles aux services – soit celles qui ont subi une perte d'autonomie suffisante pour être décrites comme « frêles » –, l'admissibilité et les besoins sont évalués en fonction des ressources disponibles. Bien que le fait d'être considéré comme « frêle » ne garantisse pas l'accès aux services, cette désignation aide certainement les personnes âgées à les obtenir. Ainsi, le fait d'être considéré comme un sujet « frêle ou en perte d'autonomie » devient une étape importante dans le processus d'évaluation et permet aux personnes âgées, surtout des femmes, d'obtenir des services en réponse à leurs besoins.

En conséquence de telles pratiques organisationnelles, le concept de fragilité et sa définition médicoclinique sont dorénavant intégrés dans le discours professionnel, dans les échanges verbaux et les comptes-rendus de celles et ceux qui dispensent des soins à domicile. Par le biais du processus d'évaluation, une personne âgée voit son statut se modifier : de client potentiel, elle devient une personne décrite comme étant « frêle ». Ces jugements cliniques sont consignés dans les dossiers et font l'objet de discussions de cas lors de réunions interdisciplinaires. Plus explicitement, en amont et en aval du processus d'évaluation, la personne âgée « à

1. On peut en obtenir une copie auprès du ministère de la Santé ou de l'Agence de la santé de Québec, http://msssa4.msss.gouv.qc.ca/fr/document/publication.nsf/fb143c75e0c27b69852566aa0064b01c/7ae1cde4e2e89e9185256dac0056a8ac/$FILE/AS-751A %20officiel.pdf.

risque » en vient souvent à être reconnue et décrite comme étant « frêle », tant dans les réunions d'équipe où on évalue l'attribution de services selon les cas, que dans les discussions officieuses entre les travailleurs (par exemple, dans les couloirs de l'établissement) et dans les comptes-rendus réalisés suite à ces rencontres. Or, si l'emploi du terme « frêle » avant d'entamer le processus d'évaluation des personnes âgées à risque semble refléter la volonté de promouvoir une évaluation rapide et la dispensation de services immédiats, son utilisation après l'évaluation pourrait révéler les tentatives d'un travailleur de garder le dossier ouvert afin de maintenir les services dispensés. Dans les deux cas, l'utilisation de la fragilité sert à qualifier un « besoin » corroborant les lignes directrices permettant l'assignation de services, la priorité étant accordée aux personnes présentant les plus grands risques. Ce faisant, la personne âgée participe relativement peu aux évaluations ; étant *de facto* catégorisée comme « frêle », elle devient admissible aux ressources disponibles, telles que l'installation de barres d'appui pour sa baignoire, l'assistance au bain et les programmes de prévention des chutes. En l'occurrence, la façon dont la fragilité est appréhendée, aux échelons macro et micro, demeure la pierre angulaire à partir de laquelle s'effectuent à la fois l'évaluation et le traitement des personnes nécessitant des soins (dites à risque) ainsi que le type de ressources qui leur seront (ou non) acheminées. Or, actuellement, ces cadres de référence dominants et les pratiques qui en découlent négligent des aspects cruciaux de l'expérience des personnes âgées, et présentent aussi des contradictions évidentes.

Le résultat de telles pratiques est que les femmes âgées subissent les répercussions de deux puissants messages : l'un portant sur la logique ou la justification des restrictions économiques et l'autre sur la construction sociale de ce que signifie être une femme âgée « à risque ». Le pouvoir de ce concept de « fragilité » est encore plus prégnant lorsqu'on le situe dans le contexte actuel d'économie des soins, lequel accorde la priorité aux principes de saine gestion, tels le rationnement des services publics et, par ricochet, leur moindre accessibilité, la réduction des coûts et le rationnement de la prestation des services. Cet état de fait devient percevable au sein même des discours de l'État-providence préconisant dorénavant un accès aux services basé sur la notion de « risque » au détriment d'un accès basé sur les « besoins » ou sur les « droits » à recevoir ces services (voir Taylor-Gooby et coll., 1999).

Dans le contexte particulier des soins à domicile au Québec, l'idée de « risque » reste plus souvent articulée sous forme de « fragilité[2] ». Ainsi, dans la pratique, être désigné comme étant « fragile ou en perte d'autonomie » procure le moyen d'obtenir des services publics. Par voie de conséquence, cette désignation doit être considérée comme un puissant concept discriminatoire utilisé pour rationner les services publics en fonction de classifications biomédicales ou fonctionnelles. De plus, c'est par le biais des pratiques sociales de l'utilisation de la fragilité pour évaluer l'admissibilité que la justification de la limitation des coûts, la concentration de l'attention biomédicale sur le vieillissement et les construits sociaux concernant les femmes âgées que viennent s'entrechoquer les conceptions sur la corporéité des femmes âgées qui seront éventuellement admissibles aux soins de santé. Car la notion de la fragilité intègre des présupposés basés sur l'âge et sur le sexe concernant le corps des femmes âgées et leur valeur sociale. Ainsi, il n'est pas rare d'entendre les dispensateurs de services décrire les femmes âgées qui sont admissibles aux services ou qui les reçoivent comme étant des « petites madames » – appellation qui exprime à la fois les limites du corps et le statut marginal de la personne « frêle » recevant ces services, tout en suscitant un sentiment de pitié sociale. Le concept de « fragilité » utilisé dans les pratiques d'évaluation crée en outre un construit social fort influent, façonnant les représentations et les attentes sociales à propos des femmes âgées – particulièrement celles qui reçoivent des soins.

Les représentations sociales des femmes âgées de la fragilité

Des entrevues auprès de 12 femmes âgées anglophones de Montréal, aux situations et statuts sociaux différents (aptitudes, âge, culture, origine ethnique, « race », situation socio-économique) (Grenier, 2002), révèlent quel

2. La notion de fragilité est définie de façon variable dans plusieurs langues européennes et exprime des différences subtiles sur le plan conceptuel. Rappelons cependant que dans tous les pays, le langage utilisé dans les pratiques organisationnelles demeure le reflet des normes culturelles et des modèles de prestation des services. Par exemple, à Montréal (au Québec) où le bilinguisme est de rigueur, le personnel anglophone œuvrant dans le système de santé et de services sociaux utilise le mot *frailty* (fragilité) alors que les francophones emploient les termes « dépendance » et « perte d'autonomie » pour désigner une personne fragile, et ce, en dépit du fait que le terme « frêle » est d'usage courant dans la langue française et malgré la popularité de l'analyse de la fragilité dans les recherches francophones. Si les notions utilisées dans la pratique évoquent des connotations légèrement différentes, elles révèlent toutefois des associations sémantiques communes et des caractéristiques similaires. Mais quels que soient les termes utilisés, le processus d'évaluation des concepts de mobilité et d'incapacité, tels que la fragilité, joue un rôle clé dans la réponse aux besoins des femmes âgées.

sens celles-ci donnent à leurs expériences de la « fragilité », de l'incapacité et du déclin dans leur vie quotidienne. Le groupe a été subdivisé selon la classification qui est faite de la fragilité (ou de la perte d'autonomie) et de son application dans les pratiques de soins à domicile au Québec. Selon cette catégorisation, six femmes ont été considérées comme étant en perte d'autonomie, soit « frêles » dans le contexte des services, suite à une évaluation clinique et à leur admission aux services de soins à domicile – et les six autres échappaient à cette classification puisqu'elles ne recevaient pas de services publics pour l'une des raisons suivantes : absence de besoins physiques, absence d'intérêt ou des ressources financières suffisantes pour payer des services privés. Également, les participantes ont été sélectionnées de manière à refléter la diversité des services publics en milieu urbain[3].

Les entrevues ont été réalisées de façon non structurée ; on demandait aux femmes de parler d'elles, et les questions sur leur conception de la fragilité n'ont été posées que vers la fin de l'entrevue. Globalement, même si les femmes interrogées ne s'identifiaient pas comme étant des êtres frêles et qu'elles rejetaient ce concept par rapport à elles-mêmes (Grenier, 2004), elles ont cependant mentionné les modifications que leur corps avait subies à la suite d'un problème de santé ou d'une incapacité. Qui plus est, facteur plus important selon nous, leur compréhension de la fragilité est apparue comme étant davantage centrée sur la vulnérabilité et en regard d'expériences émotionnelles que par rapport aux incapacités physiques elles-mêmes.

En termes plus explicites, lors des entretiens, les femmes âgées ont montré de la résistance face aux construits dominants de la fragilité – en particulier, face à la présupposition qu'elles-mêmes étaient en perte d'autonomie parce qu'elles avaient vécu une incapacité et/ou un déclin de leurs capacités. Au cours des entrevues, aucune des femmes interrogées n'a utilisé le concept de fragilité. Par suite de mes commentaires relevant l'absence de mention du concept de fragilité ou de perte d'autonomie, tel que couramment employé dans le cadre des services de soins à domicile,

3. Le choix de cet échantillon demeure non représentatif. La diversité des milieux sociaux dont sont issues ces femmes âgées reflète des profils variés, tels qu'anticipés dans le système de soins public dans la région urbaine de Montréal. Les statistiques provenant du recensement indiquent que 27,6 % de la population résidant sur l'Île de Montréal est née à l'extérieur du Canada. Dans le secteur Notre-Dame-de-Grâce et Montréal-Ouest, où les participantes de l'étude ont été recrutées, 37 % de la population est née à l'extérieur du Canada (Agence de développement des réseaux locaux de services de santé et de services sociaux, 2004).

elles ont décrit cette notion en termes physiques afin de créer une distance entre la classification qui est faite de la fragilité et leur représentation d'elles-mêmes – autrement dit, pour rejeter l'idée qu'elles-mêmes étaient frêles. Dans ce contexte, leurs descriptions correspondaient plus étroitement aux interprétations biomédicales et cliniques prédominantes de la fragilité. Les femmes âgées ont ainsi dépeint la fragilité selon l'apparence physique, en mentionnant la perte de poids et le teint pâle. Elles ont aussi cité la petite taille, l'absence de force physique et évoqué une description de caractéristiques ou de propriétés relatives à cette notion. Également, les personnes fragiles étaient décrites comme étant faibles, chancelantes et sujettes aux fractures (peu solides sur leurs jambes). Contrairement aux modes de compréhension dominants de la fragilité, qui sont de nature objective, les femmes interrogées ont aussi défini la fragilité en termes plus métaphoriques, c'est-à-dire comme une image suscitant des sentiments de pitié, de honte ou de dégoût. À titre d'illustration, lorsque nous leur avons demandé comment elles comprenaient ce concept, des femmes ont répondu ainsi :

> *La fragilité est une fragilité physique, celle d'une personne dont les os peuvent casser... une personne légèrement voûtée ; quand elle marche, on a l'impression qu'elle n'est pas sûre que ses pieds vont toucher un terrain solide... Une personne au teint pâle, repliée sur elle-même... Elle ne désire pas être dérangée, mais elle est là.* (Annie)
>
> *Cela veut dire être petite et maigre. Si vous voulez voir des gens fragiles, allez là-bas [à un centre de soins] : il y a une femme toute petite qui marche sur la pointe des pieds, comme ceci... elle est frêle. [...] J'avais envie de lui dire : « Vous avez terriblement mauvaise mine. »... Elle semble tellement misérable... Elles sont très maigres et elles ne mangent pas très bien.* (Margaret)

Dans leurs témoignages, les femmes âgées ont parlé du fait que la fragilité est aussi une expérience émotionnelle et un concept socialement construit. Également, leurs récits ont permis de mettre en relief la différence qu'elles font entre l'état ou la condition physique réelle, les besoins liés à cette condition et la façon dont les marqueurs corporels (par exemple, une incapacité visible liée au corps) participent à la construction sociale – donc à la perception – de la fragilité. À cet égard, deux des participantes ont explicitement nommé cette notion comme étant un construit social. Par exemple, Elizabeth a désigné la fragilité comme étant « *une façon de parler* », alors que Margaret a affirmé : « *Ce n'est pas quelque chose que l'on dit au sujet de soi-même ; c'est quelque chose que les autres disent au sujet de soi.* » Ces réflexions indiquent clairement que la fragilité ne se limite pas simplement aux descriptions physiques et aux expériences de vie difficiles telles que le décès, les diverses incapacités, la maladie, etc., mais englobe aussi les jugements et les présomptions négatives concernant l'impuissance et la dépendance, comme l'illustre l'extrait suivant :

> *Elles ne vous diront pas qu'elles sont frêles. On remarque qu'elles sont frêles. [...] On dit : « Oh ! elle est toute menue et fragile ! » Les gens disent : « Je suis triste pour elles, elles sont tellement fragiles... » C'est, en fait, une façon de décrire une personne : elle est très robuste, elle est très grasse, ou elle est très frêle. Je peux vous indiquer les personnes frêles du premier coup d'œil.* (Margaret)

Appréhendés de façon concomitante, ces divers modes de compréhension de la fragilité par les femmes âgées révèlent un décalage certain entre le savoir des professionnels et l'interprétation empirique de la fragilité. Plus précisément, si les conceptualisations dominantes définissent la fragilité comme un état médical et objectivable sur le plan clinique servant à modeler les pratiques de soins, pour les femmes interrogées, la fragilité reste *a priori* principalement dépeinte par le biais d'expériences sociales et émotionnelles. En d'autres mots, dans le cadre des soins professionnels, les jugements à propos du corps des personnes âgées ont préséance dans les processus cliniques, mais nos résultats montrent plutôt que ce sont les expériences vécues par les femmes âgées qui façonnent leurs conceptions des changements physiques subis au fil du temps.

De tels écarts posent la question à savoir si la fragilité se situe dans la dimension corporelle ou dans les expériences personnelles et émotionnelles. Ce décalage reflète ainsi les divergences entre, d'une part, une définition de la fragilité basée sur l'âge (85 ans ou plus, le « cinquième âge ») ou sur une déficience fonctionnelle (par exemple, une fracture de la hanche) et, d'autre part, une fragilité tributaire d'une expérience sociale et émotionnelle, laquelle conduit une personne à se percevoir comme frêle (par exemple, un environnement inaccessible ou une perte associée aux changements physiques). Lorsque les femmes âgées tiennent des propos tels que « *je ne peux pas faire les choses comme avant* » ou « *cela prend du temps, mais on finit par y arriver* », elles expriment clairement un sentiment de perte de capacités intrinsèquement lié à leur expérience du vieillissement.

La distinction entre être frêle et se sentir frêle : l'impuissance et la vulnérabilité

Être frêle ou se sentir frêle ? Les femmes interrogées ont insisté sur la distinction entre le fait d'être considérées comme frêles ou fragiles et les moments où elles-mêmes ressentent cette fragilité, et ce, en regard de la classification employée par le système public pour l'attribution des services Si « être frêle ou fragile » est lié à l'imposition d'une catégorisation professionnelle médicofonctionnelle, « se sentir frêle ou fragile » apparaît davantage corroborer une vulnérabilité causée par des émotions ou des sentiments associés aux réalités matérielles ou à la mobilité du corps (par exemple, l'incapacité physique, le sentiment de faiblesse, de perte, etc.), ou encore des sentiments associés à des événements traumatisants, tels que le divorce, le décès d'un membre de la famille), et, enfin, des références faisant allusion à une perte de l'identité.

Par exemple, Annie a évoqué la mort de sa fille, tandis que Dorris a utilisé le terme « fragilité » pour décrire son expérience, sur le plan identitaire, lors d'une maladie. Dans les deux récits, le fait de se sentir frêle exprimait des émotions sous-tendant la vulnérabilité et l'incertitude. Dans tous les cas, le terme a été utilisé pour indiquer une perte de la maîtrise de leur situation. En somme, les propos des femmes âgées ont mis en évidence que « se sentir frêle » est un état émotionnel de vulnérabilité, associé à des expériences péniblement vécues au cours de la vie, plutôt qu'un état lié à l'âge et au corps (Grenier, 2005). Ces différences entre le construit professionnel et le construit expérientiel des femmes âgées révèlent à quel point la fragilité se rapporte tant aux émotions provoquées par de tels changements qu'aux réalités physiques du vieillissement du corps.

Dans plusieurs cas, « se sentir frêle » renvoie aussi au fait que les activités quotidiennes deviennent risquées et, en particulier, au fait que les changements physiques rendent difficile la négociation du quotidien. À cet égard, rappelons les propos de Margaret : « *J'avais l'habitude de me déplacer en métro... Cela m'effraie depuis ma chute, c'est là le problème.* » De tels propos mettent en exergue les sentiments de vulnérabilité et de risque sous-jacents à une diminution des capacités de mobilité. Du même souffle, les femmes interrogées ont ajouté qu'elles avaient peur d'utiliser les escaliers ou de prendre l'autobus, par crainte de tomber, comme en témoignent Alice et Margaret : « *Si je faisais une chute dans le sous-sol, je pourrais rester là longtemps et personne ne s'en rendrait compte* » (Alice). « *J'ai peur dans l'autobus... un mouvement brusque pourrait me faire tomber par terre* » (Margaret).

Ainsi, pour les femmes âgées, les répercussions émotionnelles de ces changements sont ancrées dans un sentiment constant de peur, provoqué par certains contextes ou certaines situations, ainsi que par la nécessité de satisfaire leurs besoins et de prendre des décisions eu égard à ce sentiment de peur. Ces cas de figure semblent indiquer comment les femmes âgées doivent négocier leur vie quotidienne par rapport à la conception du risque et à l'expérience de se sentir frêle. En résumé, leurs interprétations mettent en évidence que la fragilité comporte une dimension beaucoup plus émotionnelle que les classifications professionnelles ne le laissent penser.

L'identité comme mécanisme de protection

Dans bien des cas, les interprétations que font les femmes âgées de leurs expériences montrent comment leur identité et leur perception d'elles-mêmes servent de mécanismes de protection contre le fait de « devenir frêle ». Plus explicitement, les femmes interrogées ont rejeté les implications induites par l'étiquette « être frêle », sans nier cependant les moments où elles pouvaient se « sentir frêles ». En cela, leurs interprétations montrent que leurs modes de compréhension de l'incapacité et du déclin liés à l'âge demeurent beaucoup plus subjectifs que ne nous le laissent croire les politiques et les pratiques axées sur des critères objectifs ainsi que sur des mesures normalisées. Par exemple, Alice parle des difficultés qu'elle vit à la fois sur le plan pratique et émotionnel : « *Mon corps ne faisait pas cela auparavant... Je ne peux pas m'adapter, je ne sais plus qui je suis.* » Ce témoignage révèle la tension ressentie entre les dimensions corporelle et identitaire – en particulier, la façon dont les changements qui surviennent dans le corps peuvent menacer la perception du « soi ». Autrement dit, même si Alice est catégorisée comme étant frêle, elle ne se considère pas comme telle, mais il y a cependant des moments où elle se sent effectivement frêle, sentiment relié à sa crainte des chutes et aux répercussions émotionnelles occasionnées par une perte ou diminution de la mobilité. La principale contradiction dans le cas d'Alice se situe entre, d'une part, les impacts émotionnels vécus suite à des expériences difficiles et, d'autre part, les approches organisationnelles, qui occultent complètement cette antinomie, et préconisent des pratiques axées sur la sécurité physique. Alors que le récit d'Alice décrit clairement la lutte émotionnelle que représente l'intégration des changements corporels dans la définition de soi, il y a pourtant très peu d'espace pour le faire dans le discours et la pratique des soins publics.

Cela étant dit, il semblerait que le fait de posséder des aptitudes permettant l'intégration des changements physiques dans sa définition identitaire, dans le « soi », aide les femmes âgées à surmonter cet état de « se sentir » frêles. Ainsi, « se sentir » frêle devient un moment temporaire dans le cours de leur existence, une étape dont elles se souviendront comme ayant été difficile, comme l'illustre Dorris : « *Le sentiment de fragilité m'est, m'était si étranger que je crois que c'est aussi ce qui me déprimait... Quand on n'a jamais été aussi malade de sa vie... Je me regardais dans le miroir et je me disais : Mon Dieu ! que tu es vieille et que tu es frêle !* » En contrepartie, si elles sont incapables d'intégrer ces changements dans leur identité ou leur conception du soi, elles peuvent demeurer enlisées dans le sentiment d'être frêles : « *Je ne sais plus qui je suis... Je ne sais pas ce que je peux faire, ou ce que je vais pouvoir faire* » (Alice). Ces résultats semblent indiquer qu'il existe un seuil émotionnel où l'on « devient » frêle, ce qui met en relief la nécessité de prêter attention à la façon dont l'expérience de l'incapacité peut bouleverser un équilibre antérieur, plutôt que de se borner à détecter les changements physiques qui peuvent signifier le franchissement d'un seuil uniquement médicofonctionnel.

Parmi les stratégies souvent mentionnées pour ne plus se sentir frêle, l'une d'elles consiste à modifier leurs perceptions et leurs attentes par rapport à elles-mêmes. Par exemple, Clara rapporte : « *Il faut être forte, même si on sait qu'on ne l'est pas, mais il faut agir de toute façon comme si on était forte, et je crois que cela fonctionne très bien pour tout le monde qui a des ennuis de santé : c'est le pouvoir de l'esprit sur la matière.* » Ainsi, cette aptitude à faire concorder le changement observé avec le renforcement de soi peut être un moyen de défense clé face à l'idée de devenir frêle. Cependant, l'intégration des changements liés à la vieillesse dans la définition identitaire d'une personne est un processus relativement individuel, qui se vit différemment d'une situation à l'autre. À ce titre, il appert que certaines expériences ne peuvent pas être imbriquées à l'identité ; les femmes âgées doivent soit faire preuve de résilience, soit maintenir ces expériences en dehors de leur définition identitaire, tandis que d'autres peuvent être amalgamées sans rupture importante. Au-delà des stratégies individuelles, les propos des participantes mettent l'accent sur l'importance de reconnaître les besoins émotionnels et les tactiques déployées par les femmes âgées, dimension qui demeure actuellement absente dans le secteur de la santé et des services sociaux en général, et dans les soins à domicile en particulier.

Résister à la fragilité et utiliser la fragilité pour résister

Le rejet de la classification et/ou des services

En dépit du fait que les pratiques organisationnelles des soins relevant de la santé et des services sociaux renforcent les construits à propos des femmes âgées comme étant des personnes vulnérables et dépendantes, divers types de résistance, servant à contrer l'opérationnalisation du concept de fragilité dans le système public, ont été identifiés dans le discours des femmes interrogées. Dans le contexte des services, on ne pense pas que des femmes âgées considérées comme frêles, causent des problèmes, fassent des revendications ou s'engagent dans une action directe. D'emblée, on s'attend à ce qu'elles n'aient pas recours à des stratégies propres à une position de pouvoir et/ou de résistance. Toutefois, les récits des femmes âgées montrent de quelle manière elles résistent à la notion de fragilité sur les plans personnel et politique. Et de fait, les femmes âgées résistent à l'étiquette de fragilité, de façon individuelle, en tant que personnes soumises à une telle classification par les travailleurs des soins de santé publics et des services sociaux, ainsi que collectivement, en joignant des groupes militants actifs dans le domaine des politiques et pratiques de la santé et de services sociaux.

Sur le plan individuel, les propos des femmes âgées mettent en exergue les distinctions qu'elles établissent entre elles-mêmes et la fragilité, et démontrent l'importance que revêt la dimension identitaire dans leur vie. Comme nous l'avons vu dans les définitions qu'elles en ont données, les femmes interrogées ont immédiatement réfuté le concept de fragilité. Par exemple, Elizabeth a déclaré : « *Je ne me considère pas comme frêle. Je me considère comme... handicapée, dans une certaine mesure... Je ne peux pas me déplacer aussi facilement qu'avant... mais je conserve la maîtrise de ma situation.* » Clara a aussi clairement exprimé comment elle résiste face aux classifications de fragilité, qu'elle interprète comme un renforcement des stéréotypes. Insistant sur l'autonomie, elle a affirmé : « *Même si j'ai une maladie du cœur, je fais ce que je veux, j'accomplis toutes mes tâches, et cætera. Alors, je ne me considère pas comme frêle. Je ne veux pas me considérer comme frêle.* » Cet exemple de résistance face à la fragilité, ainsi que d'autres, coïncident avec ce que Tulle-Winton nomme la « *résistance à la réglementation* » (1999 : 290). En l'occurrence, la négociation devient une stratégie apparemment consciente. Pour bon nombre de personnes, accepter l'identité d'être frêle signifierait renoncer à leurs forces et, peut-être même, à l'identité qu'elles se sont forgée au gré de leur cheminement de vie.

Dans certains cas, la résistance à être étiquetée comme étant une personne frêle amène les femmes âgées à rejeter complètement l'offre de services publics. Puisque le rejet de la fragilité dans les soins de santé et les services sociaux conduit à l'inadmissibilité aux services, cette résistance de la part d'une femme âgée apparaît comme un geste particulièrement fort, notamment de la part de celles qui ne possèdent pas les ressources nécessaires pour s'offrir des soins privés. Le contexte des services publics crée ainsi une situation dans laquelle les femmes âgées ayant moins de ressources doivent non seulement se conformer aux attentes – selon lesquelles elles devraient être des bénéficiaires reconnaissantes d'un service limité – mais aussi subir les conséquences de cette classification et de ces attentes.

De telles pressions peuvent être extrêmement difficiles à supporter pour les femmes issues des minorités (classe sociale, appartenance ethnique minoritaire, etc.) dans la mesure où les attentes sociales à l'endroit des femmes âgées, telles celles concernant la passivité, l'acceptation et la docilité, peuvent entrer en contradiction avec les stratégies qu'elles auront adoptées au cours de leur vie pour contrer diverses formes de discrimination. Par exemple, le témoignage de Clara, qui se définit comme étant une « *femme noire forte* », est une illustration éloquente des contradictions qui peuvent être vécues. Si le rejet catégorique des soins, en tant que stratégie de résistance des femmes âgées, peut surprendre les praticiens des soins de santé, il peut en revanche avoir des résonances auprès des critiques et des activistes. Leur résistance demeure le résultat d'une complexe négociation entre, d'un côté, les attentes à propos des femmes âgées et, de l'autre, leurs propres conceptions d'elles-mêmes, basées sur une identité forte.

Subversion ou activisme ?

La résistance face à la fragilité se manifeste aussi dans la subversion intentionnelle du concept, afin de résister aux construits sociaux ou dans le but de faire des revendications concernant l'accès, la justice et le respect. Dans cette perspective, les femmes âgées ne nient pas les réalités matérielles relatives à l'incapacité, mais s'attardent plutôt à décrire la manière dont elles utilisent les stéréotypes âgistes à des fins de résistance collective ou pour résister aux attentes et aux présupposés concernant la fragilité. D'autres indiquent comment elles utilisent le concept même de fragilité pour présenter des revendications en insistant sur leurs droits à recevoir des services, et ce, afin de préserver leur dignité. La façon dont Maizie souligne l'importance de revendiquer témoigne de cette stratégie :

> *Si on ne fait pas de pressions, on ne peut pas être sûre qu'ils comprennent qu'on a droit aux services... Ils vont toujours dire : « Oh ! vous pouvez encore faire ceci, vous pouvez faire cela. » Il faut leur répondre : « C'est moi qui sais ce que je peux faire, c'est moi qui vais vous dire ce que je peux faire. »* (Maizie)

À d'autres moments, les femmes âgées utilisent les présomptions négatives en mettant à profit l'identité imposée afin d'en retirer des avantages personnels ou collectifs. Cette subversion est davantage présente dans les situations où les femmes âgées « connaissent les règles » et choisissent de se projeter comme étant frêles pour obtenir l'accès aux services, utiliser les croyances et/ou faire en sorte que leurs besoins soient comblés. Cette stratégie qui consiste à miser sur la perception sociale de la fragilité est éloquemment résumée par le commentaire d'Elizabeth : *« Je joue la carte de la vieille femme frêle. »* Ainsi, même si elle ne se considère pas comme un être frêle, elle utilise stratégiquement la notion de fragilité pour négocier un accès aux services ou de l'aide. Elle affirme :

> *C'est une façon de parler pour obtenir de l'aide... Je ne dis pas : « Je suis une vieille femme frêle : transportez mon ordinateur. » Mais si quelqu'un s'offre... Je pourrais appeler cela jouer la carte de la vieille femme frêle... C'est une espèce de déni inversé. En parlant, on finit par parvenir à son objectif.* (Elizabeth)

De la même façon, Alice raconte comment elle joue la carte de la femme âgée fragile en faisant preuve d'inventivité pour maintenir un réseau d'aide autour d'elle. Elle explique ainsi :

> *J'obtiens l'aide de mes voisins d'à côté... Je ne peux pas trop leur en demander... Toutes les personnes qui viennent, si je peux, je m'arrange pour qu'elles en fassent un peu... Alors, c'est comme cela que je m'en tire. J'espace les demandes, je leur demande des choses différentes, ce qui est le plus facile pour eux.* (Alice)

Ces stratégies subversives permettent aux femmes âgées de maintenir l'inclusion sociale et la continuité dans leur quotidienneté même si elles vivent une incapacité. Que ce soit sur un plan personnel ou dans la sphère publique, les actes de résistance des femmes âgées peuvent être considérés comme des « manœuvres tactiques » ou des « positions stratégiques » utilisées pour négocier les contradictions entre les construits sociaux et elles-mêmes (Biggs, 2004 : 53-54).

Cependant, puisque la résistance des femmes âgées face à la fragilité est déployée à partir de leur position ou de leur statut social marginal, leurs actes peuvent ne pas être facilement reconnus comme étant de la résistance (Marchand, 2003). Néanmoins, le simple fait qu'elles participent à des actes de résistance à partir de la situation la plus marginalisée qui soit – être considérées comme étant frêles dans le contexte des services publics – révèle que la marginalisation imposée par le concept de fragilité est tellement puissante que même les femmes âgées qui n'ont aucun antécédent de résistance organisée peuvent, à cette étape de leur vie, commencer à employer des stratégies de résistance, aussi bien subtiles que plus complexes. Toutefois, en raison de leurs réalités telles qu'une santé physique déficiente, des situations de vie difficiles (isolement dans la collectivité) et du respect des règles de l'admissibilité aux services (confinement chez soi ou être considéré comme frêle), il est difficile de reconnaître les usagers des services tels que les femmes âgées jugées frêles comme étant des « groupes mobilisés ». Conséquemment, ces derniers demeurent souvent invisibles et ignorés par les dispensateurs de services et les responsables de l'élaboration des politiques. Pourtant, les actes isolés de résistance des femmes âgées laissent penser que celles-ci pourraient faire partie d'une action collective pouvant contrer, d'une part, les construits sociaux et culturels qui les dévalorisent en tant que femmes âgées, notamment parce que leur corps présente des signes de vieillesse et, d'autre part, les pratiques qui ne soutiennent que les personnes présentant les plus grands risques.

Afin de résister à la fragilité « imposée », les femmes âgées doivent trouver un équilibre entre le rejet absolu du concept et son utilisation comme moyen de résistance. Cependant, en exerçant des actes de résistance, elles se retrouvent aussi dans des sables mouvants, car elles doivent lutter pour le maintien et le respect de leur identité, et la perte éventuelle de l'accès aux services. Utiliser la fragilité pour résister pourrait ainsi s'avérer une stratégie efficace. Toutefois, l'utilisation de la fragilité comme stratégie d'accès est complexe – en particulier parce que les construits sociaux au sujet des femmes âgées et de leur corps puisent leur origine dans les réalités du vieillissement. Prenons à cet égard l'exemple d'Elizabeth, qui concède qu'elle devrait peut-être cesser de jouer « *la carte de la vieille femme fragile* » parce que « *c'est trop près de la réalité* », et le commentaire d'Alice, qui affirme que « *son corps ne faisait pas cela auparavant* ».

Ces témoignages soulèvent donc des questions au sujet de la subversion du concept de fragilité comme stratégie de résistance. Comme les propos des femmes interrogées le révèlent, la fragilité est à la fois un signifiant social profondément aliénant et un signifiant du déclin physique vécu par les femmes âgées. Par conséquent, l'utilisation de la fragilité est une forme de résistance qui paraît davantage appropriée pour les femmes âgées qui présentent des ennuis de santé moins graves – c'est-à-dire qui ne peuvent être facilement classées comme étant frêles –, celles qui disposent de ressources financières suffisantes pour payer les soins (et éviter ainsi les services publics) et celles qui connaissent bien le système des soins de santé et des services sociaux. Toutefois, une telle stratégie nécessite une certaine distance par rapport aux réalités du fait d'être considérée comme frêle. Dès qu'une personne est reconnue comme étant « à risque » ou « frêle », cela la prive du pouvoir de revendiquer.

Conclusion : l'intégration des expériences affectives et des stratégies au fil du temps

Les propos des femmes âgées décrivent comment le concept de fragilité devient une identité globale liée à l'impuissance, laquelle transcende les rapports avec les services publics pour s'étendre aux expériences de la vie quotidienne. En rejetant le concept de fragilité, les femmes âgées montrent comment ce dernier, utilisé dans les soins de santé et les services sociaux, donne priorité aux notions physiques observables d'une santé déficiente et du déclin du corps, plutôt qu'aux moments de vie difficiles chargés d'émotions. Ce faisant, elles révèlent, contrairement à ce que le système de santé voudrait nous faire croire, comment elles luttent davantage contre les changements liés à la vieillesse que contre le changement physique lui-même.

La distinction qu'elles font entre « être » frêle et « se sentir » frêle est particulièrement révélatrice à cet égard : elle montre la nécessité d'examiner et de préciser les impacts engendrés par une incapacité et les répercussions de cette expérience sur la vie et l'identité des personnes âgées dans le contexte de la dispensation des services de soins. De plus, la distinction entre la classification qui leur est imposée et l'expérience de vie des femmes interrogées nous rappelle qu'il faut toujours tenir compte de la diversité culturelle et, en particulier, de la façon dont les expériences et les interprétations de l'incapacité fonctionnelle peuvent varier selon la position sociale (âge, sexe, origine ethnique, « race », orientation sexuelle, etc.) (Calasanti, 1996 ; Grenier, 2005). Enfin, leurs diverses formes de résistance déployées face à la fragilité et à son application tangible mettent en évidence comment de telles pratiques renforcent le sentiment d'impuissance des femmes âgées.

Dans l'ensemble, les propos des femmes âgées révèlent la nécessité de mettre en œuvre deux types de changements majeurs dans les pratiques des soins de santé et des services sociaux. Tout d'abord, les pratiques de soins doivent intégrer les expériences sociales et émotionnelles de la fragilité. Les commentaires des femmes âgées concernant les sentiments associés au fait de « se sentir » frêle montrent une méconnaissance systémique des expériences émotionnelles susceptibles d'amener quelqu'un à « devenir » frêle. La transformation des pratiques afin d'intégrer la dimension émotionnelle, et notamment le fait de se sentir frêle, impliquerait d'aller au-delà de la reconnaissance physique de l'incapacité comme critère d'admissibilité pour prendre en compte les sentiments de perte qui accompagnent le déclin physique, plutôt que de renforcer les sentiments et les expériences qui rendent quelqu'un frêle. Les récits des femmes âgées révèlent de façon poignante comment la conception dominante de la fragilité comme représentant un risque médicofonctionnel ne fait que maintenir la scission entre le corps et les processus de réminiscence et de production de sens nécessaires pour qu'une personne puisse trouver l'apaisement. Porter attention au processus de production de sens nécessitera une approche qui tienne compte non seulement des réalités physiques, mais aussi du fait que les interprétations d'un événement – en l'occurrence, vieillir – peuvent être plus puissantes que l'événement luimême.

Deuxièmement, la résistance face aux pratiques organisationnelles doit être à la fois reconnue et prise en considération comme moyen thérapeutique. Cela obligerait celles et ceux qui dispensent des soins à prêter attention aux processus identitaires élaborés au cours d'une vie, à la diversité des conceptions du « soi » ainsi qu'aux services afférents qui peuvent varier selon la position sociale. Il serait aussi important de tenir compte d'actes de « résistance ordinaire » qui n'en sont pas moins significatifs et révélateurs des changements requis dans les pratiques de soins de santé et de services sociaux.

La résistance des femmes âgées révèle comment des concepts puissants comme la fragilité sont à la fois façonnés par les réalités physiques ainsi que par des sentiments d'impuissance, socialement construits, qui doivent sans cesse être négociés. En même temps, les récits et les actes des femmes âgées révèlent que la résistance face aux construits et aux pratiques ressort de l'initiative personnelle et est intimement liée au concept du « soi », autrement dit, à la dimension identitaire. Leur résistance est ancrée dans leurs forces, leur corporéité, leur identité de femme (de soignante, de grand-mère) et leurs différents statuts en regard des structures sociales et des pratiques institutionnelles qui créent et façonnent les expériences. En cela, les actions et expériences des femmes âgées montrent que leurs gestes de résistance et leurs stratégies afin de satisfaire leurs besoins se sont accumulés au cours de leur existence, en particulier chez celles ayant vécu des minorisations multiples face à l'oppression (racisme, sexisme, pauvreté, etc.). Établir des liens significatifs avec les femmes âgées dans le contexte des pratiques de soins de santé et de services sociaux signifierait non seulement prendre acte de l'intrication de leurs expériences, mais aussi de comprendre comment celles-ci sont ancrées à l'aune des sentiments de force, de résilience, de pouvoir et d'impuissance vécus au fil du temps.

Bibliographie

Biggs, Simon (2004). « Age, Gender, Narratives, and Masquerades », *Journal of Aging Studies,* vol. 18, p. 45-58.

Bortz, Walter (1993). « The Physics of Frailty », *Journal of the American Geriatric Society,* vol. 41, p. 1004-1008.

Bortz, Walter Michael (1997). « An Examined Life », *Journal of Applied Gerontology,* vol. 16, n° 3, p. 263-266.

Bortz, Walter Michael (2002). « A Conceptual Framework of Frailty : A Review », *Journal of Gerontology : Medical Sciences,* vol. 57A, n° 5, p. 283-288.

Bowsher, Juanita et coll. (1993). « Methodological Consideration in the Study of Frail Elderly People », *Journal of Advanced Nursing,* vol. 18, p. 873-879.

Branch, Laurence G. et coll. (1988). « A Prospective Study of Incident Comprehensive Medical Home Care Use Among the Elderly », *American Journal of Public Health,* vol. 78, n° 3, p. 255-259.

Brody, Kathleen K. et coll. (2002). « A Comparison of Two Methods for Identifying Frail Medicare-Aged Persons », *Journal of the American Geriatrics Society,* vol. 50, n° 3, p. 562-569.

Brown, Marybeth et coll. (2000). « Physical and Performance Measures for the Identification of Mild to Moderate Frailty », *Journals of Gerontology,* vol. 55A, n° 6, p. 350-355.

Calasanti, Toni (1996). « Incorporating Diversity : Meaning, Method, and Levels of Research », *The Gerontologist,* vol. 36, n° 2, p. 147-156.

Campbell, A. John et David M. Buchner (1997). « Unstable Disability and the Fluctuations of Frailty », *Age and Ageing*, vol. 26, nº 4, p. 315-318.

Fried, Linda et coll. (2001). « Frailty in Older Adults : Evidence for a Phenotype », *Journal of Gerontology*, vol. 56A, nº 3, p. 146-157.

Fried, Linda et Jeremy Walston (1999). « Frailty and the Failure to Thrive », dans W. Hazzard (dir.), *Principles of Geriatric Medicine and Gerontology*, New York, McGraw Hill, p. 1387-1402.

Grenier, Amanda (2002). *Diverse Older Women : Narratives Negotiating « Frailty »*, thèse de doctorat, Montréal, Université McGill.

Grenier, Amanda (2004). « Older Women Negotiating Uncertainty in Everyday Life : Contesting Risk Management Systems », dans L. Davies et P. Leonard (dir.), *Critical Social Work in a Corporate Era : Practices of Power and Resistance*, Aldershot, Ashgate, p. 109-127.

Grenier, Amanda (2005). « The Contextual and Social Locations of Older Women's Experiences of Disability and Decline », *Journal of Aging Studies*, vol. 19, nº 2, p. 131-146.

Hamerman, David (1999). « Toward an Understanding of Frailty », *Annals of Internal Medicine*, vol. 130, nº 11, p. 945-950.

Jones, David M., Xiaowei Song et Kenneth Rockwood (2004). « Operationalizing a Frailty Index from a Standardized Comprehensive Geriatric Assessment », *Journal of the American Geriatrics Society*, vol. 52, nº 11, p. 1929-1933.

Marchand, Marianne (2003) « Challenging Globalisation : Toward a Feminist Understanding of Resistance », *Review of International Studies*, vol. 29, p. 145-160.

Markle-Reid, Maureen et Gina Browne (2003). « Conceptualizations of Frailty in Relation to Older Adults », *Journal of Advanced Nursing*, vol. 44, nº 1, p. 58-68.

Michel, Jean-Pierre (2001). « La fragilité est-elle un critère utile ? », communication présentée aux Conférences scientifiques en gériatrie, Livingston Hall, Montreal General Hospital.

Morley, John E., Horace Mitchell Perry et Douglas K. Miller (2002). « Something about Frailty », *The Journals of Gerontology*, vol. 57A, nº 11, p. 698-704.

Raphael, Denis et coll. (1995). « Frailty : A Public Health Perspective », *Canadian Journal of Public Health – Revue canadienne de santé publique*, vol. 86, nº 4, p. 224-227.

Régie régionale de la santé et des services sociaux de Montréal-Centre (2002). *Outil multiclientèle : Évaluation de l'autonomie*, Montréal, ministère de la Santé et des Services sociaux.

Rockwood, Kenneth et coll. (1994). « Frailty in Elderly People : An Evolving Concept », *Canadian Medical Association Journal*, vol. 150, nº 4, p. 489-495.

Rockwood, Kenneth, Paul Stolee et Ian McDowell (1996). « Factors Associated with Institutionalization of Older People in Canada : Testing a Multifactorial

Definition of Frailty », *Journal of the American Geriatrics Society,* vol. 44, n° 5, p. 578-582.

Rubenstein, Laurence Z. et coll. (1984). « Effectiveness of a Geriatric Evaluation Unit : A Randomized Clinical Trial », *New England Journal of Medicine,* vol. 3, n° 11, p. 1664-1670.

Schmaltz, Heidi N. et coll. (2005). « Chronic Cytomegalovirus Infection and Inflammation Are Associated with Prevalent Frailty in Community-Dwelling Older Women », *Journal of the American Geriatrics Society,* vol. 53, n° 5, p. 747-754.

Strawbridge, William J. et coll. (1998). « Antecedents of Frailty over Three Decades in an Older Cohort », *The Journals of Gerontology,* vol. 53B, n° 1, p. 9-16.

Studenski, Stephanie et coll. (2004). « Clinical Global Impression of Change in Physical Frailty : Development of a Measure Based on Clinical Judgment », *Journal of the American Geriatrics Society,* vol. 52, n° 9, p. 1560-1566.

Taylor-Gooby, Peter et coll. (1999). « Risk and the Welfare State », *British Journal of Sociology,* vol. 50, n° 2, p. 177-192.

Tulle-Winton, Emmanuelle (1999). « Growing Old and Resistance : Towards a New Cultural Economy of Old Age ? », *Ageing and Society,* vol. 19, p. 281-299.

Quel pouvoir pour les résidentes ? Le quotidien des femmes âgées en milieu d'hébergement

Maryse Soulières et Michèle Charpentier

Au cours des dernières années, la préoccupation sociale pour le bien-être des personnes âgées qui demeurent en milieu d'hébergement se fait plus pressante, alimentée par les nombreux scandales rapportés avec grand fracas par les médias. Les images sont fortes et marquent l'imaginaire collectif : un vieillard se fait traîner par le bras par une préposée brusque ; une dame souffrant de la maladie d'Alzheimer échappe à la surveillance – peut-être indifférente ? – du personnel et est retrouvée dehors sans vie après une longue errance en hiver ; des lieux insalubres, de la nourriture avariée, des joues creuses... Des histoires sordides qui ont soulevé, à juste titre, l'indignation et la colère dans la population québécoise. Déjà depuis les années 1980, avec le mouvement de désinstitutionnalisation, les politiques et les discours gouvernementaux s'étaient teintés d'une idéalisation du domicile, associant implicitement l'entrée en milieu d'hébergement à un échec : celui de la communauté, de la famille et, ultimement, de la personne âgée elle-même. Aujourd'hui, ce sentiment d'échec est amplifié par les images extrêmement négatives qui sont véhiculées au sujet des milieux d'hébergement (Bickerstaff, 2003), perçus comme des « *univers inconnus* » et des « *espaces clos* » (Puijalon et Trincaz, 2000 : 175 et 227), où les gens âgés se retrouvent à la merci du personnel.

Mais au-delà de ces images chocs et de ces idées préconçues, que savons-nous de la réalité quotidienne des milieux d'hébergement ? Que s'y passe-t-il qui n'est pas rapporté avec autant de zèle par les médias ? D'abord, le fait que les milieux d'hébergement sont des univers de femmes : celui des femmes âgées qui y demeurent et celui des femmes plus jeunes qui y travaillent, dans des conditions souvent peu enviables. Un univers où des résidentes âgées, vulnérables de par leurs pertes physiques ou cognitives, dépendent du personnel pour obtenir les soins et les services dont elles ont besoin chaque jour. Force est d'admettre, dans ce contexte, que les relations de pouvoir jouent en défaveur des aînées. Faut-il en conclure que celles-ci ne sont que dépendance, passivité et vulnérabilité ? Doit-on en déduire qu'en milieu d'hébergement, la diversité des trajectoires de vie et des personnalités se fonde invariablement en un seul et même « modèle » de résidente, victime sans voix, sans ressources et sans pouvoir ? Au-delà des préjugés et des fausses croyances, comment ces résidentes âgées vivent-elles leur rapport au pouvoir et quelles sont les stratégies qu'elles privilégient pour l'exercer ?

Nous présentons ici les résultats d'un volet d'une recherche s'intéressant aux droits et à l'*empowerment* des personnes âgées (hommes et femmes) résidant dans différents milieux d'hébergement. Adoptant un cadre théorique féministe, ce volet s'est attardé aux stratégies d'*empowerment* développées par les femmes de l'échantillon, âgées de 74 à 98 ans. Après un bref rappel historique des politiques québécoises entourant les milieux d'hébergement pour les personnes âgées ainsi qu'une présentation succincte du cadre théorique et de la méthodologie de recherche, les témoignages de ces citoyennes âgées seront analysés. Levant le voile sur leur quotidien, qu'elles situent en continuité avec les rôles sociaux féminins endossés tout au cours de leur vie, les participantes laissent entrevoir une conception renouvelée de l'*empowerment* et nous amènent à réfléchir, comme chercheures et comme féministes, au renouvellement des pratiques d'intervention, conçues en termes de véritables leviers d'*empowerment* pour ces citoyennes âgées.

Privatisation de l'hébergement et vulnérabilité des clientèles

Au cours des années 1990, la prise en charge publique des personnes âgées dépendantes a été révisée en profondeur : poursuivant le changement de paradigme amorcé durant la décennie précédente, l'accent a été mis sur le maintien à domicile et on a alors assisté à un fort mouvement de désinstitutionnalisation. Tout le réseau public de soutien aux personnes en perte d'autonomie mise depuis sur les services à domicile « le plus longtemps possible », avec pour corollaire implicite le soutien actif des proches, en grande majorité des femmes. Présenté comme dernier recours, l'accès à l'hébergement permanent dans une institution publique est restreint et l'attente pour une place se prolonge souvent jusqu'à une douzaine de mois. Les centres d'hébergement et de soins de longue durée (CHSLD) sont réservés aux personnes qui présentent une perte d'autonomie très sévère (plus de 2,5 heures-soins par jour) ; quant aux ressources publiques qui s'adressent aux personnes dont la perte d'autonomie est moins importante, soit les ressources intermédiaires (RI) et les ressources de type familial (RTF), leur capacité d'accueil est largement en deçà des besoins actuels de la population âgée[1].

Venant prendre le relais de ce système public qui, de toute évidence, n'arrive plus à combler les besoins d'hébergement des personnes vieillissantes, les résidences privées ont connu un développement accéléré. Pour la plupart soumises à des réglementations minimales, ces ressources privées accueillaient en 2007 plus de 87 000 personnes âgées au Québec (dont 70 000 avaient 75 ans et plus)[2], par rapport à environ de 46 000 dans les institutions publiques. La privatisation de l'hébergement pour les personnes en perte d'autonomie n'en est donc plus à l'étape du questionnement éthique ni même du débat social. Il s'agit d'une réalité incontournable, qui n'est d'ailleurs pas sans soulever l'inquiétude : comment encadrer et soutenir ces ressources, pour la grande majorité à but lucratif, afin d'assurer la qualité de vie, le bien-être et le respect du droit à des soins adéquats des personnes âgées vulnérables qui y demeurent ?

Car même si aux yeux de la loi ces ressources privées accueillent des personnes « autonomes ou semi-autonomes », la réalité est tout autre. En effet, un dénominateur commun semble rallier toutes les ressources d'hébergement, au-delà de leur caractère privé ou public : l'alourdissement de la clientèle, en majorité composée de femmes dont la moyenne d'âge frôle les 80 ans. La prévalence des pertes d'autonomie, non seulement physiques mais aussi cognitives, est de plus en plus marquée. Malgré l'hétérogénéité de leur condition et de leur situation, les caractéristiques des résidentes témoignent de nombreux facteurs de vulnérabilité, liés d'abord à leur besoin de soins au quotidien (MSSS, 2003 ; Charpentier, 2002). S'ajoute une vulnérabilité économique entraînée par leur trajectoire de vie au sein d'une société patriarcale. Enfin, l'avancée en âge s'accompagne généralement d'un effritement progressif du réseau social des personnes âgées et qui se solde par un risque élevé d'isolement. Certaines

1. Selon les données récentes (à jour au 11 mars 2009), disponibles sur le site du ministère de la Santé et des Services sociaux à l'adresse suivante : http://wpp01.msss.gouv.qc.ca/appl/M02/M02SommLitsPlacesProv.asp.
2. Statistiques du Registre des résidences pour personnes âgées du Québec, en date du 24 avril 2007.

auteures en viennent d'ailleurs à dire que le processus d'hébergement lui-même, en déracinant l'individu de son environnement physique et social, contribue à la vulnérabilité des aînées et dilue leur pouvoir (Schuster, 1996 ; Willcocks et coll., 1987).

Une perspective féministe sur *l'empowerment*

Dans ce contexte, l'étude du pouvoir exercé par les résidentes dans leur quotidien nous est apparue des plus pertinente. Nous avons choisi d'adopter une perspective féministe en gérontologie, deux champs disciplinaires qui partagent de nombreux objectifs communs : la reconnaissance de la valeur intrinsèque des individus, le droit à un traitement égalitaire en tant qu'être humain à part entière, de même que le soutien au processus d'*empowerment* (Garner, 1999). Force est de constater que les facteurs structuraux de notre société patriarcale ont influencé la trajectoire de vie des femmes, incluant leur rapport au marché du travail et leur rôle au sein de la famille et, donc, de façon plus générale, leur rapport au pouvoir. Cela ne peut qu'avoir des impacts réels sur leur vie au grand âge, non seulement sur leur statut socio-économique, mais aussi, par extension, sur leur santé et leur milieu de vie (Hooyman, 1999). La théorie féministe permet de saisir comment l'expérience des femmes âgées a été interprétée selon des modèles théoriques androcentriques, avec pour conséquence le camouflage des impacts de la double discrimination âge/sexe (Sullivan, 2003).

Parallèlement à cette critique macrosociale, le féminisme reconnaît l'importance et la validité du vécu des femmes, notamment à partir du concept d'« expérience », qui suppose que « *les individus qui vivent quotidiennement les conséquences du fait d'appartenir à un groupe social particulier sont les experts par rapport à ce qu'ils vivent* » (Neysmith, 1995 : 108, notre traduction). Rejoignant les préoccupations des théories constructivistes et interactionnistes, l'objectif devient donc de permettre aux femmes âgées de se dire et de se définir elles-mêmes. À la suite de Hazan (1994), nous réaffirmons la nécessité d'écouter les personnes âgées elles-mêmes : « *nous devons, si nous espérons comprendre leurs actions, examiner* leur réalité *et non* nos théories » (Hazan, 1994 : 95, notre traduction).

C'est donc à partir de ces assises théoriques féministes que nous avons développé une conceptualisation de l'*empowerment* qui puisse rendre compte du rapport au pouvoir qu'ont développé des femmes âgées en perte d'autonomie. Ce terme est apparu vers la fin des années 1970 dans le cadre d'approches dénonçant les structures sociales et visant l'amélioration des conditions de vie des populations marginalisées (Damant et coll., 2001) ; diverses traductions en français (reprise de pouvoir, autonomisation, pouvoir d'agir) s'ajoutent aujourd'hui aux multiples définitions parfois contradictoires proposées par différents auteurs.

De façon générale cependant, l'*empowerment* est compris comme étant un processus qui vise à développer ou à renforcer l'autonomie décisionnelle des individus et des groupes exclus ou marginalisés. Il s'agit du processus par lequel l'individu devient capable d'influencer l'aménagement et le cours de sa vie en prenant les décisions qui le concernent directement ou concernent sa communauté (Guttierez, 1992). L'*empowerment* permet des réflexions et des interventions des plus intéressantes auprès des femmes âgées hébergées, à condition de faire l'objet d'une conceptualisation réfléchie qui tienne compte des particularités de cette clientèle en perte d'autonomie. Il s'agit d'élaborer une conception qui évite les dichotomies usuelles entre le pouvoir et la dépendance (Morell, 2003) et qui soit en mesure de refléter les stratégies d'*empowerment* improvisées par les résidentes dans leur quotidien ; de construire une définition du pouvoir qui ne soit pas nécessairement synonyme d'indépendance, mais qui reflète plutôt la possibilité de faire des choix et de les faire respecter. En ce sens, la définition suivante du pouvoir nous apparaît inspirante : « *Le pouvoir, c'est la capacité d'agir ou de ne pas agir sans crainte des conséquences, quelle que soit la solution retenue* » (Micheline de Sève, 1988 dans Lemay, 2001 : 27). Pour une femme très âgée vivant en milieu d'hébergement, comment se transpose le pouvoir dans son quotidien ? Quelle signification revêt-il et de quelle façon veut-elle l'exercer ?

Méthodologie : le témoignage des résidentes âgées

Afin de saisir cette construction très subjective de leur pouvoir d'agir au quotidien, une méthodologie qualitative prenant appui sur des entretiens en face-à-face a été privilégiée. Le recrutement a été réalisé par l'intermédiaire des milieux d'hébergement, sélectionnés de façon à refléter leur diversité. La collaboration des responsables étant essentielle pour diminuer les risques de représailles envers les participantes, les premiers contacts ont été faits auprès des gestionnaires à qui l'on a demandé d'identifier les personnes de 65 ans et plus en mesure de participer à l'étude, tant physiquement que cognitivement. Parmi cette liste, les personnes ont été choisies en fonction de la théorie des cas contraires de façon à obtenir un échantillon diversifié (âge, origine ethnique, niveau d'autonomie, durée de séjour). L'échantillon final est ainsi constitué de 13 femmes âgées de 74 à 98 ans, vivant en résidence privée, en CHSLD (public et privé) ou dans une ressource intermédiaire, la majorité d'entre elles demeurant depuis plus de 3 ans dans ce milieu d'hébergement et présentant des pertes d'autonomie de légères à sévères. Chacune de ces résidentes a été rencontrée à deux reprises, notamment pour permettre la familiarisation avec les procédures de la recherche ainsi que le développement d'un lien de confiance. Quatre femmes ayant préféré ne pas réaliser la deuxième rencontre, les données présentées se basent sur un total de 22 entrevues semi-directives.

La première entrevue portait sur leur trajectoire de vie, les circonstances ayant entouré leur arrivée en milieu d'hébergement, ainsi que leur emploi du temps actuel ; la deuxième entrevue abordait la question de l'exercice de leurs droits au quotidien ainsi que leurs stratégies d'*empowerment.* Au besoin, des scénarios étaient proposés aux participantes. Par exemple : « disons qu'une préposée vous aide à prendre votre bain, mais qu'elle laisse la porte de la salle de bain ouverte, est-ce que c'est quelque chose qui vous est déjà arrivé ? Que feriez-vous dans une situation pareille ? ». La richesse des témoignages ainsi recueillis auprès des résidentes nous permet d'appréhender leur quotidien sous un jour nouveau[3]. Recadrant leur témoignage à la lumière de leur trajectoire de vie, les participantes ont levé le voile sur leur réalité quotidienne en milieu d'hébergement.

Des vies marquées par les rôles sociaux traditionnels d'aidante et de mère

Les participantes à cette étude ne sont pas que des « résidentes » : elles sont d'abord et avant tout des femmes qui ont accumulé une très grande expérience de vie. Pour la plupart nées au cours des années 1920, elles ont assisté à des changements sociaux majeurs : elles ont traversé la grande crise économique des années 1930, elles ont vu leur conjoint partir à la guerre, elles ont assisté à la laïcisation progressive de la société québécoise. En outre, elles ont grandi à une époque où les droits des femmes, en tant qu'individus et citoyennes, étaient brimés. Elles ont vécu, et par-

3. Tous les entretiens-témoignages ont fait l'objet d'une analyse en profondeur discutée et approuvée par les membres de l'équipe de recherche, composée de trois travailleuses sociales, pour s'assurer d'en saisir le sens et valider l'interprétation.

fois participé activement, à la naissance du mouvement féministe au Québec. Toutes ces années de vie et de lutte, pendant lesquelles ces femmes ont développé des stratégies pour améliorer leurs conditions de vie, sont essentielles pour saisir pleinement leur rapport actuel au pouvoir dans leur quotidien en milieu d'hébergement.

Au cours de nos entretiens, les résidentes ont d'ailleurs longuement parlé de leur passé. Leur discours témoigne de l'importance des rôles sociaux traditionnellement dévolus aux femmes, principalement ceux d'aidante et de mère. Dans la société où elles ont évolué, le *caring* était considéré comme un domaine « naturellement » féminin et il se trouve encore aujourd'hui à la base de la construction identitaire d'une majorité de femmes âgées (MacRae, 1995). C'est souvent sans remise en question que la majorité des participantes ont intégré cette vision de leur rôle d'aidante, et ce, dès leur plus jeune âge.

> *À quatre ans, mes grands-parents, mes oncles et deux de nous autres, on a eu la grippe espagnole. Ils étaient tous dans le lit, pas capables de bouger. Je montais sur la table, ils me disaient « ouvre la porte d'armoire, prend telle bouteille ». En fin de compte, c'est moi qui les ai soignés !* (Mme Arsenault, 89 ans)

Ainsi, près de la moitié des femmes ont au cours de leur vie endossé des responsabilités d'aidante, que ce soit auprès de membres de leur famille ou encore d'amis. Au-delà de responsabilités sporadiques assumées temporairement, le rôle d'aidante s'inscrit pour la plupart dans une vision du monde où l'entraide, la solidarité et surtout l'abnégation sont centrales et semblent « aller de soi » pour les femmes : *« On aurait dit que c'était dans moi, qu'il fallait que j'aide »* (Mme Arsenault, 89 ans). C'est ainsi que le rôle d'aidante a eu un impact majeur chez certaines participantes, qui en sont venues à modeler leur vie et leur avenir autour de cette fonction sociale qui les définissait parfois presque entièrement.

> *Je ne me suis pas mariée, par contre j'ai eu soin de mes parents qui étaient malades. Je ne suis jamais sortie, alors je ne me suis pas mariée... Ma mère a été malade longtemps, quatre à cinq ans... Ma mère, puis mon père, puis mon frère après... Puis après ça, je me suis retrouvée toute seule et là, c'est moi qui suis tombée malade.* (Mme Laberge, 74 ans)

Se situant généralement en continuité avec ce rôle d'aidante, celui de mère s'impose dans la vie des participantes. Leurs enfants ainsi que leurs petits-enfants, avec qui la plupart entretiennent des contacts fréquents, sont très présents dans leur discours et elles en parlent avec beaucoup de fierté. On comprend cependant, à travers le récit de leur vie, que pour ces femmes l'importance de leur rôle de mère ne découle pas seulement de la fierté qu'elles en retirent mais aussi, paradoxalement, des épreuves qu'il leur a imposées. Chez certaines, ce sont des naissances difficiles (fausses couches, enfants mort-nés) ; pour d'autres, les difficultés sont survenues lors du décès de leur conjoint qui, en plus de les laisser en deuil, leur a laissé la charge de la famille. Pour la majorité des participantes, la conjugaison du rôle de mère – présenté la plupart du temps comme leur rôle principal – et celui de travailleuse n'a pas été aisée. La vaste majorité d'entre elles ont occupé, à un moment de leur vie, un emploi rémunéré, le plus souvent à temps partiel dans un domaine lié à la vente ou en manufacture, mais le mariage a signifié pour plusieurs l'abandon du marché du travail : *« Mon mari ne voulait pas que je travaille. Il trouvait que j'avais assez d'ouvrage à la maison »* (Mme Beauchamp, 87 ans).

À contre-courant des pressions sociales, certaines femmes, qui se décrivent d'ailleurs comme des personnes fonceuses au caractère fort, ont réussi à faire carrière dans des domaines peu conventionnels. Leur discours est empreint de fierté et elles parlent de leur éducation et de leur carrière comme d'une victoire.

> *J'avais un bon poste. Une compagnie suédoise, s'il vous plaît ! Et ils s'occupaient bien de moi. J'étais chef comptable.* (Mme Lord, 94 ans)
>
> *Moi, j'ai acheté mon magasin. C'était un gros magasin et puis j'avais des commis. [...] Quand je suis allée chez le docteur, il a dit : « Vous vous êtes acheté un magasin ? Si je l'avais su, je ne vous l'aurais pas laissée acheter, vous n'êtes pas capable de tenir un magasin. » Je lui ai répondu : « Je l'ai depuis 12 ans ! »* (Mme René, 93 ans)

Il faut donc retenir des trajectoires de vie de ces femmes qu'elles ont été, à des degrés variables, marquées par les rôles sociaux sexués, principalement ceux d'aidante, de mère et de travailleuse. Certaines ont endossé ces rôles avec facilité et plaisir : elles se présentent comme des femmes généreuses, soucieuses du bien-être de leurs proches. La trajectoire d'autres participantes, minoritaires, se pose en réaction à ces rôles traditionnels qu'elles ont combattus pour revendiquer une autre identité, celle de travailleuse. L'analyse du témoignage des résidentes démontre que leur trajectoire est indissociable de leur présent, en ce sens qu'elles perçoivent souvent leur quotidien en milieu d'hébergement en continuité avec l'identité qu'elles se sont forgée au cours de leur vie.

Le quotidien en milieu d'hébergement : « Je suis bien ici, mais... »

Lorsque la question leur est posée directement, la grande majorité des participantes se disent satisfaites de leur milieu de vie. Pourtant, au fil des réponses, toutes en viennent à préciser qu'elles ne s'y sentent pas « chez elles ».

> *On n'a plus notre chez-nous, on ne vit pas à notre rythme, mais on vit au rythme des autres.* (Mme Lafrance, 96 ans)

> *C'est entendu que j'aimerais mieux vivre chez moi.* [– Ici ce n'est pas chez vous ?] *À date, ce n'est pas encore chez moi. Mais, sachant que je ne peux pas vivre chez moi, c'est impossible, je n'ai pas le choix : il faut que je vive en résidence.* (Mme Fournier, 84 ans)

Leur chez-soi, c'est encore la maison ou l'appartement qu'elles ont dû quitter il y a de cela quelques années, souvent dans des circonstances précipitées et difficiles. En effet, tel que préconisé par les politiques publiques (MSSS, 2003), les femmes que nous avons rencontrées semblent être demeurées dans leur domicile « le plus longtemps possible ». Une seule répondante a expliqué que, ne voulant pas être un fardeau pour son conjoint, elle a pris la décision de se trouver une résidence. Pour les autres, l'entrée en milieu d'hébergement est présentée comme une nécessité plutôt qu'un véritable choix, toutes les options alternatives ayant été épuisées.

> *Ce n'était plus « restable » à la maison. [...] J'étais toujours inquiète. J'étais toujours sur le stress. [...] Moi, à la maison, je n'étais plus capable. C'était dur à la fin...* (Mme Caron, 79 ans)

> *Des fois ça me fait de la peine, mon logement et tout ça, je pense à ça des fois. [...] Mais je ne pourrais pas rester toute seule. Ma fille, c'était rendu qu'elle allait faire ma commande et là elle s'en venait à la maison pour la recevoir et serrer les choses. Tu sais, ce n'est pas des farces.* (Mme Parent, 82 ans)

Ainsi, elles n'ont pas eu le loisir d'y réfléchir longuement ni de visiter différentes résidences. Elles ont expliqué que le déménagement, désigné par l'affreux terme de « placement », s'est fait très rapidement et dans une période déstabilisante, à la suite du décès du conjoint ou d'une hospitalisation subite, par exemple. Prises au dépourvu devant la nécessité d'un hébergement qu'elles n'avaient pas planifié, elles se sont senties dépassées par les événements. Plusieurs ont expliqué avoir quitté leur domicile parce que leur médecin leur avait « défendu » de rester seules. Pour d'autres, ce sont les inquiétudes de leurs enfants qui ont fini par les convaincre de « casser maison ».

> *Ils m'ont envoyée à l'hôpital. Là, le médecin a dit : « Vous ne restez plus toute seule. » Ça fait que je ne suis pas rentrée dans mon appartement, c'est mon amie qui a tout vidé ma maison.* (Mme Dumoulin, 93 ans)

> *Mon garçon m'a dit : « Maman, il faut que tu penses à te placer. Nous on est inquiets. »* (Mme Ibrahim, 92 ans)

Dans un tel contexte, les démarches sont souvent effectuées par les proches, si bien que la plupart des résidentes n'avaient pas visité elles-mêmes le milieu d'hébergement avant d'y emménager définitivement[4] : « *Mes filles sont venues voir et le lendemain, j'emménageais. Elles avaient dit "bon, on va essayer ça".* » (Mme Lord, 94 ans) Ainsi, pour la majorité des participantes, le processus entourant le changement de milieu de vie et l'entrée en ressource d'hébergement a été synonyme d'une perte de contrôle et de pouvoir plus ou moins marquée. Leur peu d'autonomie décisionnelle à cette étape est en effet frappant dans le récit de leur trajectoire. Pour certaines, cette étape renferme une grande violence symbolique, dans la mesure où leur droit fondamental de choisir leur milieu de vie a été brimé. Citons par exemple l'histoire de cette femme qui, après une hospitalisation d'urgence, s'est retrouvée dans un centre d'hébergement qu'elle n'avait pas choisi, pour réaliser alors que toutes ses possessions, y compris la maison paternelle qu'elle habitait depuis toujours, avaient été vendues.

Loin d'être un déménagement comme les autres, l'arrivée en milieu d'hébergement est vécue comme un deuil particulièrement intense. Les unes le vivent dans la résignation et l'acceptation. D'autres témoignent de leur difficulté à faire la paix avec cette nouvelle vie, et leurs propos se teintent de regrets, d'amertume, parfois même de désespoir.

> *Il faut s'adapter. Il faut se résigner et se dire : « Maintenant, ça c'est terminé, avoir une maison et rester chez soi ! » Il faut passer à autre chose.* (Mme Fournier, 84 ans)

---

4. Ce constat était d'ailleurs généralisé pour tout l'échantillon de la recherche *Paroles de résidents*. Des 20 personnes âgées rencontrées, près des deux tiers n'avaient pas visité elles-mêmes la résidence où elles demeuraient.

> *Il faut le vivre, parce qu'on est obligé de le vivre. Nous sommes vieux. Nous ne sommes plus capables de vivre seuls. [...] Je suis pris, je vais me contenter de ce que j'ai et je vais prier le bon Dieu pour qu'il vienne me chercher au plus vite. C'est ça... C'est ça que je veux.* (Mme Ibrahim, 92 ans)

Malgré tout, en dépit de la perte de contrôle et même de la violence symbolique des trajectoires qui les ont conduites en résidence, la majorité des femmes que nous avons rencontrées disent apprécier leur milieu de vie. Elles y trouvent un sentiment de sécurité et y reçoivent les soins que leur état de santé requiert.

Au cœur du quotidien : les liens sociaux

La majorité des participantes insistent sur l'importance d'entretenir de bonnes relations avec tout le monde dans le milieu. En ce sens, elles poursuivent dans ces milieux de vie collectifs le rôle de « gardiennes des relations harmonieuses », traditionnellement dévolu aux femmes dans notre société. Les témoignages de bonne entente, d'affection et même d'amitié avec le personnel sont fréquents. Plusieurs expriment aussi beaucoup d'admiration et de reconnaissance pour l'aide et le soutien apporté quotidiennement par le personnel malgré la surcharge de travail dont elles sont bien conscientes. Évidemment, les relations avec certaines employées sont plus tendues : *« Il y en a une couple qui sont très gentilles. La seule chose, il y en a une couple d'autres... »* (Mme Dumoulin, 93 ans) Bien que les employées qui posent problème semblent faire figure d'exception, certaines femmes ont rapporté à ce sujet des situations qui sont sources de stress et d'anxiété. Dans certains cas, on peut même parler de mauvais traitements (abus physiques, violence psychologique), bien que les participantes se gardent d'utiliser ces termes.

> *Il y en a qui pourraient être plus polies. Celle qui travaille aujourd'hui, elle est bien bonne mais... elle est tellement* rough. *[...] Et puis elle me tire* [par le bras] *et elle ne pense pas que je pourrais tomber. On en a quelques-unes ici...* (Mme Lord, 94 ans)

Quant aux liens que les participantes entretiennent avec les autres résidents et résidentes, ils semblent plus fragiles. Il est vrai que les tensions ouvertes, les désaccords ou les mésententes restent rares ; le discours des femmes porte d'abord sur la bonne entente qui règne dans le milieu : *« On est comme des frères et sœurs ici. Moi, je m'adonne avec tout le monde ! »*

(Mme Caron, 79 ans). Quelques répondantes évoquent des affinités particulières, de l'entraide ou de l'amitié entre résidents et résidentes.

> *Il y avait une demoiselle qui était aveugle. En descendant, j'arrêtais l'ascenseur et puis je la descendais avec moi à la salle à dîner. [...] Je l'aidais, elle me prenait par le bras et puis on marchait ensemble, on dînait à la même table.* (Mme Navarro, 98 ans)

Assez rapidement cependant, on remarque que des anecdotes contredisent parfois cette vision harmonieuse des relations avec leurs pairs. On sent une réticence plus ou moins explicite à se lier d'amitié, plusieurs s'en tenant à des contacts superficiels (salutations, brefs échanges, etc.). Certaines expliquent cette situation par la fragilité des relations créées dans ces milieux où les départs et les décès sont nombreux.

> *Moi, je les ai toutes perdues une après l'autre. [...] Puis là, on se regarde : lequel qui va partir ?* [rires] *[...] C'est pour ça qu'il ne faut pas trop s'attacher. Parce que tu ne sais jamais quand est-ce qu'elle va partir.* (Mme Green, 77 ans)

D'autres insistent plutôt sur la difficulté à gérer la promiscuité dans ces milieux de vie collectifs qui vient exacerber les tensions et les incompatibilités. Choquée par l'attitude hautaine d'une résidente, une participante explique qu'elle doit, jour après jour, la croiser dans le corridor et partager sa table lors des repas : « *Vous savez, il y a des limites à ce qu'on peut endurer.* » (Mme Lord, 94 ans) Mais par-dessus tout, il semble que, pour ces femmes âgées en perte d'autonomie, la confrontation quotidienne avec la maladie et les pertes des autres est l'aspect le plus difficile de la vie en milieu d'hébergement. Le fait de côtoyer tous les jours des gens qui présentent des pertes cognitives importantes, qui s'accompagnent souvent de comportements dits « perturbateurs » (errance, agressivité, désinhibition sexuelle, etc.), est particulièrement pénible pour les participantes qui ont toutes abordé ce sujet délicat.

> *Il y en a une qui parle au cendrier dans le passage. Ça fait que moi, je ne parle pas au cendrier.* [silence] *Non. Il y en a, ils sont tellement perdus, ils se déshabillent puis ils se promènent partout.* (Mme Dumoulin, 93 ans)

Ainsi, ce qui ressort, dans l'expérience quotidienne de l'hébergement, c'est la centralité des liens sociaux. Bien qu'elles soulignent toutes les difficultés du quotidien, la majorité des participantes insistent sur leur volonté et leurs efforts constants pour maintenir des relations interpersonnelles courtoises et positives, que ce soit avec les pairs ou avec le personnel. Malgré la grande violence symbolique de leur « placement » ainsi que leur sentiment de ne pas être chez elles, elles continuent d'endosser le rôle social qui leur a toujours été dévolu en tant que femmes, soit celui de « gardiennes des relations harmonieuses ». Ce désir d'éviter les conflits ouverts semble d'ailleurs se trouver au cœur de leurs stratégies d'*empowerment*.

Le contexte de dépendance : la crainte des représailles

Lorsqu'il est question du respect de leurs droits, ou même de la possibilité d'abus, les résidentes sont unanimes : elles insistent pour dire que les drames médiatisés sont bien loin de leur propre réalité.

> *Quand on entendait ça à la radio, je n'étais pas de bonne humeur. [...] Des fois, ils en mettent pire que c'est. [Ma sœur] elle disait qu'elle avait peur d'aller dans ces places-là. Je lui disais : « Ben non, nous autres on est assez bien. »* (Mme Caron, 79 ans)

Leur conception des abus, fortement influencée par les stéréotypes populaires, se limite aux formes les plus extrêmes et spectaculaires (coups, blessures, négligence extrême, etc.). Toutes affirment spontanément ne jamais avoir été victime ou témoin de tels actes. Néanmoins, leurs propos laissent entendre que leur quotidien n'en est pas moins parsemé d'atteintes à leurs droits fondamentaux, qui peuvent prendre la forme d'infantilisation, de manque de respect, de violence psychologique, d'obstacle à la liberté de choix, etc. Si certaines présentent ces exemples comme étant inacceptables, plusieurs les considèrent bien anodins en comparaison des scandales médiatisés et y réfèrent plutôt comme de petits « accrochages » inévitables qu'elles préfèrent ignorer. C'est que, il ne faut pas l'oublier, les résidentes présentent différents facteurs de vulnérabilité, que ce soit au niveau physique, cognitif, économique ou social.

Dans ce contexte, elles se trouvent dans une position de dépendance plus ou moins marquée, et le personnel détient un pouvoir non seulement symbolique mais aussi très concret, ne serait-ce que par son statut d'aidant. Sans qu'elles ne le formulent ainsi, l'analyse des témoignages des femmes rencontrées démontre qu'elles sont conscientes de ce déséquilibre de pouvoir et que leur statut « d'aidées » les place dans une position inconfortable pour revendiquer ou se plaindre. La crainte des représailles est bien présente dans leur discours, influençant leur capacité d'agir pour défendre leurs droits, et ce, peu importe les véritables intentions du personnel.

> *C'est entendu que lorsque vous n'êtes pas complètement autonome, lorsque vous avez un besoin, il faut attendre. [...] Alors, vous sonnez et vous attendez ! Il y a des fois où vous trouvez que l'attente est longue...* (Mme Fournier, 84 ans)

> *C'est dur de dire sa façon de penser des fois. Pourquoi ? Parce qu'ils nous boudent des semaines de temps, je n'aime pas ça, moi ! [...] On voit qu'ils ne sont pas de bonne humeur. [...] Des fois, ils me donnent à manger la dernière par rapport que j'ai refusé la première assiette.* (Mme René, 93 ans)

> *Si nous nous lamentons trop, on passe pour des vieux haïssables ! Les vieux grognons. C'est facile de nous coller des étiquettes désagréables. Alors, j'ai cette philosophie qui dit que pour être aimé, il faut être aimable. Je m'arrange pour ne pas déplaire, le moins possible !* (Mme Lafrance, 96 ans)

Conscientes de la vulnérabilité inhérente à leur dépendance, certaines femmes semblent avoir abdiqué et n'entretenir aucune volonté de faire respecter leurs droits. Elles s'abstiennent de formuler toute critique, préférant se taire, et évitent aussi de demander de l'aide, même lorsqu'il s'agit de services qui sont inclus dans le prix de leur chambre.

> *Il ne faut pas argumenter, elles font du mieux qu'elles peuvent, vous savez, les employées... Si elles font quelque chose qui ne me plaît pas, je l'ignore et la journée suivante sera meilleure.* (Mme Lord, 94 ans)

> *Moi, je ne suis pas une femme qui parle. Non. Je ne suis pas une demandeuse puis je n'achale pas. Je trouve que c'est bien ce qu'ils font.* (Mme Caron, 79 ans)

Chez certaines femmes, ce qui pourrait être interprété comme de l'ingérence ou une atteinte aux droits fondamentaux est pourtant vécu de façon positive : on comprend à leur témoignage que ce lâcher-prise leur convient et leur procure un fort sentiment de sécurité. Elles s'en remettent aux décisions du personnel ou de leurs enfants, comme elles l'ont fait toute leur vie avec leur père, puis avec leur conjoint. Chez d'autres, cependant, une telle abdication de leurs droits s'accompagne d'impuissance face à leur quotidien et à leur avenir. Leur témoignage est généralement amer et empreint de désillusion.

> *Qu'est-ce que vous voulez qu'on fasse ? On est mieux de fermer notre boîte puis d'endurer... Je ne m'en occupe pas.* [soupir] (Mme Navarro, 98 ans)

Heureusement, cela ne représente pas la réalité de la majorité des participantes, qui réussissent généralement à tirer leur épingle du jeu et à maintenir, malgré leur position de dépendance, une certaine marge de pouvoir sur leur quotidien.

L'*empowerment* des résidentes : le maintien de petits pouvoirs

Tel que mentionné précédemment, les résidentes rencontrées se présentent comme des « gardiennes des relations harmonieuses ». Fuyant la confrontation directe, les tensions et les conflits, elles évitent de se « mettre à dos » le personnel de l'établissement et en viennent ainsi à privilégier des stratégies d'*empowerment* marquées par l'évitement et le contournement : elles limitent les contacts avec certains résidents, conservent de la nourriture dans leur chambre afin de ne pas avoir à demander autre chose si elles n'aiment pas le repas proposé, utilisent l'humour ou les prières pour se sortir de situations délicates...

> *Ma fille, elle m'apporte du chocolat. Et puis, j'ai une grosse boîte de biscuits assortis. [...] Quand ce n'est pas mangeable là [à la salle à manger], bien je viens dans ma chambre... [...] Je suis bien indépendante : si je veux manger, j'ai quelque chose...* (Mme Navarro, 98 ans)
>
> *J'ai le sens de l'humour assez prononcé. Si c'est trop glissant, je change ma tactique : je tourne ça en farce !* (Mme Lafrance, 96 ans)

D'autres, plutôt que de formuler une demande à la direction, préfèrent prendre des ententes avec une employée en qui elles ont confiance : « *Il y a une fille ici, je lui donne quelques dollars par semaine pour qu'elle lave mon linge délicat. [...] Je ne lui donne jamais plus de 3-4 dollars...* » (Mme Lord, 94 ans). Enfin, certaines femmes conservent un sentiment de contrôle sur leur quotidien en exerçant, malgré la perte d'autonomie, les rôles féminins qu'elles ont endossés tout au long de leur vie : elles font l'entretien de leur chambre ; elles offrent aux employées de mettre la table avant les repas ; elles assistent les résidentes qui sont dans le besoin. Ce faisant, elles occupent une position « d'aidantes » plutôt que « d'aidées ».

On comprend bien que ces stratégies « féminines », bien qu'elles servent à éviter toute forme de confrontation, constituent une forme de reprise de pouvoir pour ces femmes dans la mesure où elles s'improvisent des solutions alternatives pour répondre à leurs besoins. Il s'agit des stratégies les plus répandues chez les femmes que nous avons rencontrées.

Il importe toutefois d'ajouter que, bien que minoritaires, certaines sont en mesure de défendre leurs droits de façon plus directe en s'adressant aux personnes concernées (employées ou membres de la direction). Il est intéressant de noter qu'il s'agit de femmes qui disposent de plus de ressources personnelles (revenus, éducation, etc.) que la moyenne des résidentes et qui ont toujours connu une certaine indépendance dans la vie en s'assurant une autonomie notamment financière grâce à un emploi rémunéré. Encore aujourd'hui, malgré les pertes d'autonomie, elles conservent le contrôle de leur vie... Pourtant, même chez ces femmes davantage revendicatrices, on retrouve en sourdine la volonté de « ne pas déranger » et la crainte de compromettre leurs bonnes relations. De façon générale, elles défendent leurs droits par des propos polis et une démarche respectueuse.

> *J'ai entendu une fois une préposée qui disait : « Mangez ça. Si vous n'êtes pas contente, on va vous monter dans votre chambre. » Ça ne se dit pas. Je lui ai dit : « Pardon, Mademoiselle, diriez-vous ça à votre mère ce que vous venez de lui dire ? » Elle m'a regardée et m'a dit que ça ne me regardait pas. Je lui ai dit : « Je le sais que ça ne me regarde pas, mais je vous le demande.» [...] Il faut nous respecter.* (Mme Ibrahim, 92 ans)

Seulement trois des femmes rencontrées ont développé un discours qui s'approche de la revendication « classique », basée sur la reconnaissance des droits individuels et collectifs des résidentes : *« Je ferais une plainte auprès des autorités, à la directrice. J'irais plus haut : je ferais un grief au service de santé ! »* (Mme Fournier, 84 ans) Bien que quelques-unes connaissent l'existence de recours officiels, très peu semblent les considérer comme de véritables options. Cette réticence à utiliser les recours formels met en question l'efficacité de ceux-ci en tant que leviers d'*empowerment* pour les résidentes.

> [Un comité d'usagers ?] *Il doit y en avoir, ah oui. [...] Ils ont des réunions entre eux autres, ceux qui sont dans le comité. C'est plutôt des plus jeunes. [...] Ils règlent toutes les affaires qu'ils n'aiment pas. [...] Moi, je ne m'occupe pas de grand-chose, pourvu que je sois bien.* (Mme Caron, 79 ans)

Repenser les mécanismes de protection et l'intervention sociale

Dans le système québécois, plusieurs mécanismes ont été mis en place afin de favoriser le respect des droits des personnes résidentes en leur fournissant la possibilité de dénoncer des situations problématiques : accompagnement par les comités de résidents, commissaires aux plaintes, inspecteurs des agences de la santé et des services sociaux, Commission des droits de la personne et des droits de la jeunesse, etc. Sans remettre en question la pertinence de ces instances, nous avons constaté que, nonobstant le statut privé ou public du milieu, les résidentes ne s'y réfèrent que très rarement. En vérité, le problème que nos résultats soulèvent, problème qui a d'ailleurs déjà été souligné préalablement par d'autres acteurs sociaux (Charpentier et Soulières, 2006 ; Charpentier, 2002 ; CDPDJ, 2001), ce n'est pas le manque de recours en cas de situation problématique mais bien le fait que les mécanismes existants ne sont pas adaptés à la réalité des résidentes.

Les raisons pouvant expliquer cette réalité sont multiples, mais il est frappant de constater que l'ensemble de ces recours se fonde sur la formulation d'une plainte « contre » des gens que les résidentes ont appris à connaître et dont elles dépendent au quotidien, plainte qui, de surcroît, est adressée de façon plus ou moins procédurale à des inconnus. En somme, ils sont construits sur une conception « classique » de la défense des droits, telle que conçue par des générations plus jeunes et influencée entre autres par le mouvement syndical androcentrique. Cette forme de revendication repose sur la connaissance de ses droits, mais aussi sur la capacité individuelle de réclamer officiellement justice. Or, pour la grande majorité des femmes âgées hébergées, la réalité est tout autre. Comme le soulignent Herr et Weber (1999 : 6, notre traduction) :

> *Les droits ne se font pas respecter d'eux-mêmes. [...] Les personnes qui ont passé toute leur vie à acquiescer devant les figures d'autorité ne se sentiront pas subitement à l'aise à un âge avancé dans un rôle qui nécessite de l'affirmation personnelle.*

Ainsi, il n'est pas surprenant que la majorité des résidentes hésitent à « mordre la main qui les nourrit ». D'ailleurs, rares sont celles qui utilisent spontanément le concept de « droits » lorsqu'elles décrivent leur quotidien : elles parlent plutôt de la gentillesse et de la générosité des employées, considèrent les services reçus comme étant des « privilèges », insistent sur l'importance de ne pas déranger et expliquent les « écarts de conduite » des employées par une surcharge de travail. Il ne s'agit pas ici de prôner le retrait de ces mécanismes de protection de droits, mais bien d'y joindre une approche différente, basée sur des interventions sociales plus près du vécu des résidentes âgées. À ce titre, l'un des constats les plus fondamentaux qui ressort des témoignages recueillis est l'importance que les résidentes accordent aux relations interpersonnelles dans leur quotidien et c'est sur la force de ces liens sociaux qu'il importe de miser si l'on veut renouveler nos pratiques auprès des femmes âgées hébergées.

Nous rejoignons à ce titre les préoccupations du ministère de la Santé et des Services sociaux concernant l'importance de faire des ressources d'hébergement non plus seulement des milieux de soins, mais également de véritables milieux de vie (MSSS, 2003). Pourtant, encore aujourd'hui, la tâche des professionnelles pratiquant en milieu d'hébergement est davantage axée sur des interventions de nature « paternaliste » (ouverture de régimes de protection, soutien à l'adaptation au milieu, etc.) plutôt que sur celles qui visent l'*empowerment* des personnes hébergées (soutien au comité de résidents, *advocacy*, information et sensibilisation, etc.). Paradoxalement, l'espace pour « travailler le social » est donc plutôt limité dans ces milieux collectifs où la promiscuité exacerbe pourtant les tensions quotidiennes.

Le rôle des intervenantes sociales au sein des milieux d'hébergement gagnerait donc à être élargi. Sur le modèle de l'intervention de milieu, ces professionnelles pourraient développer des liens de confiance avec les résidentes et, adoptant une posture d'accompagnement, elles pourraient agir à titre de médiatrices ou encore soutenir les résidentes qui désirent entreprendre des démarches pour faire respecter leurs droits. D'autre part, elles pourraient assumer un rôle de conseillères pour outiller le personnel au sujet du respect des droits des personnes hébergées. En effet, à la suite de nombreux auteurs (Charpentier, 2002 ; CDPDJ, 2001), il nous semble essentiel de miser sur la formation continue et le soutien au personnel : c'est dans un esprit de collaboration, tant avec les résidentes qu'avec le personnel et les responsables des milieux, que nous serons en mesure de rejoindre une majorité de femmes, incluant celles qui préfèrent se taire plutôt que de se plaindre ouvertement.

Enfin, d'un point de vue macrosocial, cette discussion sur le renouvellement des pratiques en vue de favoriser l'exercice de leurs droits par les femmes âgées hébergées ne saurait être complète sans une réflexion plus large sur les obstacles à l'*empowerment* des aînées dans notre société. Les ramifications insidieuses de l'âgisme sont nombreuses et ne sont pas sans avoir un impact direct sur la qualité de vie des personnes vieillissantes, notamment celles qui doivent composer avec des pertes d'autonomie. Rappelons à ce sujet la violence symbolique qui traverse les trajectoires de placement de ces femmes : leur droit de prendre les décisions qui les concernent a été, dans bien des cas, complètement bafoué. Il semble évident que le processus d'*empowerment* des résidentes doit commencer bien avant leur arrivée dans la ressource d'hébergement en leur permettant d'exercer pleinement leur droit fondamental à choisir librement leur milieu de vie.

En conclusion... la parole aux résidentes

La relation au pouvoir de ces résidentes, nées à une époque où le féminisme n'avait pas encore permis l'émancipation sociale des femmes, est tributaire de leur vie au sein d'une société patriarcale qui accordait aux hommes les formes de pouvoir publiques et formelles. En continuité avec leur parcours de vie, la majorité des participantes adoptent encore aujourd'hui les rôles qui leur ont été dévolus tout au long de leur vie : elles se présentent comme des femmes serviables, gardiennes des relations interpersonnelles harmonieuses, qui se soucient davantage des autres que d'elles-mêmes. Faut-il se surprendre alors du fait que ces dames n'utilisent que très peu les recours calqués sur ceux du marché du travail androcentrique duquel elles ont été exclues toute leur vie ? Doit-on en déduire qu'elles n'exercent aucun pouvoir dans leur quotidien ? Ou faudrait-il plutôt en conclure qu'il nous appartient d'adapter nos pratiques et nos interventions à leur réalité particulière et à leurs stratégies d'*empowerment* propres et qui sont centrées sur les liens sociaux ?

Comme l'affirmait Ray (1999 : 174, notre traduction) : « *la recherche féministe visant l'empowerment veut nous rendre conscients des arrangements sociaux et se veut un prélude à l'action [...] elle permet de soulever des questions* ». Les questions soulevées par le témoignage de ces citoyennes très âgées sont effectivement nombreuses... Quels moyens sommes-nous prêts à nous donner, en tant que société, afin de soutenir l'exercice des droits des groupes sociaux vulnérables ? Quelle est la place que nous reconnaissons socialement aux femmes qui ont atteint un âge avancé et plus particulièrement à celles qui sont en perte d'autonomie et qui demeurent en ressource d'hébergement, à ces femmes qui ont contribué silencieusement à la société d'aujourd'hui ? Il y a lieu aussi de nous demander, en tant que femmes des générations plus jeunes, héritières des luttes et des gains du mouvement féministe, si notre réalité est si différente de celle des femmes âgées. Vieillirons-nous comme elles ?

Quoi de mieux, dans le cadre d'une réflexion sur l'*empowerment* des résidentes, que de laisser le mot de la fin à l'une d'entre elles ? Elles savent, avec des mots souvent simples mais combien justes, exprimer les vérités du quotidien autant que les grandes évidences de la vie.

> *On dirait qu'on n'a pas de place, nous les vieux. Tu sais, moi, j'ai déjà été jeune, mais eux n'ont jamais été vieux. Alors comment voulez-vous qu'ils nous comprennent ?* (Mme Lafrance, 96 ans)

Bibliographie

Bickerstaff, Julie C. (2003). « Institutionnalisation des personnes âgées. Les représentations sociales et leurs impacts », *Revue canadienne de service social*, vol. 20, nº 2, p. 227-241.

Charpentier, Michèle (2002). *Priver ou privatiser la vieillesse ? Entre le domicile à tout prix et le placement à aucun prix*, Québec, Presses de l'Université du Québec.

Charpentier, M. et M. Soulières (2006). *Paroles de résidents. Droits et pouvoir d'agir (empowerment) des personnes âgées en résidences et en centres d'hébergement*, rapport de recherche présenté au ministère de la Santé et des Services sociaux et au Secrétariat aux aînés.

Commission des droits de la personne et des droits de la jeunesse (CDPDJ) (2001). *L'exploitation des personnes âgées, vers un filet de protection resserré*, rapport de consultation et recommandations.

Damant, D., J. Paquet et J. Bélanger (2001). « Recension critique des écrits sur l'*empowerment*, ou quand l'expérience de femmes victimes de violence conjugale fertilise des constructions conceptuelles », *Recherches féministes*, vol. 14, nº 2, p. 133-154.

Garner, Dianne (1999). « Feminism and Feminist Gerontology », *Journal of Women and Aging*, vol. 11, nº 2-3, p. 3-12.

Guttierez, L.-M. (1992). « Information and Referal Services : the Promise of Empowerment », *Information and Referral*, nº 13, p. 1-18.

Hazan, Haim (1994). *Old Age Constructions and Deconstructions*, Cambridge, Cambridge University Press.

Herr, S. S. et G.Weber (1999). « Aging and Developmental Disabilities. Concepts and Global Perspectives », dans S. S. Herr et G. Weber (dir.), *Aging, Rights, and Quality of Life. Prospects for Older People with Developmental Disabilities*, Baltimore, Paul H. Brookes, p. 1-16.

Hooyman, Nancy (1999). « Research on Older Women : Where Is Feminism ? », *The Gerontologist*, vol. 39, nº 1, p. 115-118.

Lemay, G. (2001). *Le rapport au pouvoir des femmes et des hommes et la représentation des femmes au bureau de la FTQ*, mémoire de maîtrise (travail social), Montréal, UQAM.

MacRae, Hazel M. (1995). « Women and Caring : Constructing Self Through Others », *Journal of Women and Aging*, vol. 7, nº 1-2, p. 145-167.

Ministère de la Santé et des Services sociaux (2003). *Un milieu de vie de qualité pour les personnes hébergées en CHSLD, orientations ministérielles*, Québec, Gouvernement du Québec.

Ministère de la Santé et des Services sociaux (2005). *Un défi de solidarité, les services aux aînés en perte d'autonomie. Plan d'action 2005-2010*, Québec, Gouvernement du Québec.

Morell, C. (2003). « Empowerment and Long-Living Women : Return to the Rejected Body », *Journal of Aging Studies*, vol. 17, nº 1, p. 69-85.

Neysmith, Sheila (1995). « Feminist Methodologies : A Consideration of Principles and Practice for Research in Gerontology », *Canadian Journal on Aging*, nº 14 (suppl. 1), p. 100-118.

Puijalon, Bernadette et Jacqueline Trincaz (2000). *Le droit de vieillir*, Paris, Fayard.

Ray, Ruth E. (1999). « Researching to Transgress : The Need for Critical Feminism in Gerontology », *Journal of Women and Aging*, vol. 1, nº 2-3), p. 171-184.

Schuster, Elizabeth (1996). « Ethical Considerations when Conducting Ethnographic Research in a Nursing Home Setting », *Journal of Aging Studies*, vol. 10, nº 1, p. 57-67.

Soulières, M. (2007). *L'empowerment des femmes aînées en milieu d'hébergement : une perspective féministe*, mémoire de maîtrise (travail social), Montréal, UQAM.

Sullivan, Robert (2003). *Theories and Theoretical Frameworks of Aging and Implications for Practice*, document non publié, préparé pour l'équipe Vieillissement et Société.

Willcocks, D., S. Peace et L. Kellaher (1987). *Private Lives in Public Places. A Research-Based Critique of Residential Life in Local Authority Old People's Homes*, Londres, Tavistock.

Notes biographiques

Claudine Attias-Donfut est sociologue, directrice des recherches à la Caisse nationale d'assurance vieillesse, où elle a la responsabilité d'une équipe pluridisciplinaires de chercheurs en sociologie, économie, anthropologie. Dans ses recherches, qui portent sur de nombreux aspects du vieillissement et des parcours de vie, elle a particulièrement approfondi l'analyse des rapports entre générations, dans la famille ou dans la société, sur des échantillons représentant la population générale ou les populations immigrées en France. Parmi ses ouvrages les plus récents, figurent *L'enracinement : enquête sur le vieillissement des immigrés, en France* (Armand Colin, 2006, en coll.) et *Grands-parents. La famille à travers les générations* (Odile Jacob, 2007, nouvelle édition augmentée).

Professeure associée à l'Institut de recherches et d'études féministes de l'UQAM, **Line Chamberland** y mène des recherches sur l'homophobie et la lesbophobie en milieu de travail et en milieu scolaire ainsi que sur l'adaptation des services sociaux et de santé aux besoins des lesbiennes et des gais âgés. Titulaire d'un doctorat en sociologie, elle enseigne la sociologie au Collège de Maisonneuve et le cours *Homosexualité et société* à l'UQAM. Elle est aussi membre de l'équipe de recherche Sexualités et genres: vulnérabilité, résilience (www.svr.uqam.ca).

Aline Charles est professeure au Département d'histoire de l'Université Laval depuis 2000. Elle est membre régulière du Centre interuniversitaire d'études québécoises (CIEQ) depuis 2002. Ses recherches placent le genre au cœur de l'analyse pour explorer l'histoire de la vieillesse et des âges de vie, du travail et du système hospitalier, des politiques sociales et du rapport à l'État, en lien avec la citoyenneté. Elle a notamment publié *Quand devient-on vieille ? Femmes, âge et travail au Québec, 1940-1980* (PUL, 2007), *Femmes, santé et professions. Histoire des diététistes et des physiothérapeutes au Québec et en Ontario, 1930-1980* (Fides, 1997, avec N. Fahmy-Eid et coll.), *Travail d'ombre et de lumière. Le bénévolat féminin à l'Hôpital Sainte-Justine, 1907-1960* (IQRC, 1990).

Michèle Charpentier est professeure à l'École de travail social de l'Université du Québec à Montréal et directrice scientifique de Centre de recherche et d'expertise en gérontologie sociale (CREGÉS) du CSSS Cavendish. Ses travaux portent sur la place et les droits des citoyens âgés, avec un intérêt particulier pour la question des femmes et du vieillissement. Parmi ses publications récentes, mentionnons les ouvrages *Vieillir en milieu d'hébergement : le regard des résidents* et *Pas de retraite pour l'engagement citoyen* (dirigé avec Anne Quéniart) parus en 2007 aux Presses de l'Université de Québec.

Francine Dufort est professeure titulaire à l'École de psychologie de l'Université Laval. Elle enseigne principalement la psychologie communautaire, et ses recherches portent sur le pouvoir d'agir (*empowerment*) des personnes et des communautés et sur les représentations sociales de la santé. Depuis l'automne 2000, elle est chercheure du Groupe d'étude sur l'interdisciplinarité et les représentations sociales (GEIRSO), groupe interuniversitaire qui réalise une programmation de recherche, financée par le CRHS dans le cadre du programme Grand travail de recherche concertée, sur des médicaments faisant l'objet de débats sociaux. Sa contribution à ce grand travail de recherche concerne surtout les initiatives communautaires en matière de médication et d'alternative aux médicaments.

Laurence Fortin-Pellerin est étudiante au doctorat en psychologie communautaire à l'Université Laval. Sa thèse porte sur la représentation sociale de l'*empowerment* chez des groupes québécois du mouvement des femmes. Dans le cadre de son programme d'étude, elle est en stage à la Direction générale de la santé publique du ministère de la Santé et des Services sociaux. Elle s'implique également dans le mouvement des femmes depuis plusieurs années.

Catherine Gourd a obtenu un baccalauréat en psychologie à l'Université du Québec en Outaouais, pour lequel elle a reçu une mention d'honneur du doyen. Sa thèse d'honneur a porté sur les facteurs sociaux liés à la prise de benzodiazépines chez les personnes âgées de 50 et plus faite en conjonction avec l'obtention d'une bourse de recherche du Fonds de la recherche en santé du Québec. Elle s'engage maintenant dans des études doctorales en psychologie et se destine à la recherche et au travail clinique en vieillissement, en anxiété et en cyberpsychologie.

Amanda M. Grenier est professeure adjointe à l'École de travail social de l'Université McGill et chercheure affiliée au CREGES (Centre de recherche et d'expertise en gérontologie sociale – CSSS-CAU Cavendish). Ses travaux de recherche portent sur la gérontologie sociale et critique, l'analyse historique des transformations des soins publics, la construction sociale de l'expérience des bénéficiaires de services, et les aspects sociaux et émotionnels des soins aux personnes âgées. Elle a publié récemment des articles sur l'âge et les frontières générationnelles (*Journal of Social Issues*), sur les constructions sociales de la fragilité (*Ageing and Society*) ainsi que sur la résistance des femmes âgées (*Current Sociology*).

Après avoir complété un baccalauréat en psychologie à l'Université du Québec en Outaouais, **Émilie Grenon** a obtenu son diplôme de maîtrise en service social à l'Université d'Ottawa. Son thème de maîtrise portait sur les femmes séparées de leurs enfants et affectées par la politique d'immigration en matière de réunification familiale. Elle a collaboré à une recherche dirigée par Guilhème Pérodeau portant sur la médicalisation du vieillissement. Elle a participé à plusieurs projets de coopération internationale, dont un projet de collaboration avec des centres de femmes en Amérique latine. Elle travaille actuellement comme intervenante communautaire dans une maison d'aide et d'hébergement pour femmes et enfants victimes de violence conjugale en Outaouais.

tania navarro swain est professeure au Département d'histoire de l'Université de Brasilia. En 1997-1998, elle a été professeure invitée à l'Université de Montréal, ainsi qu'à l'Université du Québec à Montréal, à l'Institut de recherches et d'études féministes. Elle a créé le premier cours en études féministes au niveau de la maîtrise et du doctorat. Parmi ses plus récentes publications, *O que é lesbianismo ?* (qu´est-ce que le lesbianisme ?, 2000) le numéro spécial *Feminismos : teorias e perspectivas* (féminismes : théories et perspectives) de la revue *Textos de História*, paru en 2002. Elle a également dirigé les ouvrages *História no plural* et *Mulheres em ação : práticas discursivas, práticas políticas* (2005). Elle est l'éditrice de la revue électronique *Labrys, études féministes*, www.unb.br/ih/his/gefem.

Simone Pennec est enseignante-chercheure en sociologie à l'Université européenne de Bretagne. Elle a contribué à la création de plusieurs filières de formation des sciences sociales et de la santé à l'Université de Brest et a particulièrement développé les formations traitant de la production de santé familiale en situation de handicaps et face au vieillissement des membres de la parenté. Ses recherches mettent en lumière les effets des politiques publiques sur l'articulation des carrières des femmes, dans les services de la parenté et dans l'activité professionnelle, en étudiant les manières suivant lesquelles les engagements des femmes se règlent selon des configurations plurielles liant leurs propres cycles de vie avec ceux de leurs proches : ascendants, collatéraux et descendants.

Après avoir complété un doctorat en psychologie sociale à l'université York à Toronto, **Guilhème Pérodeau** a fait un post-doctorat au centre de recherche de l'hôpital Douglas à Montréal. Elle est professeure au Département de psychoéducation et de psychologie de l'Université du Québec en Outaouais depuis 1991. Elle est également chercheure au sein de l'axe de recherche en santé mentale et vieillissement du Réseau québécois de recherche sur le vieillissement. Ses intérêts de recherche sont la médicalisation du vieillissement, la santé des femmes, le stress et les stratégies d'adaptation. Elle a reçu une formation clinique au centre d'intervention gestaltiste de Montréal et a une pratique privée depuis 2004.